D1455129

A-Z BRISTOL & BATH DELUXE

CONTENTS

REFERENCE

Motorway	M5
A Road	A36
B Road	B4055
Dual Carriageway	
One-way Street	→
Traffic flow on A Roads is also indicated by a heavy line on the driver's left.	→
Restricted Access	
Pedestrianized Road	
City Centre Loop	
Track / Footpath	
Residential Walkway	
Railway	Station, Tunnel, Level Crossing, Heritage Station
Built-up Area	MILL ST.
Local Authority Boundary	
Posttown Boundary	
Postcode Boundary within Posttown	
Map Continuation	86
Large Scale City Centre	4
Car Park (selected)	P
Church or Chapel	†

Cycleway	
Bristol Ferry Waterbus Stop	F
Fire Station	■
Hospital	H
House Numbers Selected roads	13 8 25
Information Centre	i
National Grid Reference	³60
Park & Ride	Portway P+
Police Station	▲
Post Office	★
Toilet with facilities for the Disabled	▽ ▽
Viewpoint	
Educational Establishment	
Hospital or Hospice	
Industrial Building	
Leisure or Recreational Facility	
Place of Interest	
Public Building	
Shopping Centre or Market	
Other Selected Buildings	

SCALE

Map Pages 8-159   1:14908

0   ¼   ½ Mile
0   250   500   750 Metres
4¼ inches (10.8 cm) to 1 mile   6.71 cm to 1 km

Map Pages 4-7   1:7454

0   ⅛   ¼ Mile
0   100   200   300   400 Metres
8½ inches (21.6) to 1 mile   13.42 cm to 1 km

Copyright of Geographers' A-Z Map Company Ltd.

Head Office:
Fairfield Road, Borough Green, Sevenoaks, Kent, TN15 8PP
Telephone 01732 781000 (General Enquiries & Trade Sales)

Showrooms:
44 Gray's Inn Road, London, WC1X 8HX
Telephone 020 7440 9500 (Retail Sales)

www.a-zmaps.co.uk

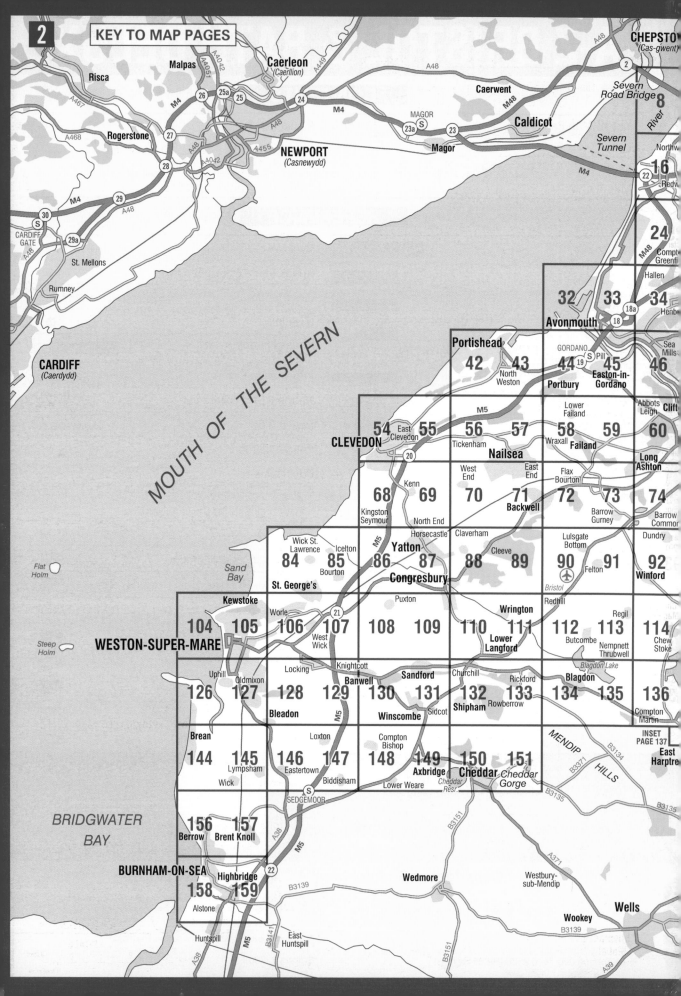

MOUTH OF THE SEVERN

CHEPSTO (Cas-gwent)

Risca

Malpas

Caerleon (Caerllion)

Rogerstone

NEWPORT (Casnewydd)

Caerwent

Caldicot

Magor

MAGOR

Severn Road Bridge

8

River

Severn Tunnel

16

Northw

Redw

24

Compt Greenfi

Hallen

Henb

CARDIFF GATE

St. Mellons

Rumney

CARDIFF (Caerdydd)

32 **33** **34**

Avonmouth

Sea Mills

Portishead

North Weston

GORDANO

Pill

Portbury

Easton-in-Gordano

42 **43** **44** **45** **46**

Abbots Leigh

Clift

Lower Failand

Wraxall Failand

54 **55** **56** **57** **58** **59** **60**

East Clevedon

CLEVEDON

Tickenham

Nailsea

Long Ashton

West End

East End

Flax Bourton

Barrow Gurney

Barrow Commo

68 **69** **70** **71** **72** **73** **74**

Kingston Seymou

Kenn

North End

Backwell

Horsecastle

Claverham

Lulsgate Bottom

Dundry

84 **85** **86** **87** **88** **89** **90** **91** **92**

Wick St. Lawrence

Icelton

Bourton

Yatton

Congresbury

Cleeve

Felton

Winford

Bristol

Sand Bay

St. George's

Flat Holm

Kewstoke

Worle

Puxton

Redhill

Wrington

Regil

104 **105** **106** **107** **108** **109** **110** **111** **112** **113** **114**

WESTON-SUPER-MARE

West Wick

Lower Langford

Butcombe

Nempnett Thrubwell

Chew Stoke

Steep Holm

Blagdon Lake

Knightcott

Sandford

Churchill

Rickford

Blagdon

126 **127** **128** **129** **130** **131** **132** **133** **134** **135** **136**

Uphill

Oldmixon

Locking

Banwell

Shipham

Rowberrow

Compton Martin

Bleadon

Winscombe

Sidcot

Brean

Loxton

Compton Bishop

MENDIP

INSET PAGE 137

East Harptre

144 **145** **146** **147** **148** **149** **150** **151**

Lympsham

Eastertown

Axbridge

Cheddar

Cheddar Gorge

HILLS

Wick

Biddisham

Lower Weare

Cheddar Resr.

SEDGEMOOR

BRIDGWATER BAY

156 **157**

Berrow

Brent Knoll

BURNHAM-ON-SEA

Highbridge

158 **159**

Alstone

Wedmore

Westbury-sub-Mendip

Wells

Wookey

Huntspill

East Huntspill

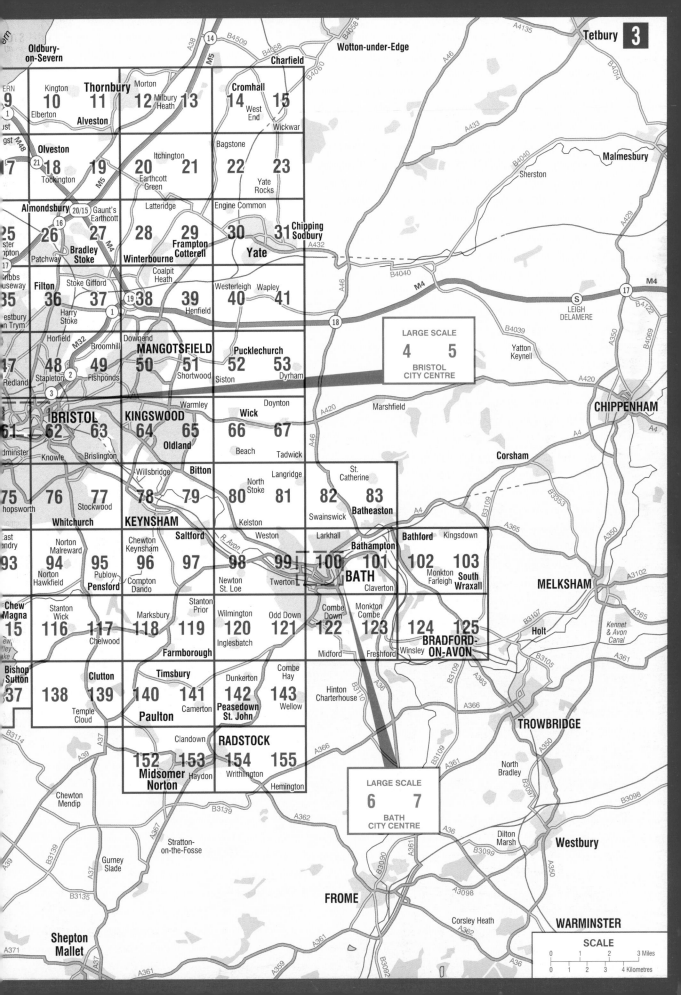

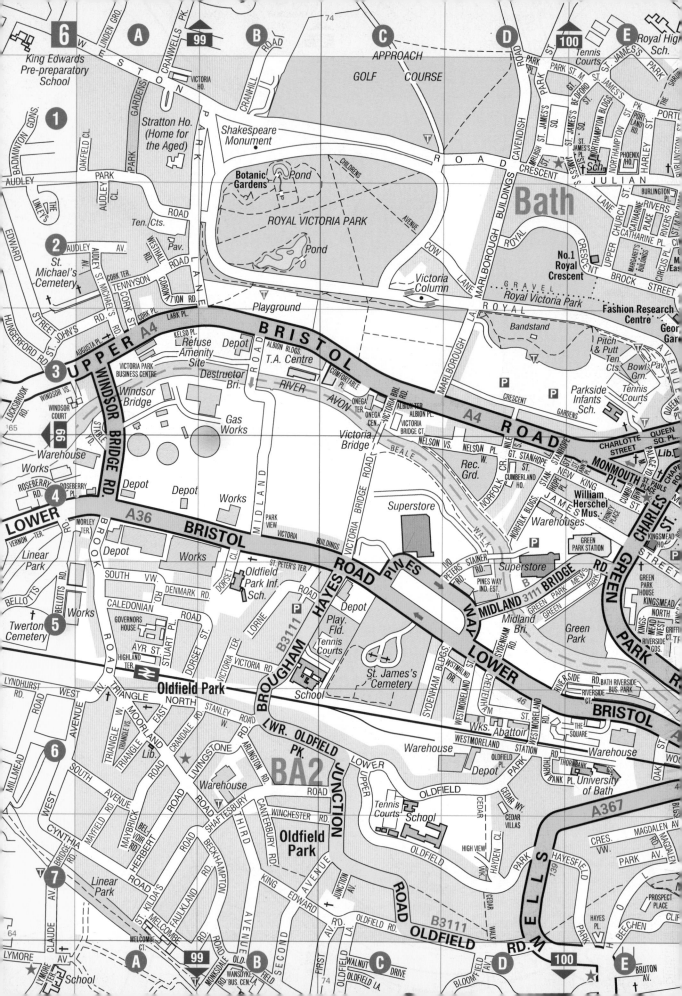

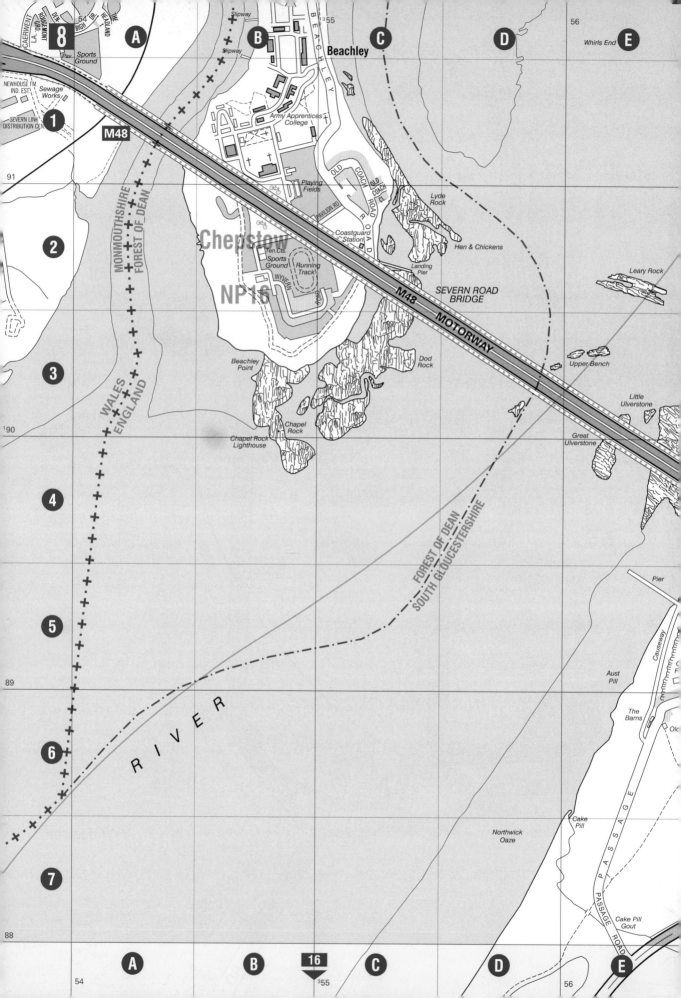

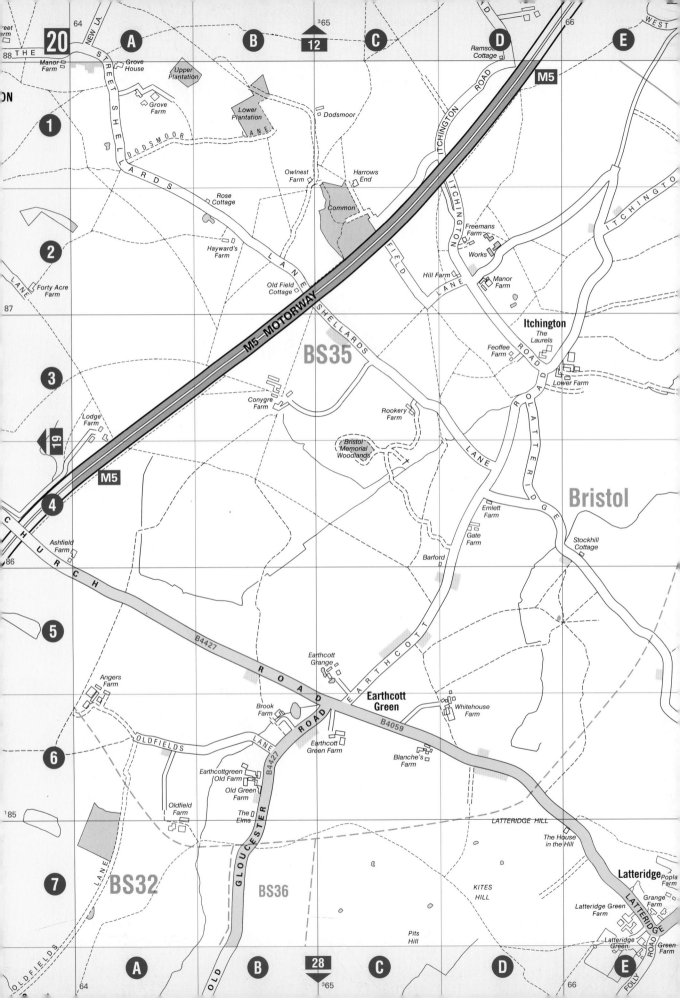

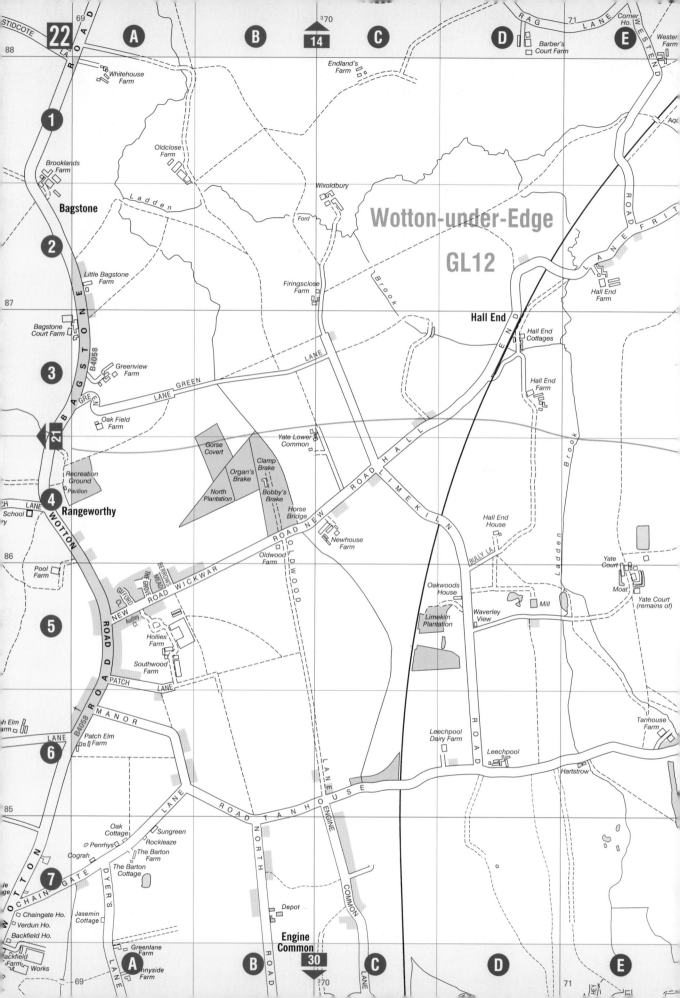

STIDCOTE LA

22

69

ROAD BAGSTONE

88

A   B   14   C   D   E

RAG   LANE   71

Corner Ho.

WEST END

Wester

1

Whitehouse Farm

Endland's Farm

Barber's Court Farm

Brooklands Farm

Oldclose Farm

Bagstone

Ladden

Wixoldbury

Ford

Wotton-under-Edge

ROAD   LANE   FRIT

Aqu

2

Little Bagstone Farm

Firingclose Farm

Brook

GL12

Hall End Farm

87

Bagstone Court Farm

BAGSTONE   GREEN   LANE

Hall End

LANE

HALL   END

Hall End Cottages

3

B4058

Greenview Farm

Hall End Farm

LANE   GREEN

21

Oak Field Farm

Yate Lower Common

Gorse Covert

Recreation Ground

Organ's Brake

Clamp Brake

ROAD   NEW

ROAD   HALL

LIMEKILN

4

Pavilion

Rangeworthy

North Plantation

Bobby's Brake

Horse Bridge

Newhouse Farm

Hall End House

BULLY LA.

Yate Court

School

WOTTON   LANE

Oldwood Farm

Oakwoods House

Waverley View

Mill

Moat

Yate Court (remains of)

86

Pool Farm

OLDWOOD

Ladden

Brook

5

BERROWS MEAD

THE GROVE

ROAD   WICKWAR

Limekiln Plantation

GIFFORD CL

Audley Ct.

Hollies Farm

Southwood Farm

PATCH   LANE

Tanhouse Farm

h Elm arm

NEW   ROAD

B4058

MANOR

Patch Elm Farm

Leechpool Dairy Farm

ROAD

Leechpool

LANE

6

Hartstrow

85

Oak Cottage

Sungreen

Rockleaze

ROAD   NORTH

LANE   TANHOUSE

Penrhys

Cograh

The Barton Farm

LANE   ENGINE

COMMON

7

WOTTON

CHAINGATE   LA

DYER'S   LANE

The Barton Cottage

Chaingate Ho.

Jasemin Cottage

Verdun Ho.

Backfield Ho.

ackfield arm

Works

Greenlane Farm

nnyside Farm

Depot

Engine Common

30

370

A   B   C   D   E

69   71

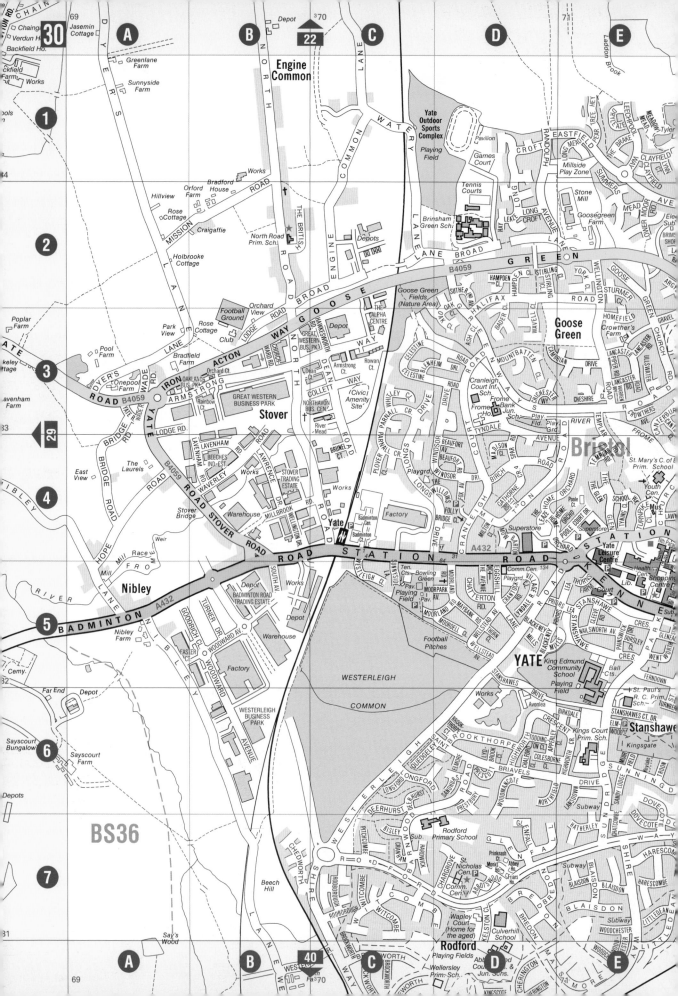

32
81
49
350
51

A   B   C   D   E

1

2

180

RIVER SEVERN

3

4

79

Lighthouse

North Pier

Lighthouse

5

South Pier

Swash Channel

Oil Jetty (disused)

Depot

Fuel
Depot

West Wharf

Graving Dock

Entrance Lock

AVONMOUTH
DOCKS

Royal Edward
Dock

Warehouses

Cold
Store

Worksh

Mills

6

RESERVOIR

RIVER

Junction Cut

Lock

KING
ST
NAPIER
SQ
QUEEN
ST
CLAYTON
ST
MEDINA
ST
EAST
ST
GLOUCEST

P

Avon

Mill

78

SEA
BANK
ROAD

Sea Bank East

BRISTOL

NORTH
SOMERSET

Nelson Point

Avonmouth
Old Dock

7

BS20

GORDANO
ROAD

GORDANO
ROAD

River Quay Warehouse

RIVER

ROAD

Warehouse

AVON

Depot

ROYAL PORTBURY
DOCK

Gordano Quay

Warehouses

St. George's
Wharf

A49Chapel Pill

A   44   B   C   D   E
350   St. George's Quay   ST. GEORGE'S   ROAD   Depot   51
Offices

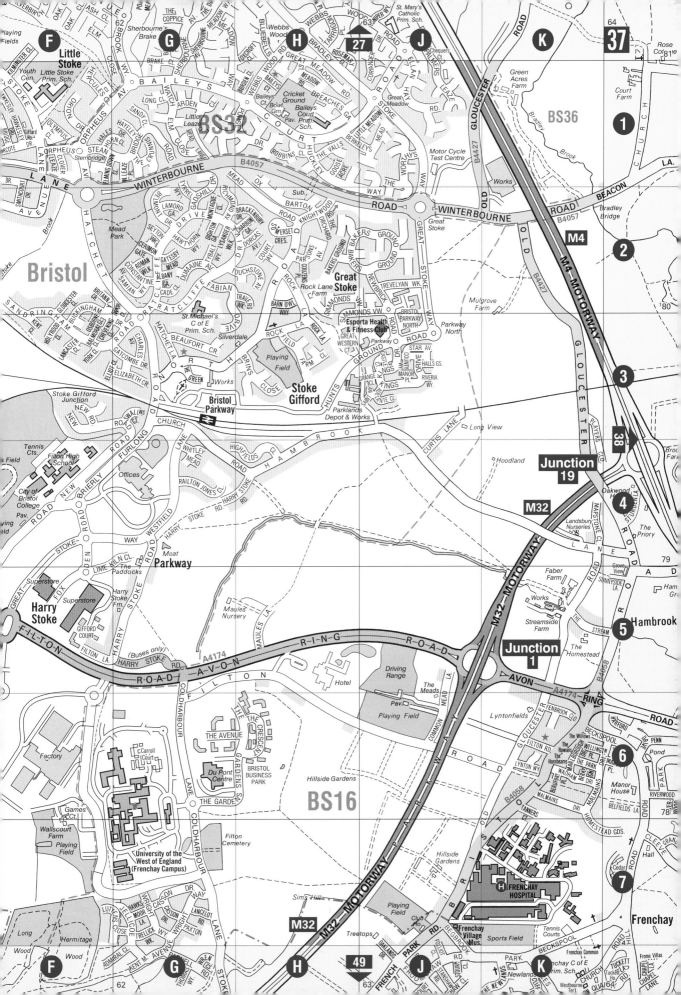

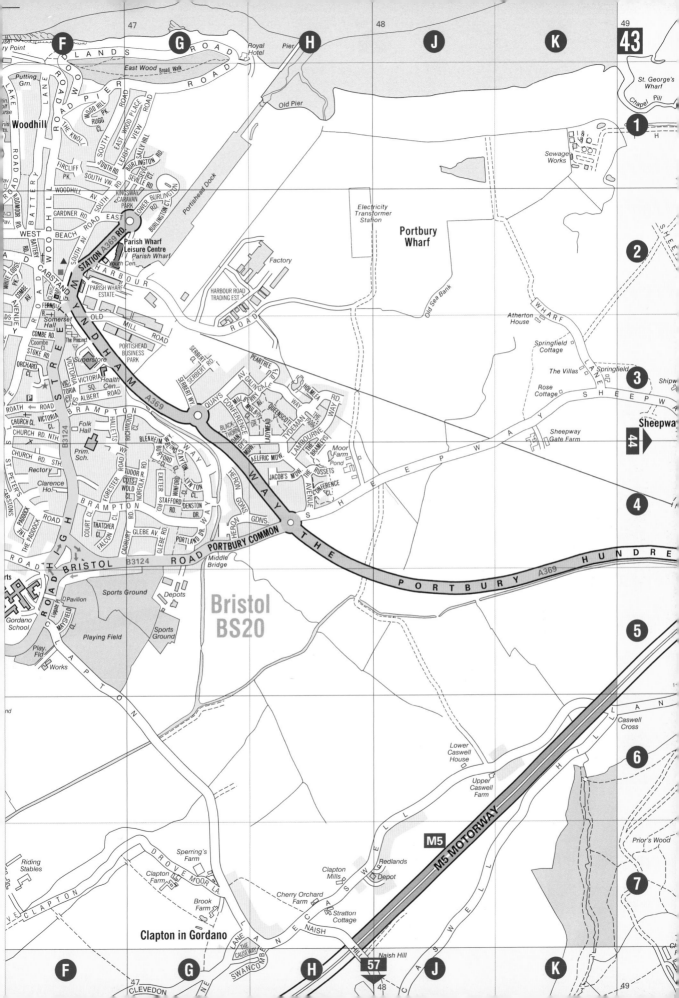

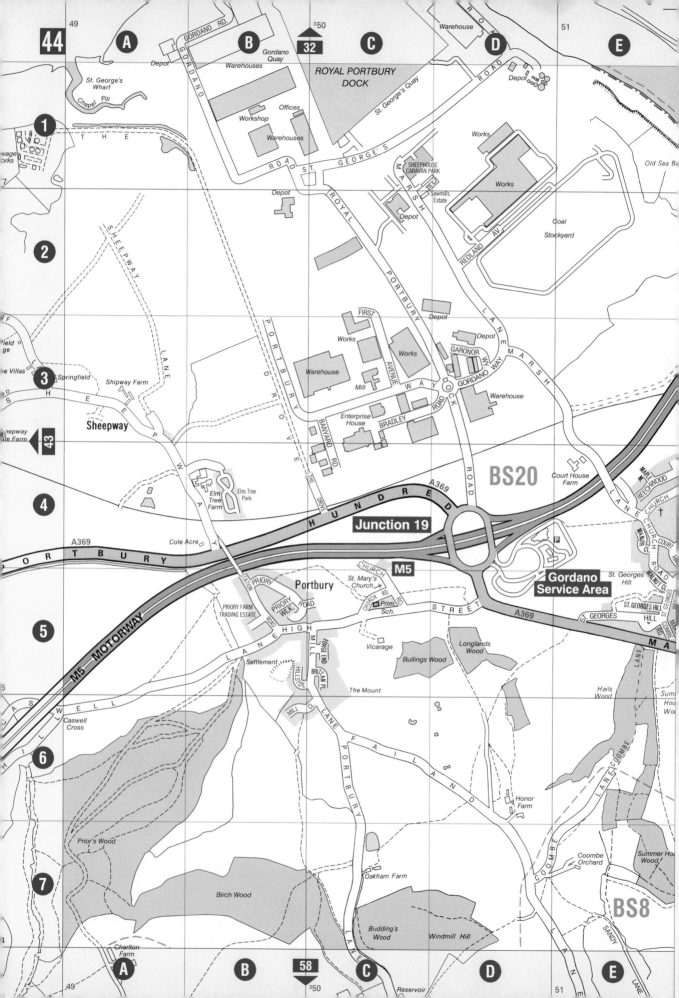

1

77

Dyrham Stables

Hinton Grange

WASHPOOL

Ford Cottage

Hinton

Lowerfields Farm

Ring 'o' Bells Farm

Bridehill Farm

Hinton Common

Hinton Farm

Little Orchard

Corporation Plantation

2

Fort

HINTON HILL

GROVE LANE

HEALEY DR.

SAMUEL CROFT LANE

LANE

ROOKERY

Home Farm

Ring 'o' Bells Cottages

Healy Court Farm

Orchard Barn

Strip Lynchets

Hazel Cottage

Chippenham

SN14

Cotswell House

Springhill Farm

CHAPEL LA.

3

Hall

COCK LANE

Talbot Farm

Talbot Farm Cottage

DYRHAM PARK (Deer Park)

76

BACK LANE

UPPER

Pear Orchard

Waterfall

Waterfall

Waterfall

Dyrham

4

Dyrham Park

STREET

Home Farm

HIGH STREET

SANDS

Trunk House

The Cottage

LANE

LANE

Rookery Farm

5

Sands Farm

75

Tresco

Lower Ledge Farm

6

The Cottage

Woodmead Grove

Doynton Mill

Weir

Wilkes' Farm

DOYNTON ROAD

LANE

WOODMEAD LANE

Withy Bed

MILL LA.

Court Farm

DYRHAM WOOD

7

Boyd Bridge

HIGH LANE

STREET

CHURCH LANE

TOGHILL LANE

SUMMERS DR.

Doynton

Bowd Farm

74

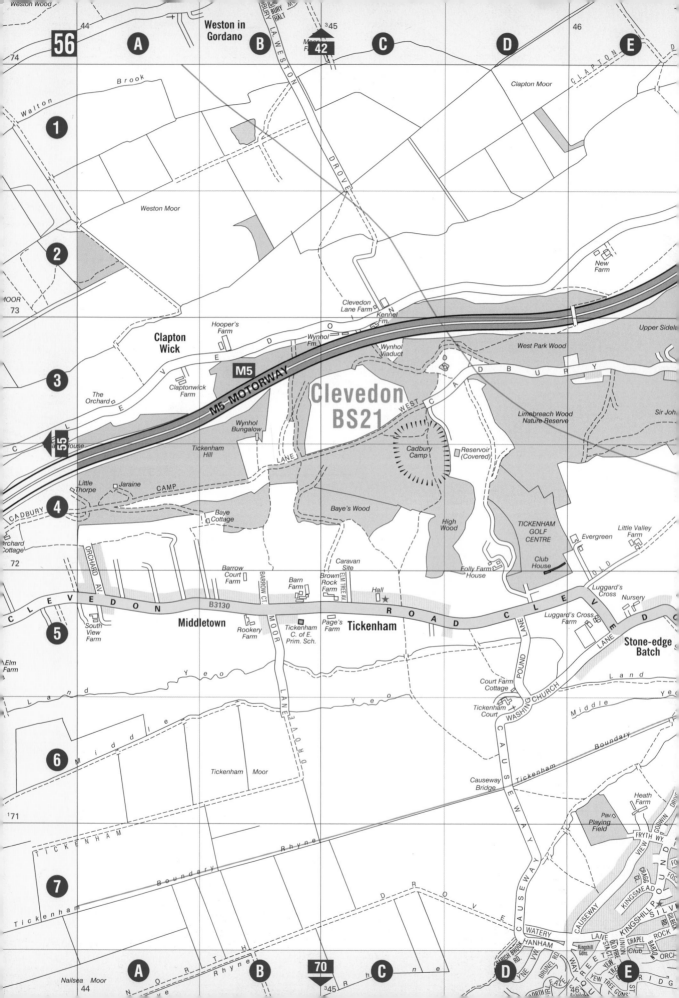

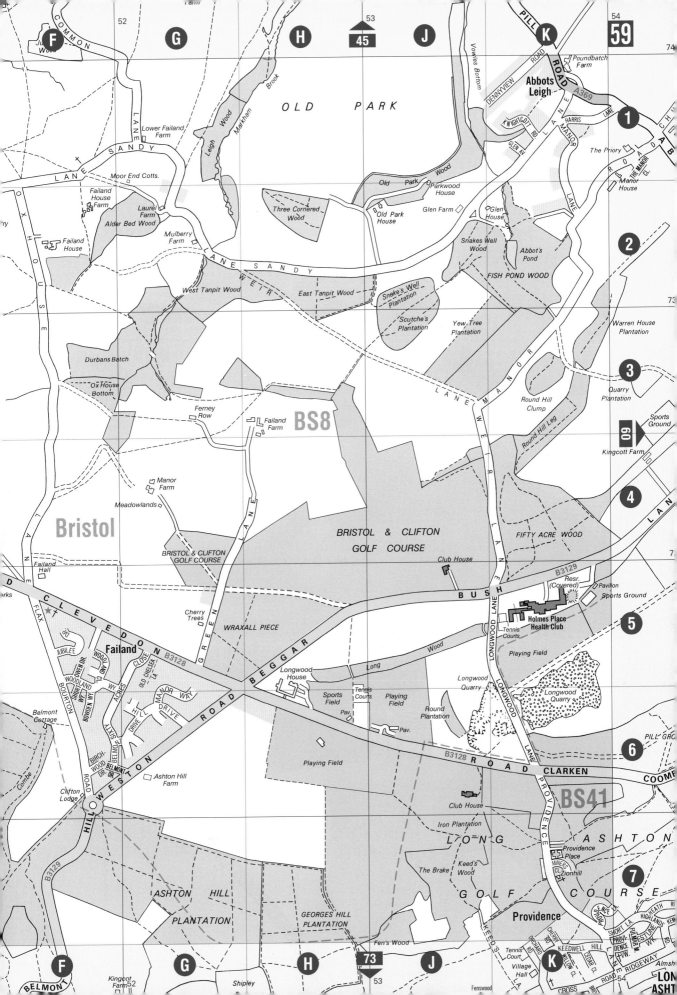

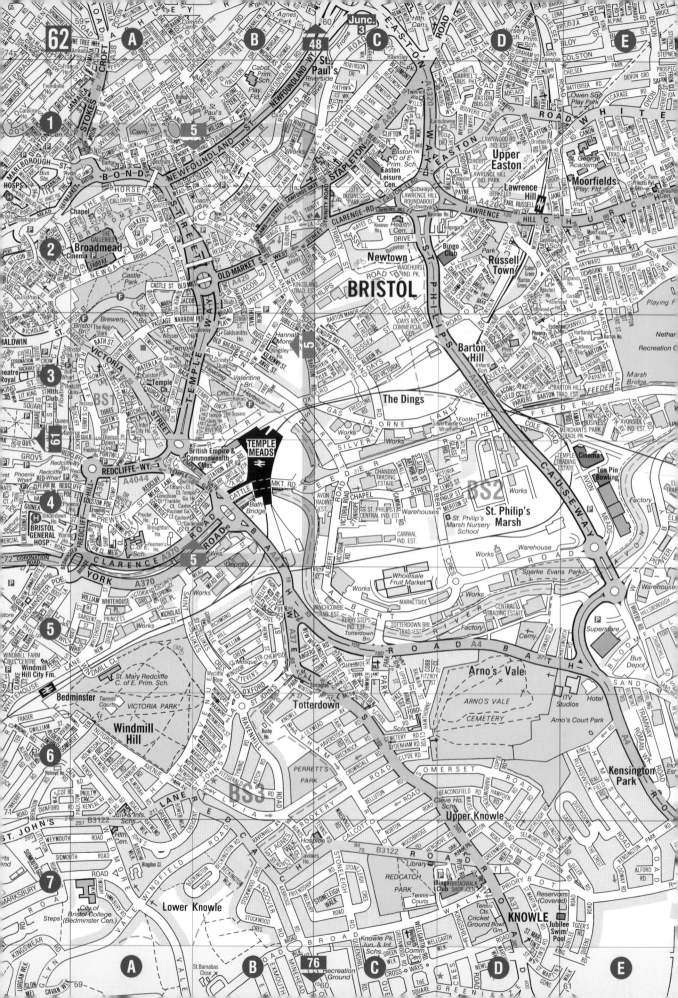

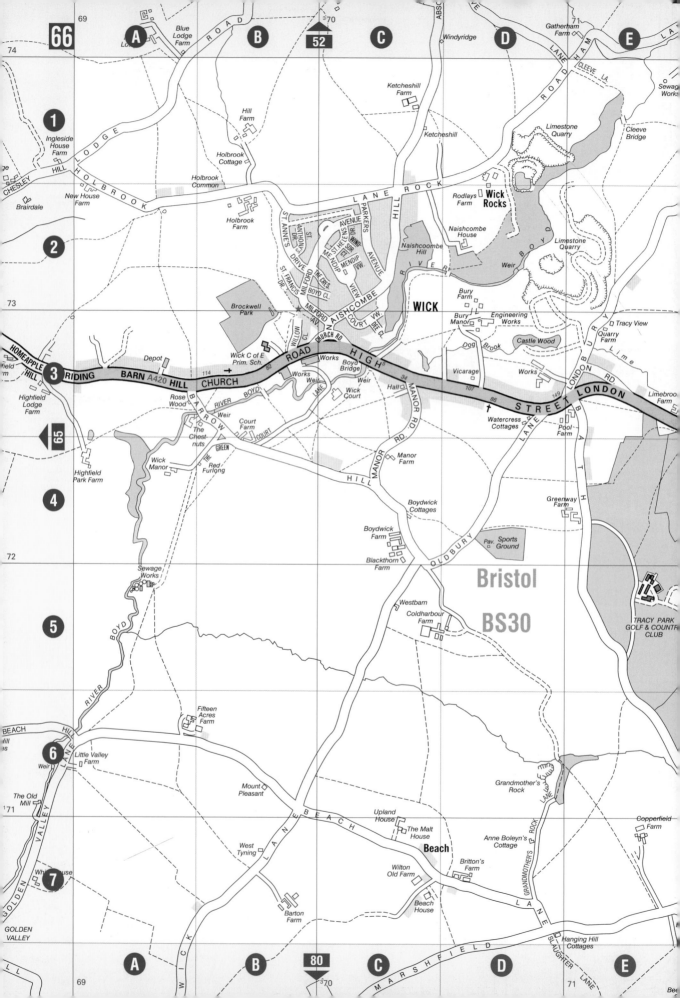

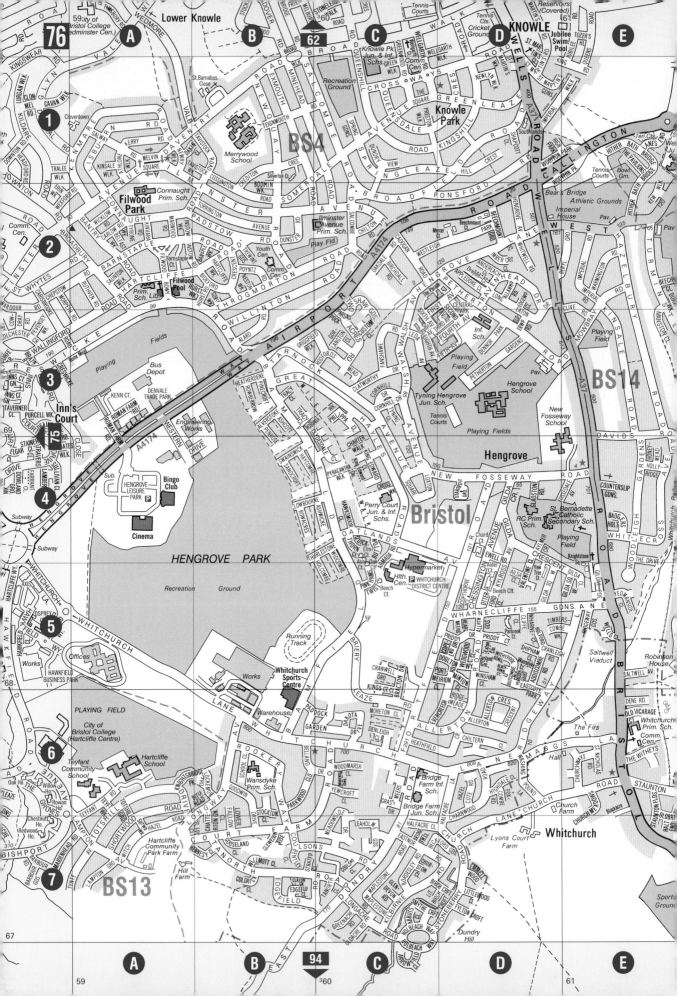

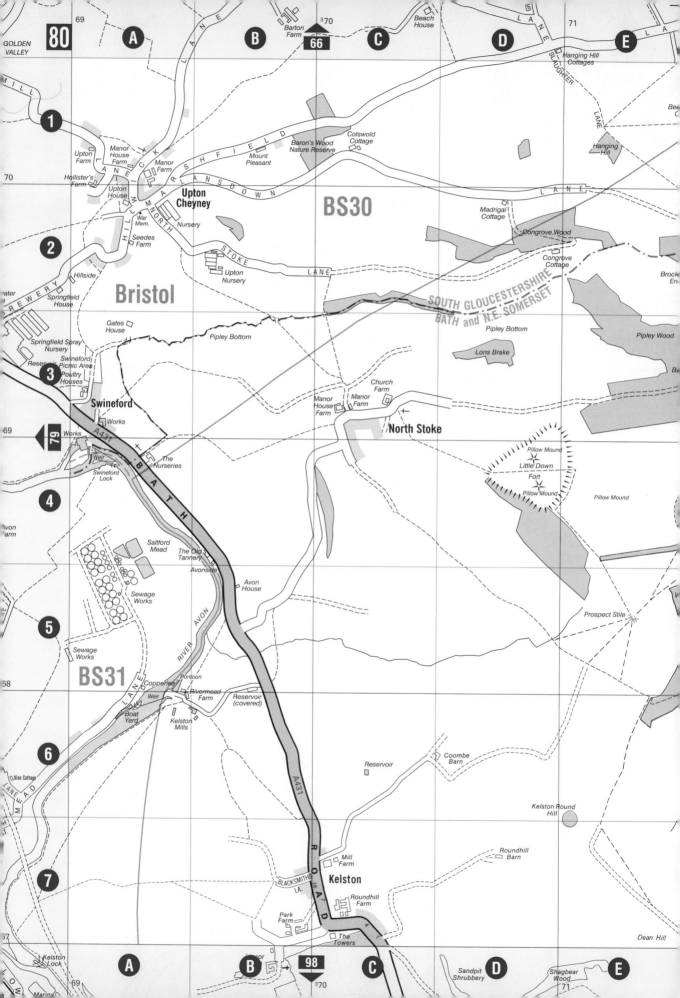

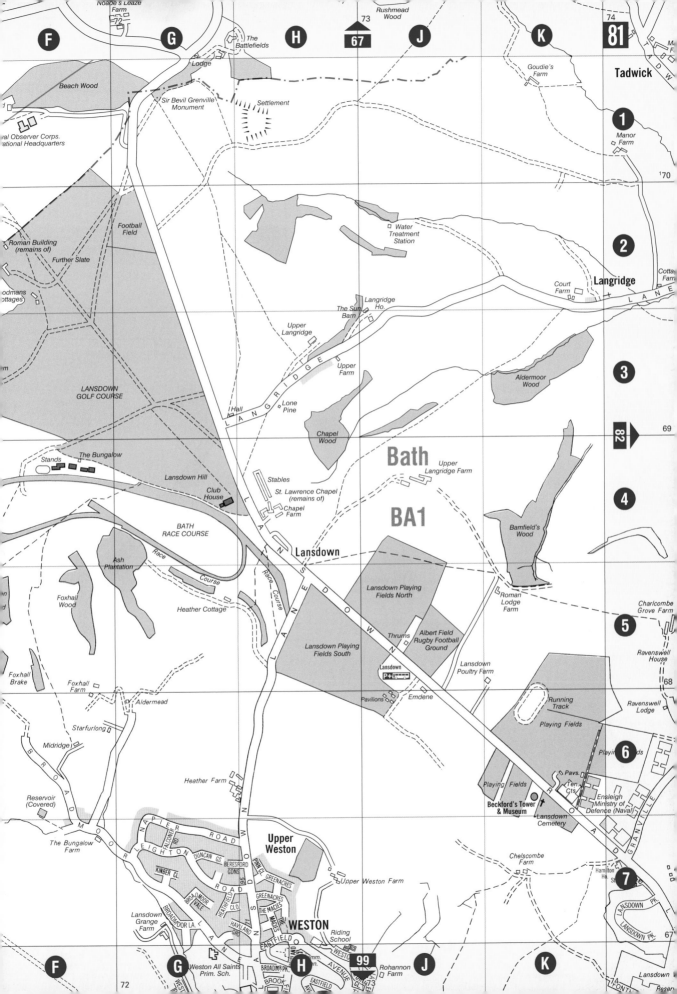

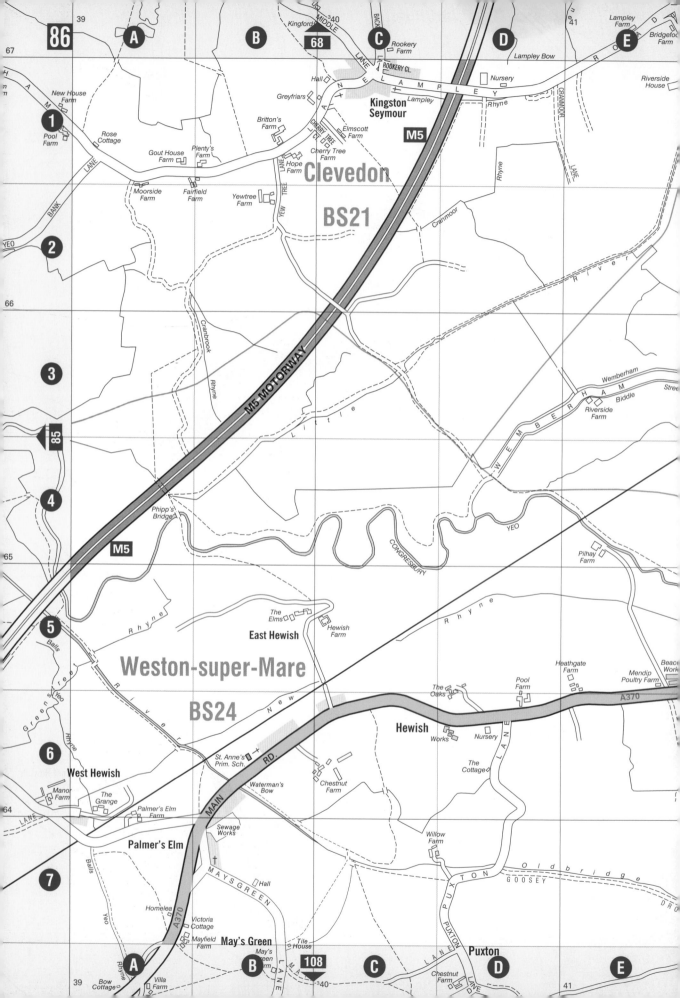

86

39 · A · B · 68 · C · D · 41 · E

1

67

New House Farm
HAM LANE
Pool Farm
Rose Cottage
Gout House Farm
Plenty's Farm
Moorside Farm
Fairfield Farm
Yewtree Farm

Britton's Farm
Hope Farm
Hall
Greyfriars
CHERRY TREE LANE
Cherry Tree Farm
YEW TREE LANE
Elmscott Farm

Kingford's
MIDDLE LANE
Hall
ROOKERY CL.
Rookery Farm
Kingston Seymour
Lampley
Lampley Rhyne
LAMPLEY
Nursery
Lampley Bow
CRANMOOR LANE
BACK LANE

Lampley Farm
Bridgefoot
Bridgefoot Farm
Riverside House

Clevedon

BS21

M5

Cranmoor
Rhyne

2

3

66

BANK LANE
YEO

Cranbrook Rhyne

M5 MOTORWAY

Little

WEMBERHAM
Wemberham Street
Riverside Farm
Biddle

85

4

Phipp's Bridge

Rhyne

YEO
CONGRESBURY
Pilhay Farm

M5

5

65

Rhyne
Balls
Green Street
YEO
Rhyne

The Elms
East Hewish
Hewish Farm

Rhyne

New

The Oaks
Heathgate Farm
Pool Farm
Mendip Poultry Farm
Beach Works

Weston-super-Mare

BS24

River Yeo

St. Anne's Prim. Sch.
MAIN RD.

Hewish
Works
Nursery
The Cottage

6

64

West Hewish
Manor Farm
The Grange
Palmer's Elm Farm

Waterman's Bow
Chestnut Farm

Willow Farm
PUXTON LANE
Oldbridge
GOOSEY

7

LANE
Balls
YEO
A370
Palmer's Elm
Homelea
Victoria Cottage
Mayfield Farm

Sewage Works
MAYSGREEN LANE
Hall

May's Green
May's Green Farm
Tile House

Puxton
Chestnut Farm

39 · A · Bow Cottage · Villa Farm · B · 108 · C · D · 41 · E

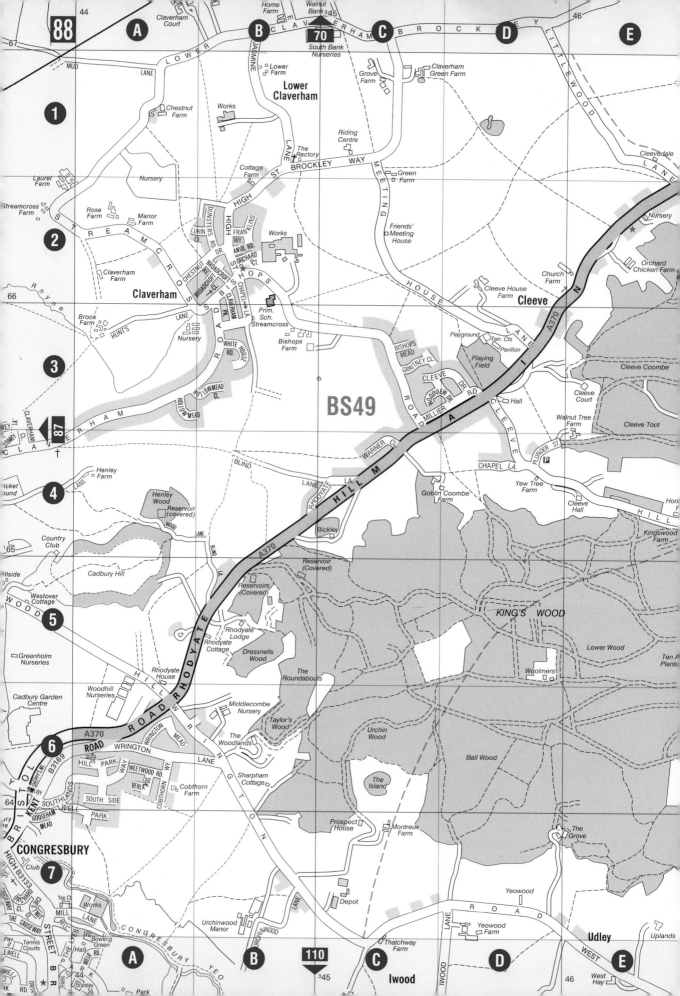

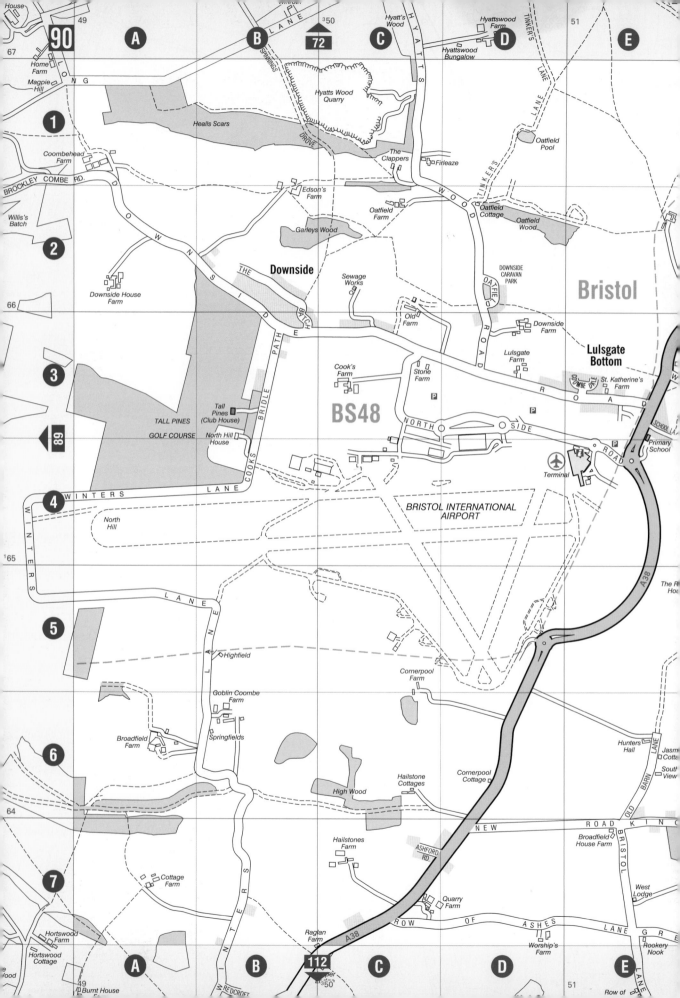

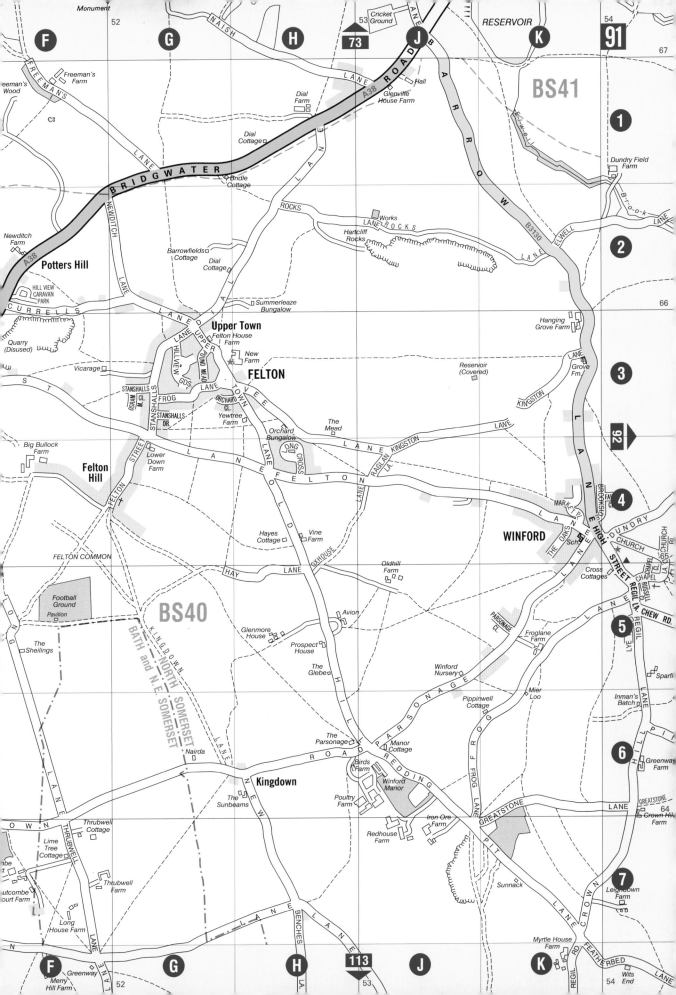

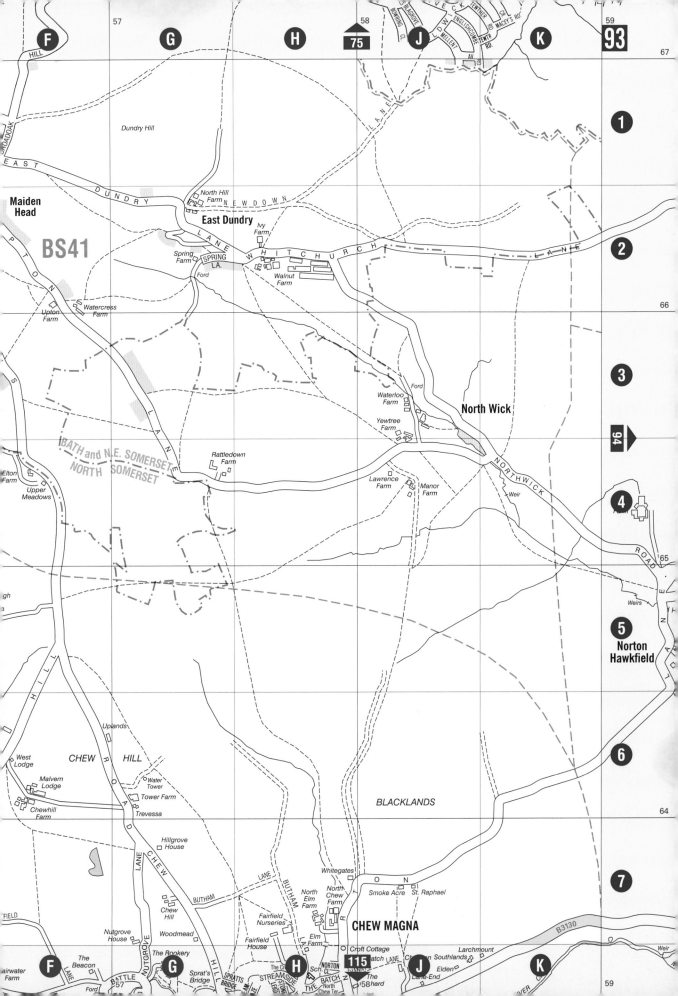

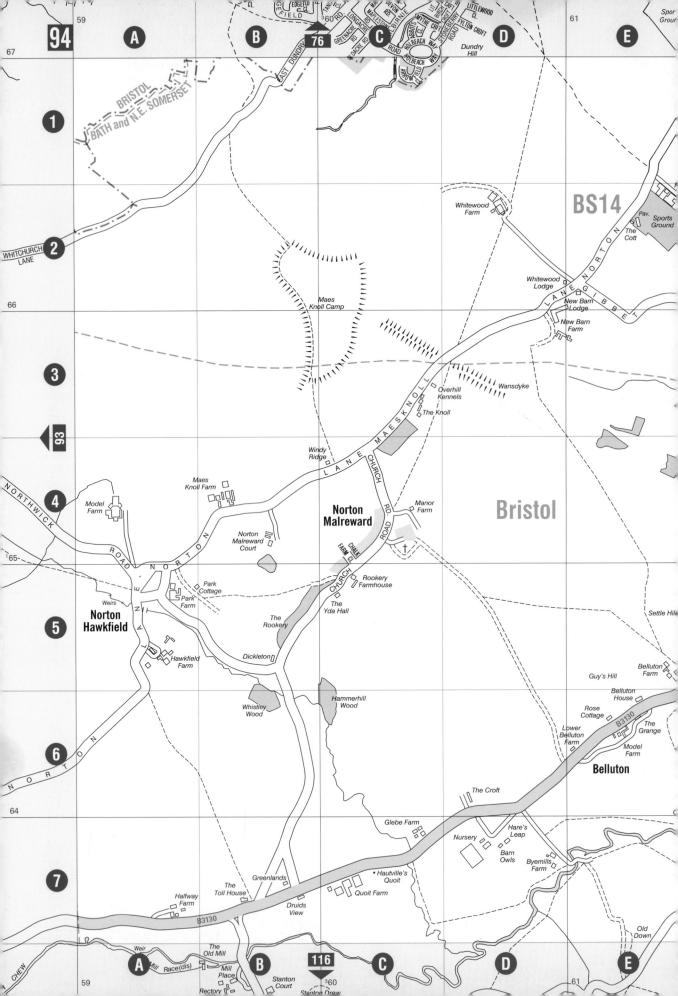

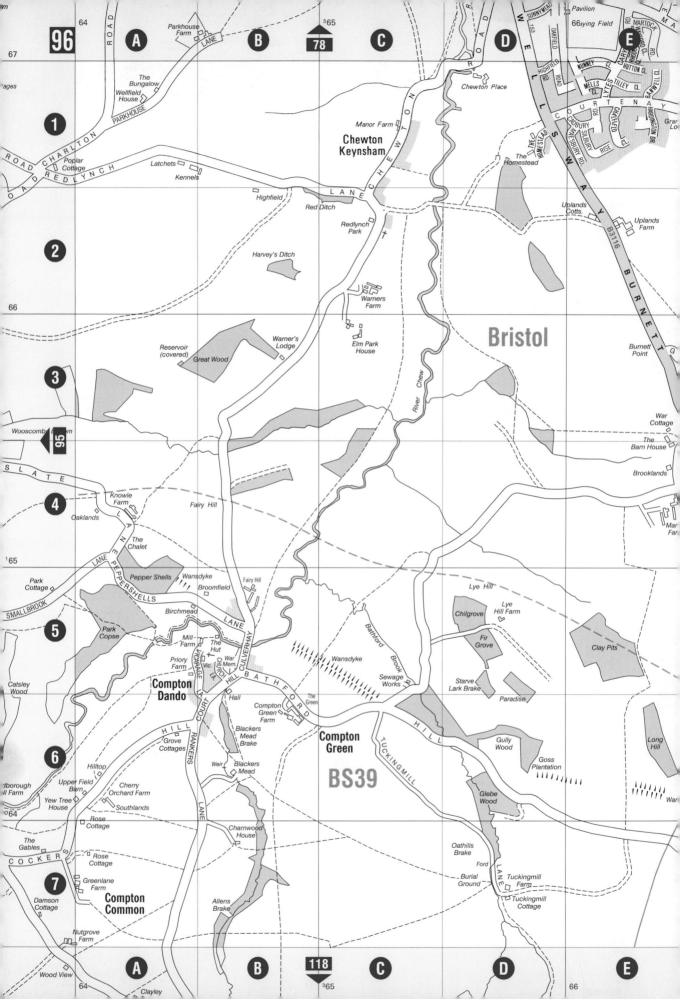

MOUTH OF

*Birnbeck
Pier*

BIRNBECK
ISLAND

Toll-
Gate

Spring Cove

Worlebury *WORLEBURY*
Hill Fort CAMP

Coll.
(Annex)

Pier

Lifeboat
Sta.

Rainham Ct. TRINITY
RD.

Atlantic Ct.

ATLANTIC
RD. STH.

Boating Slip

ATLANTIC

ATLANTIC
BUS. PARK

Anchor Head

ROAD

Parade

*Madeira
Cove*

Glentworth Bay

Marine
Lake

Yacht Club
H.Q.

KNIGHTSTONE
CAUSEWAY

KNIGHTSTONE

Pavilion

WESTON-SUPER-MARE

WESTON BAY

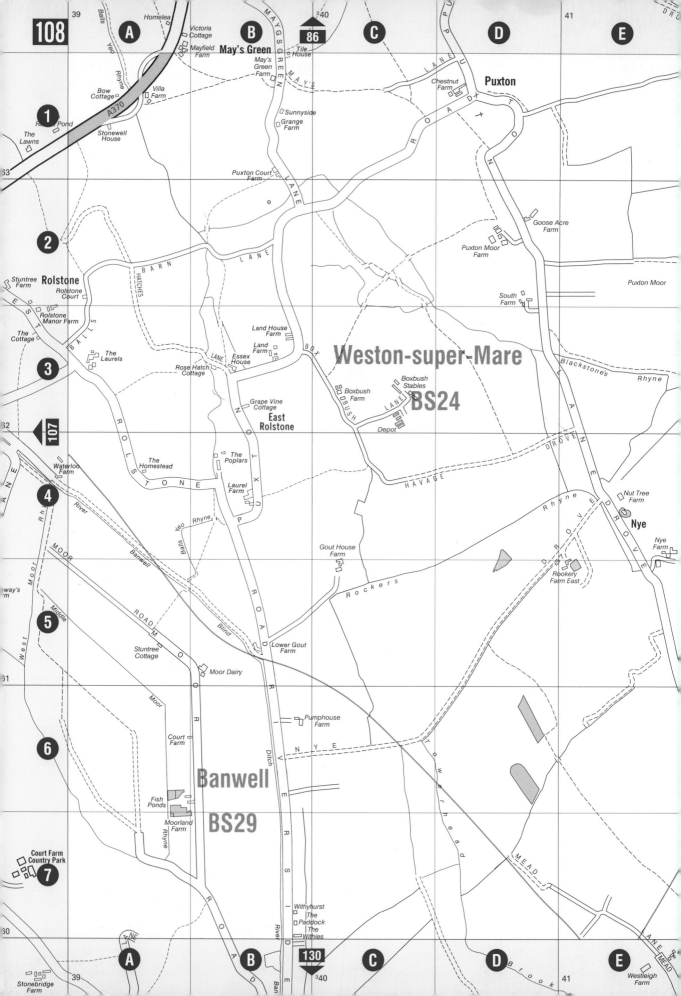

110

A **B** 88 **C** **D** **E**

CONGRESBURY

Udley
Uplands

Urchinwood
Manor

Thatchway
Farm

Yeowood
Farm

WEST

HAY

West
Hay

Iwood

Nursery

Works

Bowling
Green

Tennis
Courts

Park
Farm

Cadbury

1

Iwood
Farm

Iwood
Manor

Pineapple
Farm

Yewtree
Farm

STREET

Weir

Weir

Sewage
Works

2

Silver
Street
Farm

Cherry
Tree
Farm

Poplar
Farm

Piggery

Congresbury

Yeo

3

DROVE

The Elms
Farm

ROADSTOCK

B3133

Stoney
Croft
House

Bristol

109

BS49

Brinsea Batch
Farm

Manor
Farm

BATCH

Stock
Farm

Brinsea

BRINSEA

Lower Farm
Stock

4

Crookwell

Four Winds
Farm

Green
Acre

Brinsea Green
Farm

Yew Tree
Farm

Poplar
Farm

Stock

BAKERS

LANE

Rhyne

Club
House

Hope
Farm

KITLAND

MENDIP SPRING
GOLF COURSE

Brinsea Road
Farm

Elm
Farm

DUCK

Blackmoor

5

Sunnymeade

Mushroom
Farm

Poole
Farm

REDSHARD

Sewage
Works

Maysmead
Place

Blackmoor
Farm

LANE

West Brinsea
Farm

Ladymeade
Farm

MAYSMEAD

LANE

University of Bristol
(Department of Clinical
Veterinary Science)

6

Churchill
Park Farm

JUBILEE

LANE

B3133

Wyndhurst
Farm

LOWER LANGFORD

KING

Earls
Pool

Chestnut
Farm

Nurseries

PIE

HILLMEAD

LANGFORD

Nurseries

Nursery

Winscombe

7

Windmill Hill

BS25

PUDDING

SPRUCE
CL.

PUDDING PIE

BROADOAK

ROWAN

BIRCH

DRI

WAY

STOCKMEAD

LANGFORD

ROAD

War Mem.

A38

Nursery

Lostwood

Langford
Loop
Bridge

Church
Farm

Orchard
Nursery

Playing Field

CHURCHILL

Nursery

Prim
Sch.

ROAD

BATH

RD.

Says
Farm

Elmgrove

Dinghurst

A **B** 132 **C** **D** **E**

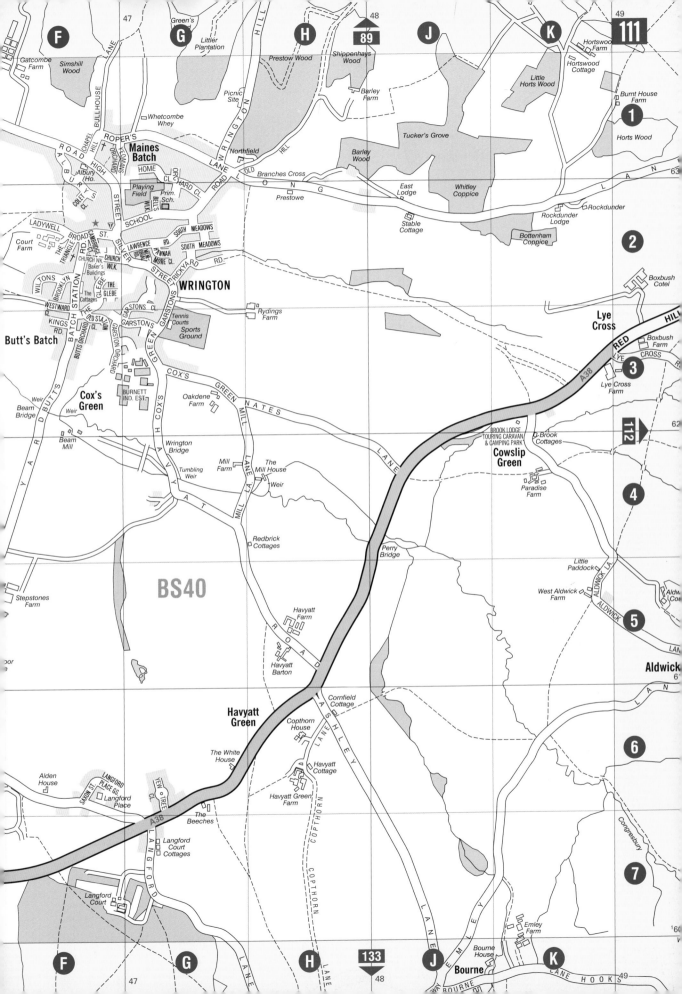

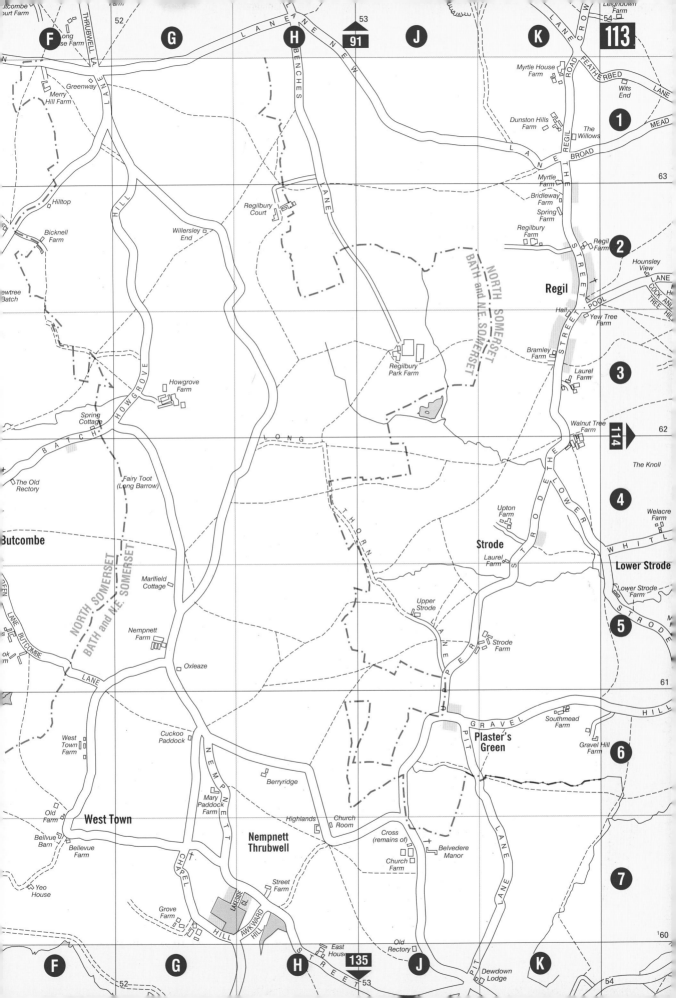

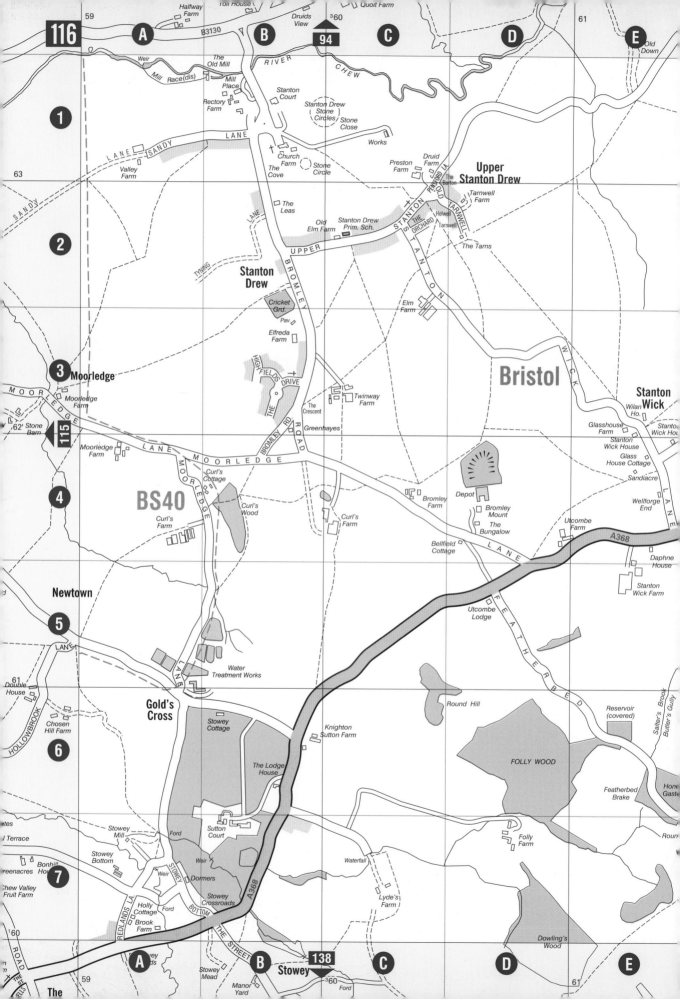

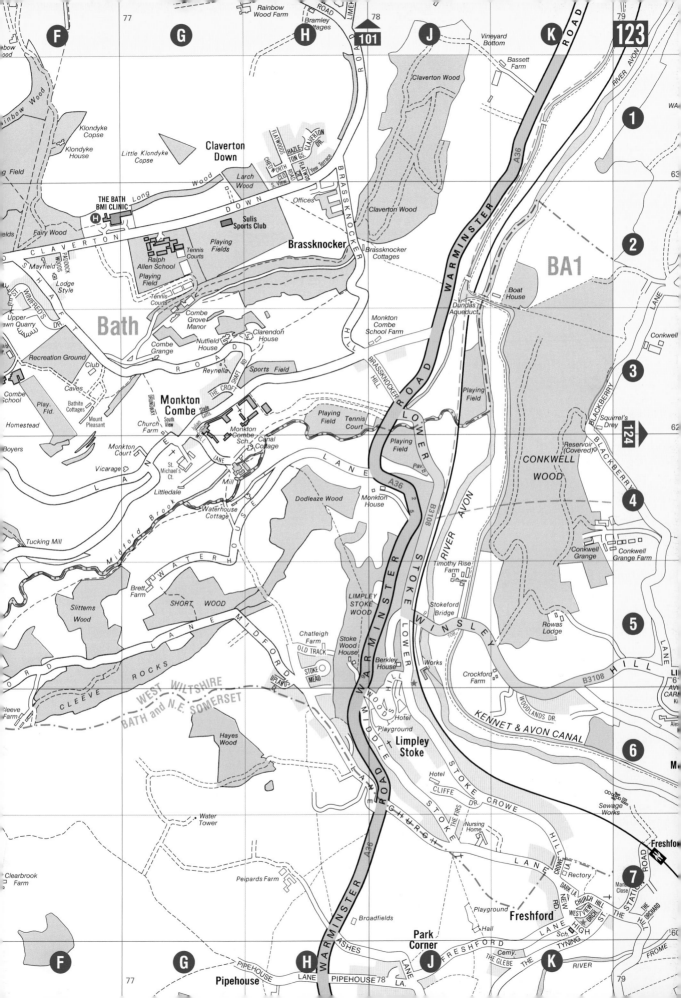

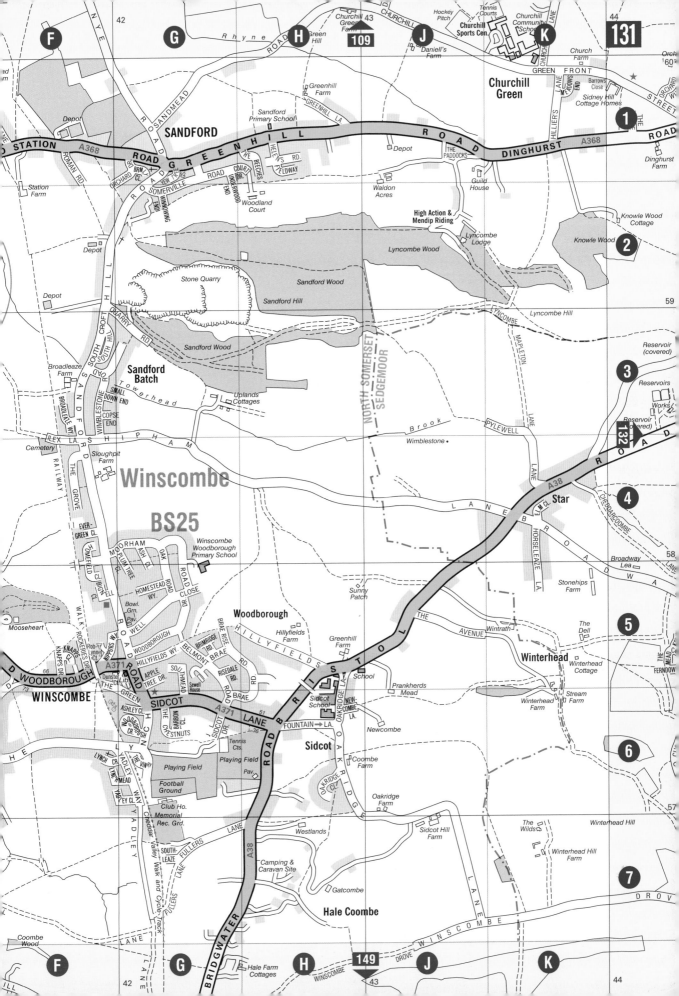

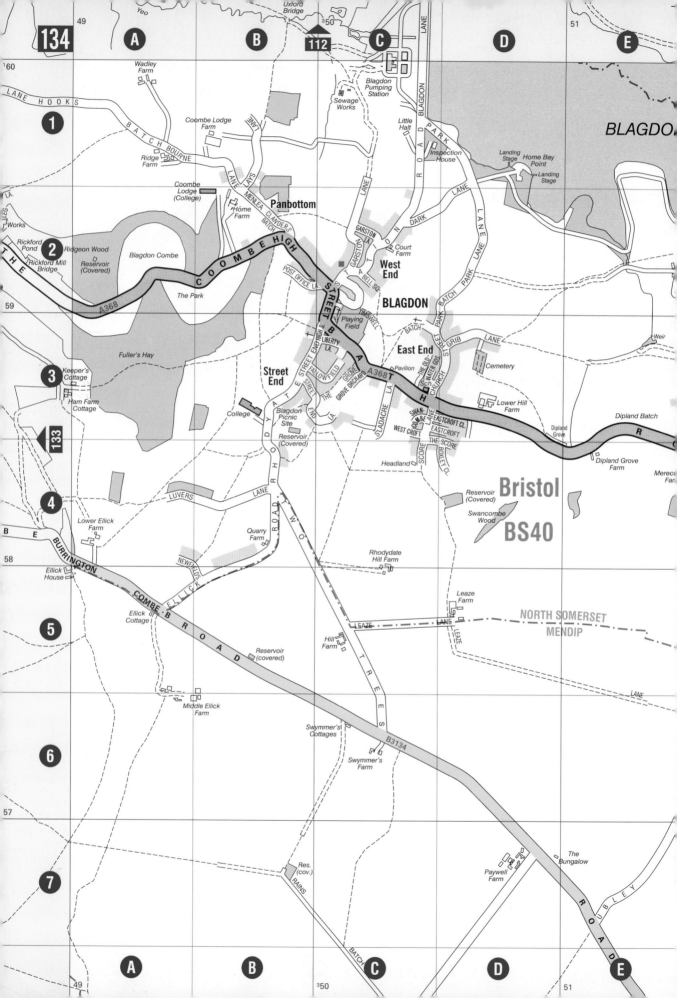

Four Winds

A367

Rainbow Wood

'60

Woodland Farm

Cemetery

Anchor Farm

Weir

Combe Hay

Sluices   Weir

Dunnyham Brake

Godwin's Wood

Manor House

1

Tut's Wood

Cam   Brook

Underdown Wood

Underdown Cottage

Dunkerton Bridge

Cam   Brook

2

59

BATH

Link Hill

TWINHOE   LANE

3

Underdown Wood

The Crest

Manor Farm

Bath Hill House

Wellow

OX   MEAD   LANE

Upper Hayes

HILL   LA

MANOR

Church Farm

Prim. Sch.

White Ox Mead

White Ox Mead Farm

Playing Field

The Square

STREET

4

Home Farm

Hayes Farm

Hungerford Ter

HIGH

CARTER   LA

HENLEY   VW

STATION   RD

MILLET   CL

The Batch

MILL   HILL

White Ox Mead Knoll

Weir

58

HASSAGE   HILL

BAGGRIDGE   HILL

Willow Farm

5

ROAD

LANE

Poultry House

HILL

Cemetery

Bourne Farm

Stoney Littleton Long Barrow

6

Double Hill Farm

Double Hill

57

W

E

L

L

O

W

Greenacres

The Hare Warren

7

BRINSCOMBE

Elmleigh

LITTLETON

South View Farm

Stoney Littleton

Manor Farm

HILL   BARN

White Hill

Springfield Farm

Home Farm

Brook Cottage

GRAYS   HILL

GULLEN   HILL

Rec. Grd.

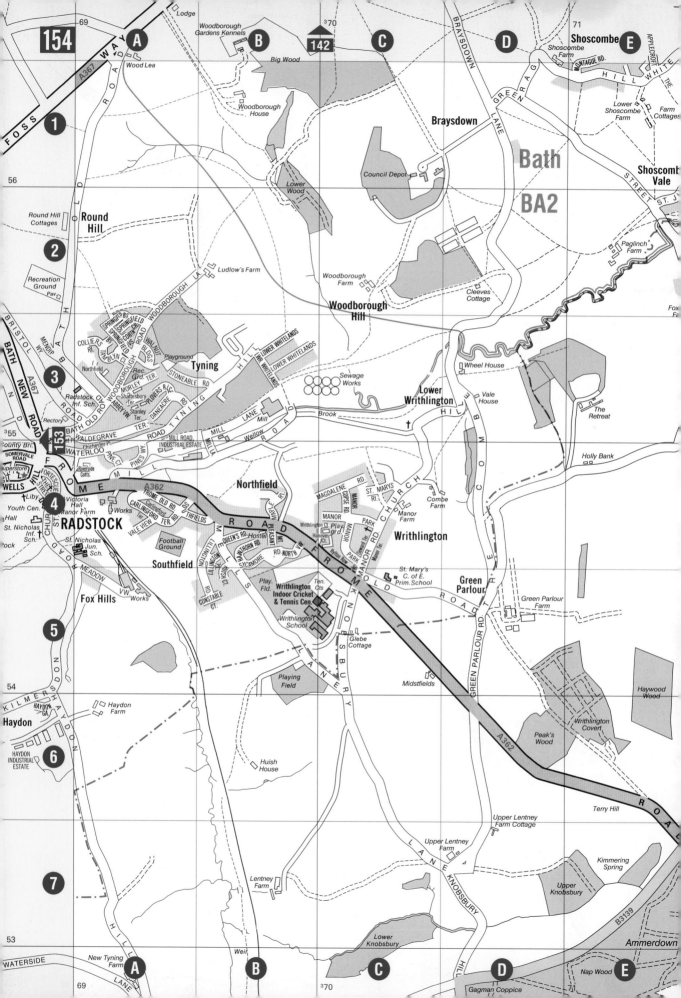

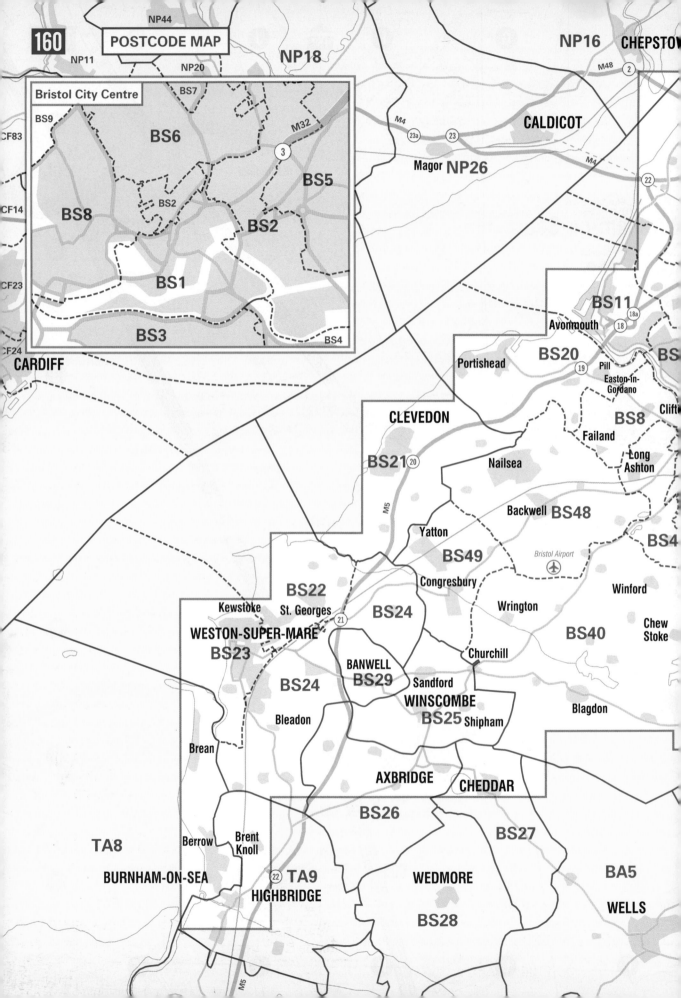

POSTCODE MAP

NP44

NP11   NP20   NP18   NP16   CHEPSTOW

BS7

M48 ②

Bristol City Centre

BS9   M4   CALDICOT

CF83   ③   23a   23   M4   22

BS6

Magor **NP26**

M32

BS5

CF14   **BS8**   BS2

BS2

BS1

BS11

CF23   Avonmouth   18a   18

BS3   **BS20**   BS

CF24   BS4   Portishead   19   Pill   Easton-In-Gordano

CARDIFF   Clifton   **BS8**

CLEVEDON   Failand   **Long Ashton**

BS21 20   Nailsea

M5   Backwell **BS48**   **BS4**

Yatton   *Bristol Airport* ✈

BS49

Congresbury   Winford

BS22   Wrington

Kewstoke   St. Georges   21   **BS24**   **BS40**   Chew Stoke

WESTON-SUPER-MARE

BS23   Churchill

BANWELL   Sandford

BS24   **BS29**   **WINSCOMBE**   Blagdon

Bleadon   **BS25** Shipham

Brean

AXBRIDGE   **CHEDDAR**

TA8   Berrow   Brent Knoll   **BS26**   **BS27**

BURNHAM-ON-SEA   22 **TA9**   **WEDMORE**   **BA5**

HIGHBRIDGE   **BS28**   **WELLS**

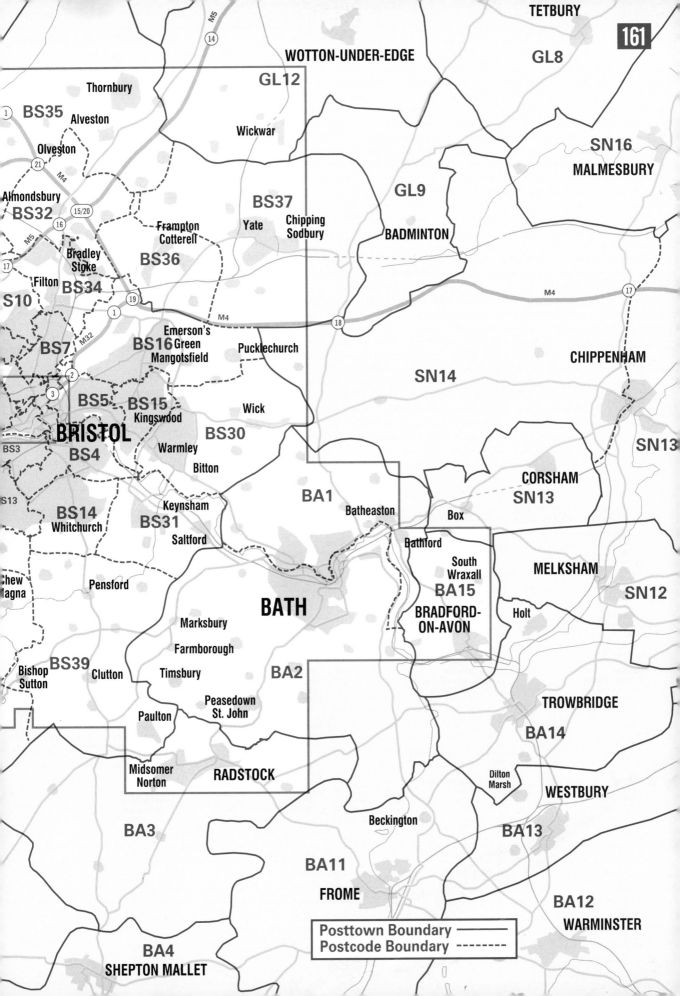

INDEX

Including Streets, Places & Areas, Industrial Estates, Selected Flats & Walkways,
Junction Names, Stations and Selected Places of Interest.

HOW TO USE THIS INDEX

1. Each street name is followed by its Postal District and then by its Locality abbreviation(s) and then by its map reference; e.g. **Abbeydale**. BS36: Wint . . . .1C **38** is in the Bristol 36 Postal District and the Winterbourne Locality and is to be found in square 1C on page **38**. The page number is shown in bold type.

2. A strict alphabetical order is followed in which Av., Rd., St., etc. (though abbreviated) are read in full and as part of the street name; e.g. **Abbotsbury Rd.** appears after **Abbots Av.** but before **Abbots Cl.**

3. Streets and a selection of flats and walkways too small to be shown on the maps, appear in the index with the thoroughfare to which it is connected shown in brackets; e.g. **Abbey Chambers** BA1: Bath . . . .5G **7** (off York St.)

4. Addresses that are in more than one part are referred to as not continuous.

5. Places and areas are shown in the index in **BLUE TYPE** and the map reference is to the actual map square in which the town centre or area is located and not to the place name shown on the map; e.g. **AXBRIDGE** 4J **149**

6. An example of a selected place of interest is **American Mus., The** 6X **101**

7. An example of a station is **Avoncliff Station (Rail)** . . . .7C **124**. Included are Rail **(Rail)** and Park and Ride **(Park and Ride)** Stations.

8. Map references shown in brackets; e.g. **Abbeygate St.** BA1: Bath . . . .5C **100** (5G **7**) refer to entries that also appear on the large scale pages **4-7**.

GENERAL ABBREVIATIONS

All. : Alley	**Cott.** : Cottage	**Info.** : Information	**Res.** : Residential
App. : Approach	**Cotts.** : Cottages	**La.** : Lane	**Ri.** : Rise
Av. : Avenue	**Ct.** : Court	**Lit.** : Little	**Rd.** : Road
Bk. : Back	**Cres.** : Crescent	**Lwr.** : Lower	**Rdbt.** : Roundabout
Blvd. : Boulevard	**Cft.** : Croft	**Mnr.** : Manor	**Shop.** : Shopping
Bri. : Bridge	**Dr.** : Drive	**Mans.** : Mansions	**Sth.** : South
B'way. : Broadway	**E.** : East	**Mkt.** : Market	**Sq.** : Square
Bldg. : Building	**Ent.** : Enterprise	**Mdw.** : Meadow	**Sta.** : Station
Bldgs. : Buildings	**Est.** : Estate	**Mdws.** : Meadows	**St.** : Street
Bungs. : Bungalows	**Fld.** : Field	**M.** : Mews	**Ter.** : Terrace
Bus. : Business	**Flds.** : Fields	**Mt.** : Mount	**Twr.** : Tower
Cvn. : Caravan	**Gdn.** : Garden	**Mus.** : Museum	**Trad.** : Trading
C'way. : Causeway	**Gdns.** : Gardens	**Nth.** : North	**Up.** : Upper
Cen. : Centre	**Ga.** : Gate	**No.** : Number	**Va.** : Vale
Chu. : Church	**Gt.** : Great	**Pde.** : Parade	**Vw.** : View
Circ. : Circle	**Grn.** : Green	**Pk.** : Park	**Vs.** : Villas
Cir. : Circus	**Gro.** : Grove	**Pas.** : Passage	**Vis.** : Visitors
Cl. : Close	**Hgts.** : Heights	**Pl.** : Place	**Wlk.** : Walk
Comn. : Common	**Ho.** : House	**Pct.** : Precinct	**W.** : West
Cnr. : Corner	**Ind.** : Industrial	**Quad.** : Quadrant	**Yd.** : Yard

LOCALITY ABBREVIATIONS

Abb L : **Abbots Leigh**	B'hll : **Broomhill**	Cross : **Cross**	H'fld : **Henfield**
Abson : **Abson**	Buck : **Buckover**	Dod : **Dodington**	H'gro : **Hengrove**
A'wck : **Aldwick**	Bulw : **Bulwark**	Down : **Downend**	Henl : **Henleaze**
Alm : **Almondsbury**	Burn : **Burnett**	Doy : **Doynton**	Hew : **Hewish**
Alv : **Alveston**	Bur S : **Burnham-on-Sea**	Dun : **Dundry**	High : **Highbridge**
Ash G : **Ashton Gate**	Burr : **Burrington**	Dunk : **Dunkerton**	High L : **High Littleton**
Ash V : **Ashton Vale**	But : **Butcombe**	Dyr : **Dyrham**	Hin : **Hinton**
Ash : **Ashwicke**	C Hth : **Cadbury Heath**	E Grn : **Earthcott Green**	Hin B : **Hinton Blewett**
Aust : **Aust**	Came : **Cameley**	E Brnt : **East Brent**	Hor : **Horfield**
Avon : **Avoncliff**	Cam : **Camerton**	E Comp : **Easter Compton**	Hort : **Horton**
A'mth : **Avonmouth**	Char : **Charfield**	E Harp : **East Harptree**	Hut : **Hutton**
Axb : **Axbridge**	Charl : **Charlcombe**	E Hunt : **East Huntspill**	Ing : **Inglesbatch**
Back : **Backwell**	C'hse : **Charterhouse**	E'tn : **Easton**	Ing C : **Inglestone Common**
Badg : **Badgworth**	Ched : **Cheddar**	E'tn G : **Easton-in-Gardano**	Ingst : **Ingst**
Bag : **Bagstone**	C'vey : **Chelvey**	E Rols : **East Rolstone**	Iron A : **Iron Acton**
Ban : **Banwell**	C'wd : **Chelwood**	Eastv : **Eastville**	Itch : **Itchington**
Bar G : **Barrow Gurney**	Chew M : **Chew Magna**	E'wth : **Edingworth**	Iwood : **Iwood**
Bar C : **Barrs Court**	Chew S : **Chew Stoke**	Edith : **Edithmead**	Kel : **Kelston**
Bart : **Barton**	Chip S : **Chipping Sodbury**	Elb : **Elberton**	Kenn : **Kenn**
Bar H : **Barton Hill**	Chit : **Chittening**	E'boro : **Elborough**	Kew : **Kewstoke**
Bath : **Bath**	Chri : **Christon**	Emer G : **Emersons Green**	Key : **Keynsham**
B'ptn : **Bathampton**	C'hll : **Churchill**	Eng : **Englishcombe**	Kil : **Kilmersdon**
Bathe : **Batheaston**	Clan : **Clandown**	Fail : **Failand**	Kings : **Kingsdown**
Bathf : **Bathford**	C'tn : **Clapton**	Fal : **Falfield**	King S : **Kingston Seymour**
Beach : **Beach**	Clap G : **Clapton-in-Gardano**	F'boro : **Farmborough**	K'wd : **Kingswood**
B'ly : **Beachley**	Clav : **Claverham**	Far G : **Farrington Gurney**	King : **Kington**
Bedm : **Bedminster**	C'ton : **Claverton**	Faul : **Faulkland**	Know : **Knowle**
Berr : **Berrow**	Clav D : **Claverton Down**	F'tn : **Felton**	L'frd : **Langford**
Bidd : **Biddisham**	C've : **Cleeve**	Fil : **Filton**	L'rdge : **Langridge**
B'stn : **Bishopston**	Clev : **Clevedon**	Fish : **Fishponds**	L'dwn : **Lansdown**
Bis S : **Bishop Sutton**	Clif : **Clifton**	Flax B : **Flax Bourton**	Law W : **Lawrence Weston**
B'wth : **Bishopsworth**	Clut : **Clutton**	Fox : **Foxcote**	L Wds : **Leigh Woods**
Bit : **Bitton**	Coal H : **Coalpit Heath**	Fram C : **Frampton Cotterell**	Ley : **Leyhill**
Blag : **Blagdon**	Cod : **Codrington**	Fren : **Frenchay**	Lim S : **Limpley Stoke**
B'don : **Bleadon**	C Ash : **Cold Ashton**	F'frd : **Freshford**	Lit A : **Little Ashley**
Bwr A : **Bower Ashton**	C Down : **Combe Down**	Gau E : **Gaunt's Earthcott**	Lit S : **Little Stoke**
B Lgh : **Bradford Leigh**	C Hay : **Combe Hay**	Grov : **Grovesend**	L Sev : **Littleton-upon-Severn**
Brad A : **Bradford-on-Avon**	Comp B : **Compton Bishop**	Hall : **Hallatrow**	Lock : **Locking**
Brad S : **Bradley Stoke**	Comp D : **Compton Dando**	H'len : **Hallen**	L'lze : **Lockleaze**
Brean : **Brean**	Comp M : **Compton Martin**	H End : **Hall End**	L Ash : **Long Ashton**
Bre K : **Brent Knoll**	Cong : **Congresbury**	Ham : **Hambrook**	L Grn : **Longwell Green**
Bren : **Brentry**	C Din : **Coombe Dingle**	Han : **Hanham**	L Ham : **Lower Hamswell**
B'yte : **Bridgeyate**	Cor : **Corston**	Hart : **Hartcliffe**	L Wrax : **Lower South Wraxall**
Brisl : **Brislington**	Cot : **Cotham**	Hay : **Haydon**	L Wre : **Lower Weare**
Bris : **Bristol**	C'hill : **Cowhill**	Hem : **Hemington**	Lox : **Loxton**
B'ley : **Brockley**	Crom : **Cromhall**	Hen : **Henbury**	Lym : **Lympsham**

Mang : **Mangotsfield**
Mark : **Marksbury**
Mid : **Midford**
Mid N : **Midsomer Norton**
Mon C : **Monkton Combe**
Mon F : **Monkton Farleigh**
Nail : **Nailsea**
Nem T : **Nempnett Thrubwell**
New L : **Newton St Loe**
N Wick : **North Wick**
N'wick : **Northwick**
Nor H : **Norton Hawkfield**
Nor M : **Norton Malreward**
Nye : **Nye**
Odd D : **Odd Down**
Old D : **Old Down**
Old C : **Oldland Common**
Old S : **Old Sodbury**
Olv : **Olveston**
Pat : **Patchway**
Paul : **Paulton**
Pea J : **Peasedown St John**
Pens : **Pensford**
Pill : **Pill**
Piln : **Pilning**
P'bry : **Portbury**
P'head : **Portishead**
Pris : **Priston**
Pub : **Publow**
Puck : **Pucklechurch**
Pux : **Puxton**
Q Char : **Queen Charlton**
Rads : **Radstock**
Rang : **Rangeworthy**
Redf : **Redfield**
Redh : **Redhill**
Redl : **Redland**
Redw : **Redwick**
Regil : **Regil**
R'frd : **Rickford**
Rook : **Rooksbridge**
Row : **Rowberrow**
Rudg : **Rudgeway**
St Ap : **St Annes Park**
St C : **St Catherine**
St G : **St George**
St Geo : **St George's**
Salt : **Saltford**
Sandf : **Sandford**
Sea M : **Sea Mills**
Sev B : **Severn Beach**
Ship : **Shipham**
Shire : **Shirehampton**
Short : **Shortwood**
Shos : **Shoscombe**
Sis : **Siston**
Soun : **Soundwell**
S'mead : **Southmead**
S'ske : **Southstoke**
S'wll : **Speedwell**
Stan D : **Stanton Drew**
Stan P : **Stanton Prior**
Stan W : **Stanton Wick**
Stap H : **Staple Hill**
Stap : **Stapleton**
Star : **Star**
Stoc : **Stockwood**
Stok B : **Stoke Bishop**
Stok G : **Stoke Gifford**
Ston L : **Stoney Littleton**
Stow : **Stowey**
Stratt F : **Stratton-on-the-Fosse**
Swain : **Swainswick**
S'frd : **Swineford**
Tad : **Tadwick**
Tem C : **Temple Cloud**
T'bry : **Thornbury**
Tic : **Tickenham**
Tim : **Timsbury**
Toc : **Tockington**
Tun : **Tunley**
Tur : **Turleigh**
Tyth : **Tytherington**
Ubl : **Ubley**
Udl : **Udley**
Uph : **Uphill**
Up Str : **Upper Strode**
Up Swa : **Upper Swainswick**
Upton C : **Upton Cheyney**
Walt G : **Walton-in-Gardano**
Warl : **Warleigh**
Warm : **Warmley**
W'fld : **Watchfield**
Weare : **Weare**
Webb : **Webbington**
W Hth : **Webbs Heath**
Wel : **Wellow**
W Trym : **Westbury-on-Trym**
W'lgh : **Westerleigh**
W Har : **West Harptree**
W Hunt : **West Huntspill**
W'ton : **Weston**
W'ton G : **Weston-in-Gardano**
W Mare : **Weston-super-Mare**
W Wick : **West Wick**
Whit : **Whitchurch**
W'hall : **Whitehall**
Wick : **Wick**
Wick L : **Wick St Lawrence**
Wickw : **Wickwar**
Will : **Willsbridge**
Wind H : **Windmill Hill**
Winf : **Winford**
Wins : **Winscombe**
W'ley : **Winsley**
Wint : **Winterbourne**
Wint D : **Winterbourne Down**
Withy : **Withywood**
Wool : **Woollard**
W'ly : **Woolley**
Wor : **Worle**
Wrax : **Wraxall**
Wrin : **Wrington**
Writ : **Writhlington**
Yate : **Yate**
Yat : **Yatton**

5C Bus. Cen. BS21: Clev . . . 1B **68**
10 Centre BS11: A'mth . . . 2K **33**
100 Steps BS15: Han. . . . 4J **63**
5102 BS1: Bris . . . 1A **62** (1G **5**)

A

Abbey Chambers *BA1: Bath* . . . *5G* **7**
(off York St.)
Abbey Chu. Ho. *BA1: Bath*. . . . *5F* **7**
(off Hetling Ct.)
Abbey Churchyard *BA1: Bath* . . . *4G* **7**
(off Cheap St.)
Abbey Cl. BS31: Key. . . . 4D **78**
Abbey Ct. BA2: Bath . . . 4D **100** (3J **7**)
BS4: St Ap. . . . 4H **63**
Abbeydale BS36: Wint . . . 1C **38**
Abbeygate St. BA1: Bath . . . 5C **100** (5G **7**)
Abbey Grn. BA1: Bath. . . . 5C **100** (5G **7**)
Abbey Ho. BS37: Yate. . . . 7D **30**
Abbey La. BS35: Grov. . . . 5A **12**
Abbey Mill BA15: Brad A. . . . 6H **125**
Abbey Pk. BS31: Key . . . 4D **78**
Abbey Retail Pk. BS34: Fil . . . 5E **36**
Abbey Rd. BS9: W Trym . . . 2F **47**
Abbey St. *BA1: Bath* . . . *5G* **7**
(off York St.)
Abbey Vw. BA2: Bath . . . 6D **100** (6K **7**)
BA3: Rads . . . 3A **154**
Abbey Vw. Gdns.
BA2: Bath. . . . 6D **100** (6J **7**)
Abbeywood Dr. BS9: Stok B . . . 3C **46**
Abbeywood Pk. BS34: Fil . . . 5D **36**
Abbots Av. BS15: Han. . . . 5A **64**
Abbotsbury Rd. BS48: Nail . . . 1F **71**
Abbots Cl. BS14: Whit. . . . 7C **76**
Abbot's Cl. BS22: Wor. . . . 1E **106**
Abbots Cl. TA8: Bur S . . . 2D **158**
Abbotsford Rd. BS6: Cot. . . . 7H **47**
Abbots Horn BS48: Nail . . . 7F **57**
ABBOTSIDE. . . . 2K **13**
ABBOTS LEIGH . . . 1K **59**
Abbots Leigh Rd.
BS8: Abb L, L Wds . . . 1A **60**
Abbots Rd. BS15: Han. . . . 6A **64**
Abbots Way BS9: Henl . . . 2K **47**
Abbotswood BS15: K'wd . . . 2B **64**
BS37: Yate. . . . 7D **30**
Abbott Rd. BS35: Sev B. . . . 1A **24**
Abbotts Farm Cl. BS39: Paul. . . . 1B **152**
ABC Beau Nash Cinema . . . 4F **7**
Aberdeen Rd. BS6: Cot. . . . 1H **61**
Abingdon Gdns. BA2: Odd D . . . 4K **121**
Abingdon Rd. BS16: Fish. . . . 5J **49**
Abingdon St. TA8: Bur S . . . 2C **158**
Ableton Ct. BS35: Sev B . . . 7A **16**
Ableton La. BS10: H'len . . . 6A **24**
BS35: Sev B. . . . 7A **16**
Ableton Wlk. BS9: Sea M . . . 3C **46**
Abon Ho. BS9: Sea M . . . 4C **46**
Abraham Cl. BS5: E'tn . . . 1D **62**
Abraham Fry Ho. BS15: K'wd . . . 2C **64**
ABSON. . . . 6D **52**
Abson Rd. BS16: Puck . . . 3C **52**
BS30: Abson . . . 5C **52**
Acacia Av. BS16: Stap H . . . 4A **50**
BS23: W Mare . . . 4K **105**
Acacia Cl. BS16: Stap H . . . 5B **50**
Acacia Ct. BS31: Key . . . 6A **78**
Acacia Gro. BA2: Bath. . . . 1J **121**
Acacia M. BS16: Stap H . . . 4B **50**
Acacia Rd. BA3: Rads . . . 5J **153**
BS16: Stap H . . . 4B **50**
Accommodation Rd. BS24: B'don . . . 2G **145**
Aconite Cl. BS22: Wick L. . . . 6F **85**
Acorn Cl. TA9: High. . . . 4F **159**
Acorn Gro. BS13: B'wth. . . . 4E **74**
Acraman's Rd. BS3: Bedm . . . 5J **61** (7D **4**)
Acresbush Cl. BS13: B'wth . . . 5G **75**
Acton Court. . . . 1H **29**
Acton Rd. BS16: Fish. . . . 5J **49**
Adams Cl. BA2: Pea J . . . 5D **142**
TA9: W Hunt. . . . 6E **158**
Adams Hay BS4: Brisl . . . 1F **77**
Adams Land BS36: Coal H . . . 7G **29**
Adam St. TA8: Bur S. . . . 2D **158**
Adastral Rd. BS24: Lock. . . . 1H **129**
Adderley Ga. BS16: Emer G. . . . 1F **51**
Addicott Rd. BS23: W Mare . . . 6G **105**
Addiscombe Rd. BS14: Whit. . . . 5D **76**
BS23: W Mare . . . 1G **127**
Addison Rd. BS3: Wind H . . . 6A **62**
Adelaide Pl. BA2: Bath. . . . 5D **100** (4K **7**)
BS5: E'tn . . . 1D **62**
BS16: Fish . . . 4H **49**
Adelaide Ter. BS16: Fish . . . 4J **49**
Adelante Cl. BS34: Stok G. . . . 3J **37**
Admiral Cl. BS16: Stap . . . 1F **49**
Admirals Wlk. BS20: P'head . . . 3D **42**
Aelfric Mdw. BS20: P'head . . . 4H **43**
Agate St. BS3: Bedm . . . 6H **61**
Aiken St. BS5: Bar H. . . . 3D **62**
Ainslie's Belvedere *BA1: Bath*. . . . *1F* **7**
(off Caroline Pl.)
Aintree Dr. BS16: Down . . . 6D **38**
Air Balloon Rd. BS5: St G . . . 2J **63**
Airport Rd. BS14: H'gro . . . 3B **76**
Airport Vw. Cvn. Pk.
BS24: W Mare . . . 5C **106**
Aisecome Way BS22: W Mare. . . . 6A **106**
Akeman Way BS11: Shire . . . 7G **33**
Alard Rd. BS4: Know . . . 3B **76**
Albany Bldgs. BS3: Bedm . . . 5J **61**
Albany Ga. BS34: Stok G . . . 2G **37**
Albany Rd. BA2: Bath . . . 5H **99**
BS6: Bris . . . 7B **48**
Albany St. BS15: K'wd . . . 1A **64**
Albany Way BS30: Old C. . . . 4G **65**
Albermarle Row BS8: Clif . . . 3F **61**
Albermarle Ter. BS8: Clif. . . . 3F **61**
Albert Av. BA2: Pea J . . . 6C **142**
BS23: W Mare . . . 6G **105**
Albert Cres. BS2: Bris. . . . 4C **62**
Albert Gro. BS5: St G . . . 1H **63**
Albert Gro. Sth. BS5: St G . . . 1H **63**
Albert Mill BS31: Key. . . . 6D **78**
Alberton Rd. BS16: B'hll. . . . 2H **49**
Albert Pde. BS5: Redf . . . 1F **63**
Albert Pk. BS6: Bris . . . 7B **48**
Albert Pk. Pl. BS6: Bris. . . . 7A **48**
Albert Pl. BA2: C Down. . . . 3E **122**
BS3: Bedm . . . 6J **61**
BS9: W Trym . . . 1G **47**
Albert Quad. BS23: W Mare . . . 4G **105**
Albert Rd. BS2: Bris . . . 5C **62** (7K **5**)
BS15: Han . . . 4B **64**
BS16: Stap H . . . 4C **50**
BS20: P'head . . . 3F **43**
BS21: Clev . . . 6C **54**
BS23: W Mare . . . 6G **105**
BS31: Key . . . 5C **78**
BS35: Sev B . . . 7A **16**
Albert St. BS5: Redf . . . 1E **62**
Albert Ter. BA2: Bath. . . . 5J **99**
BS16: Fish . . . 4H **49**
Albion Bldgs. BA1: Bath . . . 4K **99** (3B **6**)
Albion Chambers BS1: Bris . . . 3F **5**
Albion Cl. BS16: Mang . . . 3D **50**
Albion Pl. BA1: Bath. . . . 4A **100** (3C **6**)
BS2: Bris . . . 2J **5**
BS2: Bris . . . 3C **62**
(Kingsland Rd.)
Albion Rd. BS5: E'tn. . . . 7D **48**
Albion St. BS5: Redf . . . 1E **62**
Albion Ter. BA1: Bath . . . 4A **100** (3C **6**)
BS27: Ched . . . *7D* **150**
(off Wesley M.)
BS34: Pat. . . . 5D **26**
Alburys BS40: Wrin . . . 1F **111**
Alcove Rd. BS16: Fish . . . 5G **49**
Aldercombe Rd. BS9: C Din . . . 7C **34**
Alder Ct. BS14: H'gro . . . 5D **76**
Alderdown Cl. BS11: Law W. . . . 7A **34**
Alder Dr. BS5: W'hall . . . 7G **49**
Alderley Rd. BA2: Bath. . . . 7G **99**
Aldermoor Way BS30: L Grn. . . . 5C **64**
Alderney Av. BS4: Brisl. . . . 5H **63**
Alders, The *BS16: Fren*. . . . *6K* **37**
(off Marlborough Dr.)
Alder Ter. BA3: Rads . . . 4J **153**
Alderton Rd. BS7: Hor . . . 7A **36**
Alder Way BA2: Odd D . . . 4K **121**
Aldhelm Ct. BA15: Brad A . . . 7J **125**
ALDWICK . . . 5A **112**
Aldwick Av. BS13: Hart . . . 7J **75**
Aldwick La. BS40: A'wck, But . . . 5K **111**
Aldwych Cl. TA8: Bur S. . . . 2E **158**
Alec Ricketts Cl. BA2: Bath . . . 6F **99**
Alexander Bldgs. BA1: Bath . . . 2D **100**
Alexander Hall BA2: Lim S . . . 6A **124**
Alexander Way BS49: Yat. . . . 4H **87**
Alexandra Cl. BS16: Stap H . . . 4B **50**
Alexandra Ct. BS21: Clev . . . 5C **54**
Alexandra Gdns. BS16: Stap H . . . 4B **50**
Alexandra Pde. BS23: W Mare . . . 5G **105**
Alexandra Pk. BS6: Redl . . . 6J **47**
BS16: Fish . . . 4H **49**
BS39: Paul . . . 1C **152**
Alexandra Pl. BA2: C Down. . . . 3E **122**
BS16: Stap H . . . 4B **50**
Alexandra Rd. BA2: Bath . . . 6C **100** (7G **7**)
BS8: Clif . . . 1H **61** (1A **4**)
BS10: W Trym . . . 7J **35**
BS13: B'wth . . . 3F **75**
BS15: Han . . . 4B **64**
BS21: Clev . . . 5C **54**
BS36: Coal H . . . 7H **29**
Alexandra Ter. BS39: Paul. . . . 1C **152**
Alexandra Way BS35: T'bry. . . . 1K **11**
Alford Rd. BS4: Brisl . . . 7E **62**
Alfred Ct. BS23: W Mare. . . . 5G **105**
Alfred Hill BS2: Bris . . . 1K **61** (1E **4**)
Alfred Lovell Gdns. BS30: C Hth . . . 5E **64**
Alfred Pde. BS2: Bris . . . 1K **61** (1E **4**)
Alfred Pl. BS1: Bris. . . . 4K **61** (7F **5**)
BS2: Bris . . . 1J **61** (1D **4**)
Alfred Rd. BS3: Wind H. . . . 6K **61**
BS6: Henl. . . . 4G **47**
Alfred St. BA1: Bath . . . 4B **100** (2F **7**)
BS2: Bris . . . 3C **62**
BS5: Redf. . . . 1E **62**
BS23: W Mare . . . 5G **105**
Algars Dr. BS37: Iron A. . . . 3J **29**
Algiers St. BS3: Wind H . . . 6K **61**
Alison Gdns. BS48: Back. . . . 3J **71**
Allandale Rd. TA8: Bur S . . . 7C **156**
Allanmead Rd. BS14: H'gro . . . 2D **76**
Allens La. BS25: Ship. . . . 6B **132**
Aller Pde. BS24: W Mare . . . 3K **127**
Allerton Cres. BS14: Whit. . . . 6D **76**
Allerton Gdns. BS14: H'gro. . . . 5D **76**
Allerton Rd. BS14: Whit . . . 6C **76**
Allfoxton Rd. BS7: Eastv. . . . 5C **48**
All Hallows Rd. BS5: E'tn . . . 1D **62**
Allington Dr. BS30: Bar C . . . 5D **64**
Allington Gdns. BS48: Nail . . . 2E **70**
Allington Rd. BS3: Bris . . . 4J **61** (7C **4**)
Allison Av. BS4: Brisl . . . 6G **63**
Allison Rd. BS4: Brisl . . . 6F **63**
All Saints Ct. BS1: Bris. . . . 3K **61** (3F **5**)
All Saints Gdns. BS8: Clif . . . 1G **61**
All Saints La. BS1: Bris . . . 2K **61** (3F **5**)
BS21: Clev . . . 5F **55**
All Saints Pl. BA2: Clav D . . . 7F **101**
All Saints Rd. BA1: Bath . . . 3B **100**
BS8: Clif. . . . 1G **61**
BS23: W Mare . . . 3G **105**
All Saints St. BS1: Bris. . . . 2K **61** (3F **5**)
Alma Cl. BS15: K'wd. . . . 1C **64**
Alma Ct. BS8: Clif. . . . 7H **47**
Alma Rd. BS8: Clif . . . 1G **61** (1A **4**)
BS15: Soun . . . 7C **50**
Alma Rd. Av. BS8: Clif . . . 1H **61**
Alma St. BS23: W Mare . . . 5G **105**
Alma Va. Rd. BS8: Clif . . . 1G **61**
Almeda Rd. BS5: St G . . . 3J **63**
Almond Cl. BS22: Wor . . . 3E **106**
ALMONDSBURY. . . . 2D **26**
Almondsbury Bus. Cen.
BS32: Brad S . . . 2F **27**
Almond Way BS16: Mang. . . . 3D **50**
Almorah Rd. BS3: Wind H. . . . 6A **62**

Alpha Cen., The—Averay Rd.

Alpha Cen., The BS37: Yate 3C 30
Alpha Ho. TA9: High 5G 159
Alpha Rd. BS3: Bedm 5K 61 (7E 4)
Alpine Cl. BS39: Paul 2D 152
Alpine Gdns. BA1: Bath 3C 100 (1G 7)
Alpine Rd. BS5: E'tn 7E 48
BS39: Paul 2D 152
Alsop Rd. BS15: K'wd 1B 64
ALSTONE 6E 158
Alstone Gdns. TA9: W Hunt 6E 158
Alstone La. TA9: W Hunt 6E 158
Alstone Rd. TA9: W Hunt 6E 158
Alstone Wildlife Pk. 6E 158
Alton Pl. BA2: Bath 6C 100 (7G 7)
Alton Rd. BS7: Hor 3B 48
Altringham Rd. BS5: W'hall 7F 49
Alverstoke BS14: H'gro 3B 76
ALVESTON 7J 11
ALVESTON DOWN 7H 11
Alveston Hill BS35: T'bry 6J 11
Alveston Rd. BS32: Old D 2E 18
Alveston Wlk. BS9: Sea M 1B 46
Alwins Ct. BS30: Bar C 5D 64
Ambares Ct. BA3: Mid N 6D 152
Amberey Rd. BS23: W Mare 7H 105
Amberlands Cl. BS48: Back 3J 71
Amberley Cl. BS16: Down 1B 50
BS31: Key 6C 78
Amberley Gdns. BS48: Nail 1F 71
Amberley Rd. BS16: Down 1B 50
BS34: Pat 6D 26
Amberley Way GL12: Wickw 1H 23
Amble Cl. BS15: K'wd 2D 64
Ambleside Av. BS10: S'mead 6H 35
Ambleside Rd. BA2: Bath 2H 121
Ambra Ter. BS8: Clif 3G 61
Ambra Va. BS8: Clif 3G 61
Ambra Va. E. BS8: Clif 3G 61 (5A 4)
Ambra Va. Sth. BS8: Clif 3G 61
Ambra Va. W. BS8: Clif 3G 61
Ambrose Rd. BS8: Clif 3G 61 (5A 4)
Ambury BA1: Bath 6B 100 (6F 7)
(not continuous)
Amelia Ct. BS1: Bris 3K 61 (4E 4)
Amercombe Wlk. BS14: Stoc 3F 77
American Mus., The 6K 101
Amery La. BA1: Bath 5C 100 (5F 7)
AMESBURY 3D 140
Amesbury Dr. BS24: B'don 7K 127
AMF Bowling Cen. 5F 105
Ammerdown Ter. BA3: Hem 7F 155
Anchor Cl. BS5: St G 3H 63
Anchor La. BS1: Bris 3J 61 (5D 4)
Anchor Rd. BA1: W'ton 2H 99
BS1: Bris 3H 61 (5B 4)
BS15: K'wd 7E 50
Anchor Sq. BS1: Bris 3J 61 (5D 4)
Anchor Way BS20: Pill 4H 45
Ancliff Sq. BA15: Avon 7C 124
Andereach Cl. BS14: H'gro 2D 76
Andover Rd. BS4: Know 7B 62
Andrew Millman Ct. BS37: Yate 5F 31
Andruss Dr. BS4: Dun 1D 92
Angels Ground BS4: St Ap 3H 63
Angers Rd. BS4: Wind H 5B 62
Anglesea Pl. BS8: Clif 6G 47
Anglo Ter. BA1: Bath 1H 7
Animal Farm Country Pk. 4D 144
Annaly Rd. BS27: Ched 7C 150
Annandale Av. BS22: Wor 3C 106
Anson Cl. BS31: Salt 1H 97
Anson Rd. BS22: Kew 7B 84
BS24: Lock 6E 106
Anstey's Cl. BS15: Han 4K 63
Anstey's Rd. BS15: Han 4K 63
Anstey St. BS5: E'tn 7D 48
Anthea Rd. BS5: S'wll 6G 49
Antona Ct. BS11: Shire 1H 45
Antona Dr. BS11: Shire 1H 45
Antrim Rd. BS9: Henl 2H 47
Anvil Rd. BS49: Clav 2B 88
Anvil St. BS2: Bris 3B 62 (4K 5)
Apex Ct. BS32: Brad S 3F 27
Apex Dr. TA9: High 4E 158
Apex Leisure & Wildlife Pk. 4D 158
Apperley Cl. BS37: Yate 6D 30
Appleby Wlk. BS4: Know 3K 75
Applecroft BA2: Shos 7E 142
Appledore BS22: Wor 2D 106
Appledore Cl. BS14: H'gro 2D 76
Applegate BS10: Bren 4H 35
Appletree Ct. BS22: Wor 2F 107
Apple Tree Dr. BS25: Wins 5G 131
Applin Grn. BS16: Emer G 2G 51
Appsley Cl. BS22: W Mare 2A 106
Apseleys Mead BS32: Brad S 4E 26
Apsley Cl. BA1: Bath 4H 99
Apsley Rd. BA1: Bath 4G 99
BS8: Clif 7G 47
Apsley St. BS5: Eastv 6E 48
Apsley Vs. BS6: Bris 7K 47
Arbutus Dr. BS9: C Din 1C 46
Arbutus Wlk. BS9: C Din 6D 34
Arcade, The BS1: Bris 2G 5
Arch Cl. BS4: L Ash 1K 73
Archer Ct. BS30: L Grn 6D 64
Archer Dr. TA8: Bur S 2E 158
Archer's Ct. BS21: Clev 5D 54
Archer Wlk. BS14: Stoc 4G 77
Archfield Rd. BS6: Cot 7J 47
Archgrove BS4: L Ash 1K 73
Architectural Cen., The *BS1: Bris 6E 4*
(off Narrow Quay)
Archway St. BA2: Bath 6D 100 (6J 7)
Ardagh Ct. BS7: Hor 1B 48
Arden Cl. BS22: Wor 1D 106
BS32: Brad S 1G 37
Ardenton Wlk. BS10: Bren 4G 35
Ardern Cl. BS9: C Din 7B 34
Ardnave Holiday Pk.
BS22: Kew 1J 105
Argus Ct. BS3: Bedm 7J 61
Argus Rd. BS3: Bedm 6J 61
Argyle Av. BS23: W Mare 1H 127
Argyle Dr. BS37: Yate 2E 30
Argyle Pl. BS8: Clif 3G 61 (5A 4)
Argyle Rd. BS2: Bris 1A 62
BS16: Fish 6K 49
BS21: Clev 4D 54
Argyle St. BA2: Bath 5C 100 (4H 7)
BS3: Bedm 5J 61
BS5: Eastv 6E 48
Argyle Ter. BA2: Bath 5J 99
Arkells Ct. GL12: Wickw 6G 15
Arley Cotts. BS6: Cot 7K 47
Arley Hill BS6: Cot 7K 47
Arley Pk. BS6: Cot 7K 47
Arley Ter. BS5: W'hall 7G 49
Arlingham Way BS34: Pat 5A 26
Arlington Rd. BA2: Bath 6K 99 (6B 6)
BS4: St Ap 3F 63
Arlington Vs. BS8: Clif 2H 61 (2A 4)
Armada Ho. BS1: Bris 7A 48
Armadale Av. BS6: Bris 7A 48
Armada Pl. BS1: Bris 7A 48
Armada Rd. BS14: Whit 4C 76
Armes Ct. BA2: Bath 6C 100 (7H 7)
Armoury Sq. BS5: E'tn 1C 62
Armstrong Cl. BS35: T'bry 5B 12
Armstrong Ct. BS37: Yate 3C 30
Armstrong Dr. BS30: C Hth 4F 65
Armstrong Way BS37: Yate 3A 30
Arnall Dr. BS10: Hen 6F 35
Arncliffe BS10: S'mead 7J 35
Arndale Rd. BS22: W Mare 4B 106
Arneside Rd. BS10: S'mead 6J 35
Arnold Ct. BS37: Chip S 5H 31
Arnolds Fld. Trad. Est.
GL12: Wickw 6G 15
Arnold's Way BS49: Yat 2F 87
Arnolfini Gallery 4K 61 (6E 4)
Arnor Cl. BS22: Wor 7E 84
Arno's St. BS4: Wind H 6C 62
ARNO'S VALE 5D 62
Arrowfield Cl. BS14: Whit 1C 94
Artemesia Av. BS22: W Mare 4C 106
Arthurs Cl. BS16: Emer G 2G 51
Arthur Skemp Cl. BS5: Bar H 2D 62
Arthur St. BS2: Bris 4C 62
BS5: Redf 1E 62
Arthurswood Rd. BS13: Withy 6G 75
Arundel Cl. BS13: Hart 5H 75
Arundel Ct. BS7: B'stn 5K 47
Arundell Ct. BS23: W Mare 4G 105
Arundell Rd. BS23: W Mare 4G 105
Arundel Rd. BA1: Bath 2C 100
BS7: B'stn 5K 47
BS21: Clev 6D 54
Arundel Wlk. BS31: Key 5B 78
Ascension Ho. BA2: Bath 7K 99
Ascot Cl. BS16: Down 6D 38
Ascot Rd. BS10: S'mead 5K 35
Ashbourne Cl. BS30: Old C 3G 65
Ashburton Rd. BS10: S'mead 6J 35
Ashbury Dr. BS22: W Mare 2K 105
Ash Cl. BS16: Fish 5A 50
BS25: Wins 4G 131
BS34: Lit S 7F 27
BS37: Yate 3D 30
Ashcombe Cres. BS30: Old C 3G 65
Ashcombe Gdns. BS23: W Mare 3J 105
Ashcombe Ho. TA8: Bur S 4C 156
Ashcombe Pk. Rd.
BS23: W Mare 3J 105
Ashcombe Pl. BS23: W Mare 5H 105
Ashcombe Rd. BS23: W Mare 5H 105
Ashcott BS14: H'gro 3B 76
Ashcott Cl. TA8: Bur S 2E 158
Ashcott Dr. TA8: Bur S 2E 158
Ashcott Pl. TA8: Bur S 1E 158
Ash Ct. BS14: Whit 4C 76
Ashcroft BS24: W Mare 3K 127
Ashcroft Av. BS31: Key 5B 78
Ashcroft Rd. BS9: Sea M 1C 46
Ashdene Av. BS5: Eastv 5F 49
Ashdene Rd. BS23: W Mare 3J 105
Ashdown Rd. BS20: P'head 2C 42
Asher La. BS2: Bris 2B 62 (2J 5)
Ashes La. BA2: F'frd 7H 123
Ashfield Pl. BS6: Bris 7B 48
Ashfield Rd. BS3: Bedm 6H 61
Ashford Dr. BS24: W Mare 4J 127
Ashford Rd. BA2: Bath 7K 99
BS34: Pat 7C 26
BS40: Redh 7C 90
Ashford Way BS15: K'wd 2E 64
ASHGROVE 5D 142
Ash Gro. BA2: Bath 7J 99
Ashgrove BA2: Pea J 5D 142
Ash Gro. BS16: Fish 5A 50
BS21: Clev 5E 54
BS23: Uph 3G 127
Ashgrove BS35: T'bry 3A 12
Ashgrove Av. BS7: B'stn 4B 48
BS8: Abb L 2B 60
Ashgrove Cl. BS7: B'stn 4B 48
Ashgrove Rd. BS3: Bedm 6H 61
BS6: Redl 7H 47
BS7: B'stn 4B 48
Ash Hayes Dr. BS48: Nail 1G 71
Ash Hayes Rd. BS48: Nail 1G 71
Ashland Rd. BS13: Withy 6G 75
Ash La. BS32: Alm 3K 25
Ashleigh Cl. BS23: W Mare 4J 105
BS39: Paul 7C 140
Ashleigh Cres. BS49: Yat 3H 87
Ashleigh Ho. BS39: Paul 1C 152
Ashleigh Rd. BS23: W Mare 4J 105
BS49: Yat 3H 87
Ashley BS15: K'wd 1D 64
Ashley Av. BA1: Bath 4J 99
TA8: Bur S 2D 158
Ashley Cl. BA15: Brad A 4F 125
(not continuous)
BS7: B'stn 4B 48
BS25: Wins 6G 131
Ashley Ct. BS6: Bris 7B 48
Ashley Ct. Rd. BS7: Bris 6B 48
ASHLEY DOWN 4A 48
Ashley Down Rd. BS7: B'stn, Bris 5B 48
(Ashley Hill)
BS7: B'stn, Hor 3A 48
(Gloucester Rd.)
Ashley Gro. Rd. BS2: Bris 6B 48
Ashley Hill BS6: Bris 5B 48
BS7: Bris 5B 48
Ashley La. BA15: W'ley 5D 124
BS40: Burr, L'frd 6H 111
Ashley Pde. BS2: Bris 6B 48
Ashley Pk. BS6: Bris 5B 48
Ashley Rd. BA1: Bathf 1A 102
BA15: Brad A, Lit A 3F 125
BS6: Bris 7A 48
BS21: Clev 1B 68
Ashley St. BS2: Bris 7C 48
Ashley Ter. BA1: Bath 4J 99
Ashley Trad. Est. BS2: Bris 6B 48
Ashman Cl. BS5: E'tn 1C 62
Ashmans Ga. BS39: Paul 1B 152
Ashmans Yd. BA1: Bath 5H 99
Ashmead BS39: Tem C 4G 139
Ashmead Ho. BS5: Bar H 2D 62
Ashmead Ind. Est. BS31: Key 5F 79
Ashmead Rd. BS31: Key 5F 79
Ashmead Way BS1: Bris 4F 61
Ashridge Rd. BS32: Brad S 3D 26
Ash Rd. BS7: Hor 3A 48
BS29: Ban 2J 129
Ashton *BS16: Fren 6A 38*
(off Harford Dr.)
Ashton Av. BS1: Bris 4G 61
Ashton Cl. BS21: Clev 1B 68
Ashton Ct. BS41: L Ash 5D 60
Ashton Court Nature Reserve 5C 60
Ashton Court Vis. Cen. 5D 60
Ashton Cres. BS48: Nail 1F 71
Ashton Dr. BS3: Ash V 1E 74
ASHTON GATE 5G 61
Ashton Ga. Rd. BS3: Bris 5G 61
Ashton Gate Stadium 6F 61
Ashton Ga. Ter. BS3: Bris 5G 61
Ashton Ga. Trad. Est.
BS3: Ash V 6E 60
Ashton Ga. Underpass
BS3: Ash V, Bwr A 5F 61
ASHTON HILL 3J 97
Ashton Hill BA2: Cor 4A 98
Ashton Rd. BS3: Ash G 5F 61
BS3: Ash V 6E 60
BS4: L Ash 6D 60
Ashton to Pill Path BS8: Abb L 5B 46
BS8: L Wds 3E 60
BS20: Pill 3A 46
ASHTON VALE 7F 61
Ashton Va. Rd. BS3: Ash V 6E 60
Ashton Va. Trad. Est. BS3: Ash V 1F 75
ASHTON WATERING 2H 73
Ashton Way BS31: Key 4C 78
Ash Tree Cl. BS24: B'don 7A 128
TA8: Bur S 4C 156
Ash Tree Ct. BA3: Rads 5J 153
Ash Tree Cres. TA8: Bur S 4C 156
Ash Tree Pl. TA8: Bur S 4C 156
Ash Tree Rd. TA8: Bur S 4C 156
Ashvale Cl. BS48: Nail 7J 57
Ashville Rd. BS3: Ash G 5G 61
Ash Wlk. BS10: Bren 4H 35
Ashwell Cl. BS14: Stoc 4G 77
Ashwicke BS14: H'gro 4C 76
Ashwood BS40: E Harp 7K 137
Aspects Leisure Pk. 4C 64
Aspen Pk. Rd. BS22: W Mare 4C 106
Assembly Rooms 2F 7
Assembly Rooms La.
BS1: Bris 3K 61 (5E 4)
Aston Ho. BS1: Bris 7G 5
Astry Cl. BS11: Law W 6A 34
Atchley St. BS5: Bar H 2D 62
Atherston BS30: Old C 4H 65
Athlone Wlk. BS4: Know 1A 76
Atholl Cl. BS22: Wor 1D 106
Atkins Cl. BS14: Stoc 4G 77
Atlanta Key TA8: Bur S 7C 156
Atlantic Bus. Pk. BS23: W Mare 3E 104
Atlantic Ct. BS23: W Mare 3E 104
Atlantic Cres. TA8: Bur S 3D 158
Atlantic Rd. BS11: Shire 7G 33
BS23: W Mare 3E 104
Atlantic Rd. Sth. BS23: W Mare 3E 104
Atlas Cl. BS5: S'wll 6J 49
Atlas Rd. BS3: Wind H 6A 62
Atlas St. BS2: Bris 4D 62
Atlay Ct. BS49: Yat 2H 87
Attwell Ct. BA2: Bath 7B 100
Atwell Cl. BS32: Alm 5D 26
Atwood Dr. BS11: Law W 5B 34
Atyeo Cl. TA8: Bur S 7E 156
Aubrey Meads BS30: Bit 2J 79
Aubrey Rd. BS3: Bedm 6H 61
Auburn Av. BS30: L Grn 6F 65
Auburn Rd. BS6: Redl 6H 47
Auckland Cl. BS23: W Mare 2H 127
Audley Av. BA1: Bath 4J 99 (2A 6)
Audley Cl. BA1: Bath 4K 99 (2A 6)
BS37: Rang 5A 22
Audley Gro. BA1: Bath 4J 99
Audley Pk. Rd. BA1: Bath 3J 99 (2A 6)
Audrey Wlk. BS9: Henl 1K 47
Augusta Pl. BA1: Bath 4K 99 (3A 6)
AUST 5G 9
Austen Dr. BS22: Wor 7F 85
Austen Gro. BS7: Hor 7C 36
Austen Ho. BS7: Hor 7C 36
Aust La. BS9: W Trym 7G 35
Aust Rd. BS35: Elb, Olv 7K 9
BS35: N'wick 2D 16
Autumn M. BS24: Wor 4E 106
Avalon Cl. BS49: Yat 2G 87
Avalon Ho. BS48: Nail 1E 70
Avalon La. BS5: St G 3K 63
Avalon Rd. BS5: St G 4K 63
TA9: High 4G 159
Avebury Cl. TA8: Bur S 7F 157
Avebury Rd. BS3: Ash V 7E 60
Aveline's Hole 3H 133
Avening Cl. BS48: Nail 2H 71
Avening Rd. BS15: K'wd 1J 63
Avenue Pl. BA2: C Down 3D 122
Avenue, The BA2: C Down 3D 122
BA2: Clav D 6G 101
(not continuous)
BA2: Tim 3F 141
BS5: St G 2G 63
BS7: B'stn 5A 48
BS8: Clif 7F 47
BS9: Stok B 6D 46
BS16: Fren 6G 37
BS21: Clev 4D 54
BS25: Wins 5J 131
BS31: Key 4C 78
BS34: Lit S 1E 36
BS34: Pat 4D 26
BS37: Yate 5D 30
BS48: Back 3J 71
BS49: Yat 3H 87
Averay Rd. BS16: Stap 4E 48

Averill Ct.—Batch, The

Averill Ct. BS21: Clev 5D **54**
Avonbank Ind. Est. BS11: A'mth 1F **45**
Avonbridge Trad. Est. BS11: Shire 7G **33**
Avon Bus. Pk. BS16: Fish 5H **49**
AVONCLIFF 7D **124**
Avoncliff Station (Rail) 7C **124**
Avon Cl. BA15: Brad A 7J **125**
BS5: St G 3H **63**
BS23: W Mare 3H **127**
BS31: Key 4D **78**
Avon Ct. BA1: Bathe 6J **83**
BS16: Fish 3K **49**
Avon Cres. BS1: Bris 4G **61**
GL12: Wickw 6H **15**
(not continuous)
Avondale Bldgs. BA1: Bath 1D **100**
Avondale Bus. Cen. BS15: K'wd 6A **50**
Avondale Ct. BA1: Bath 4H **99**
BS9: Stok B 6D **46**
BS30: L Grn 6D **64**
Avondale Rd. BA1: Bath 4H **99**
Avondale Works BS15: K'wd 6A **50**
Avondown Cl. BS10: S'mead 5K **35**
Avondown Ct. BS3: Bedm 7J **61**
Avonfield Av. BA15: Brad A 7J **125**
Avon Gorge Ind. Est. BS11: A'mth 1G **45**
Avon Gorge Nature Reserve 1C **60**
Avon Gro. BS9: Stok B 6D **46**
Avon Hgts. BA2: Lim S 6A **124**
Avon Ho. BS1: Bris 1F **5**
Avon La. BS31: Salt 6K **79**
Avonlea BS15: Han 4A **64**
BS37: Yate 6D **30**
Avonleaze BS9: Sea M 3B **46**
Avonleigh Rd. BS3: Bedm 7H **61**
Avon Meads BS2: Bris 4E **62**
Avon Mill La. BS31: Key 4D **78**
AVONMOUTH 6F **33**
Avonmouth Rd. BS11: A'mth 6F **33**
BS11: Shire 7G **33**
Avonmouth Station (Rail) 6F **33**
Avonmouth Way BS10: Hen 4E **34**
BS11: A'mth 6G **33**
Avonmouth Way W. BS11: A'mth 5F **33**
Avon Pk. BA1: Bath 4G **99**
BS5: Redf 2F **63**
Avon Ring Rd. BS4: Key 2A **78**
BS15: Han 2A **78**
BS15: Warm 6F **51**
BS16: Down 6B **38**
BS16: Emer G, Mang 5E **38**
BS16: Ham 5G **37**
BS30: Bar C, Han 4C **64**
Avon Riverside Est. BS11: A'mth 1F **45**
Avon Rd. BS13: B'wth 4G **75**
BS20: Pill 3G **45**
BS31: Key 5D **78**
Avonside Ind. Est. BS2: Bris 3E **62**
Avonside Rd. BS2: Bris 3E **62**
Avonside Way BS4: St Ap 3H **63**
Avonsmere Res. Pk. BS34: Stok G 4E **36**
Avon St. BA1: Bath 5B **100** (6F **7**)
BS2: Bris 3B **62** (4J **5**)
Avon Trad. Est. BS2: Bris 4C **62** (7K **5**)
Avon Va. BS9: Stok B 4D **46**
Avonvale Pl. BA1: Bathe 7H **83**
Avonvale Rd. BS5: Bar H, Redf 3D **62**
Avon Valley Bus. Pk.
BS4: St Ap 3G **63**
Avon Valley Country Pk. 4G **79**
Avon Valley Farm BS31: Key 5H **79**
Avon Valley Pk. 5K **63**
Avon Valley Railway 6G **65**
Avon Vw. BS15: Han 6K **63**
Avon Way BS9: Stok B 3C **46**
BS10: S'mead 7K **35**
BS20: P'head 3D **42**
BS35: T'bry 4A **12**
Avonwood Cl. BS11: Shire 2J **45**
Awdelett Cl. BS11: Law W 6B **34**
AWKLEY 5A **18**
Awkley La. BS32: Toc 4A **18**
Awkward Hill BS40: Nem T 7H **113**
AXBRIDGE 4J **149**
Axbridge Cl. TA8: Bur S 7E **156**
Axbridge Moor Drove BS26: Axb 7J **149**
Axbridge Mus. (King John's Hunting Lodge) 4J **149**
Axbridge Rd. BA2: C Down 2C **122**
BS4: Know 7B **62**
BS27: Ched 4A **150**
Axebridge Cl. BS48: Nail 2G **71**
Axe Cl. BS23: W Mare 7J **105**
Axe Ct. BS35: T'bry 4K **11**
Axford Way BA2: Pea J 5D **142**
Axis BS14: Hart 5K **75**
Ayckbourn Cl. TA8: Bur S 2E **158**
Aycote Cl. BS22: W Mare 2K **105**
Aylesbury Cres. BS3: Bedm 1H **75**
Aylesbury Rd. BS3: Bedm 1H **75**
Aylmer Cres. BS14: H'gro 4D **76**
Aylminton Wlk. BS11: Law W 5B **34**
Ayr St. BA2: Bath 5K **99** (5A **6**)
Azalea Rd. BS22: Wick L 6E **84**
Aztec Cen., The BS32: Alm 4C **26**
AZTEC WEST 4C **26**
Aztec West BS32: Alm 4C **26**

B

Backfields BS2: Bris 1A **62** (1G **5**)
Backfields Ct. *BS2: Bris 1A 62*
(off Backfields La.)
Backfields La. BS2: Bris 1A **62** (1G **5**)
Back La. BS16: Puck 4A **52**
BS20: Pill 3G **45**
(not continuous)
BS21: King S 5A **68**
BS25: Row 4C **132**
BS26: Axb 4J **149**
BS27: Ched 7C **150**
BS31: Key 4C **78**
BS36: Coal H 1H **39**
GL12: Wickw 6G **15**
SN14: Dyr 3H **53**
Bk. of Kingsdown Pde. BS6: Bris 1K **61**
Back Rd. BS3: Bris 5G **61**
Bk. Stoke La. BS9: W Trym 2F **47**
Back St. BS23: W Mare 5G **105**
BACKWELL 4K **71**
Backwell Bow BS48: Back 1K **71**
BACKWELL COMMON 2J **71**
Backwell Comn. BS48: Back 3J **71**
BACKWELL GREEN 2B **72**
Backwell Hill Rd. BS48: Back 3B **72**
Backwell Leisure Cen. 4K **71**
Backwell Wlk. BS13: B'wth 2F **75**
Badenham Gro. BS11: Law W 7K **33**
Baden Hill Rd. GL12: Tyth 7F **13**
Baden Rd. BS5: Redf 2E **62**
BS15: K'wd 2E **64**
BS15: Warm 1F **65**
Bader Cl. BS37: Yate 3D **30**
Badger Cl. BS30: L Grn 6D **64**
Badger Ri. BS20: P'head 5A **42**
Badgers Cl. BS32: Brad S 3F **27**
Badgers Dr. BS10: Bren 3A **36**
Badger Sett BS5: St G 2K **63**
Badgers Holt BS14: H'gro 4E **76**
Badger's La. BS32: Alm 3J **25**
Badgers Wlk. BS4: Brisl 7F **63**
Badgers Way BS24: Wor 4D **106**
Badgeworth BS37: Yate 1D **40**
Badman Cl. BS39: Paul 1B **152**
Badminton *BS16: Fren 6A 38*
(off Penn Dr.)
Badminton Cen. BS37: Yate 4C **30**
Badminton Ct. BS37: Yate 4C **30**
Badminton Gdns. BA1: Bath 3J **99** (1A **6**)
Badminton Rd. BS2: Bris 7B **48**
BS16: Down 2C **50**
BS36: Coal H, Wint D 5E **38**
BS36: Fram C 7H **29**
BS37: Chip S 6K **31**
BS37: Yate 5A **30**
Badminton Rd. Trad. Est.
BS37: Yate 5B **30**
Badminton Wlk. BS16: Down 1C **50**
Badock Hall BS9: Stok B 4E **46**
Baggridge Hill BA2: Wel 5K **143**
Baglyn Av. BS15: Soun 5D **50**
Bagnell Cl. BS14: Stoc 5G **77**
Bagnell Rd. BS14: Stoc 5G **77**
BAGSTONE 2K **21**
Bagstone Rd. GL12: Bag 3K **21**
Bagworth Dr. BS30: L Grn 6D **64**
BAILBROOK 7F **83**
Bailbrook Ct. BA1: Swain 7G **83**
Bailbrook Gro. BA1: Swain 7E **82**
Bailbrook La. BA1: Swain 7E **82**
Baildon Ct. BS23: W Mare 1H **127**
Baildon Cres. BS23: W Mare 1J **127**
Baildon Rd. BS23: W Mare 1H **127**
Bailey Cl. BS22: W Mare 4C **106**
Baileys Barn BA15: Brad A 7H **125**
Baileys Ct. BS32: Brad S 1H **37**
Baileys Ct. Rd. BS32: Brad S 1G **37**
Baileys Mead Rd. BS16: Stap 3E **48**
Bailiffs Cl. BS26: Axb 5J **149**
Bailiffs' Wall BS26: Axb 6H **149**
Bainton Cl. BA15: Brad A 5J **125**
Baker Cl. BS21: Clev 2B **68**
Baker's Bldgs. BS40: Wrin 2F **111**
Bakersfield BS30: L Grn 6E **64**
Bakers Ground BS34: Stok G 2H **37**
Bakers La. BS40: L'frd 4E **110**
Bakers Pde. BA2: Tim 3F **141**
Baker St. BS23: W Mare 4G **105**
Balaclava Rd. BS16: Fish 5H **49**
Baldwin St. BS1: Bris 3K **61** (4E **4**)
Balfour Rd. BS3: Ash G 6H **61**
Ballance St. BA1: Bath 3B **100** (1F **7**)
Ballast La. BS11: A'mth 5H **33**
Balls Barn La. BS24: E Rols 3A **108**
Ballstreet La. BS35: N'wick 4C **16**
Balmain St. BS4: Wind H 5C **62**
Balmoral Cl. BS34: Stok G 3F **37**
Balmoral Ct. BS16: Mang 3E **50**
Balmoral Dr. TA8: Bur S 6D **156**
Balmoral Rd. BS7: Bris 6A **48**
BS30: L Grn 7D **64**
BS31: Key 6C **78**
Balmoral Way BS22: W Mare, Wor 2A **106**
Baltic Pl. BS20: Pill 4H **45**
Baltic Wharf Water Leisure Cen. 4G **61**
Balustrade BA1: Bath 2D **100**
Bamfield BS14: H'gro, Whit 3B **76**
Bampton BS22: Wor 2D **106**
Bampton Cl. BS13: B'wth 3H **75**
Bampton Cft. BS16: Emer G 2G **51**
Bampton Dr. BS16: Down 7B **38**
Bancroft BA15: Brad A 5J **125**
Banfield Cl. BS11: Law W 7A **34**
Bangor Gro. BS4: St Ap 4H **63**
Bangrove Wlk. BS11: Law W 7J **33**
Banister Gro. BS4: Know 3K **75**
Bank Pl. BS20: Pill 4H **45**
Bank Rd. BS15: K'wd 1B **64**
BS35: Piln 6D **16**
Banks Cl. BS21: Clev 2D **68**
Bankside BS16: Stap H 4D **50**
Bankside Rd. BS4: Brisl 6F **63**
Bank St. TA9: High 5F **159**
Bannerdown Cl. BA1: Bathe 6K **83**
Bannerdown Dr. BA1: Bathe 6J **83**
Bannerdown Rd. BA1: Bathe 7J **83**
Bannerleigh La. BS8: L Wds 3E **60**
Bannerleigh Rd. BS8: L Wds 3E **60**
Bannerman Rd. BS5: E'tn 7D **48**
(Albion Rd.)
BS5: E'tn 1D **62**
(Combfactory La.)
Banner Rd. BS6: Bris 7A **48**
Bannetts Tree Cres. BS35: Alv 7J **11**
Bantock Cl. BS4: Know 4K **75**
Bantry Rd. BS4: Know 2A **76**
BANWELL 2B **130**
Banwell Cl. BS13: B'wth 2G **75**
BS31: Key 1E **96**
Banwell Rd. BA2: Odd D 4K **121**
BS3: Ash G 6G **61**
BS24: E'boro, Hut 3D **128**
BS25: Chri 6J **129**
BS25: Wins 4D **130**
BS26: Ban, Chri 6J **129**
BS29: Ban 6J **129**
Banyard Rd. BS20: P'bry 3C **44**
BAPTIST MILLS 6C **48**
Baptist St. BS5: E'tn 7C **48**
Barberry Farm Rd. BS49: Yat 2H **87**
Barbour Gdns. BS13: Hart 7K **75**
Barbour Rd. BS13: Hart 7K **75**
Barcroft Cl. BS15: K'wd 1A **64**
Barkers Mead BS37: Yate 1F **31**
Barker Wlk. BS5: E'tn 7C **48**
Barkleys Hill BS16: Stap 3E **48**
Barlands Ho. BS10: Hen 4F **35**
Barley Cl. BS16: Mang 2E **50**
BS36: Fram C 6G **29**
Barley Cft. BS9: W Trym 3F **47**
Barley Cross BS22: Wick L 6E **84**
Barnabas Cl. BS26: Axb 4K **149**
Barnabas St. BS2: Bris 7A **48**
Barnaby Cl. BA3: Mid N 4E **152**
Barnack Trad. Est. BS3: Bedm 1J **75**
Barnard Cl. BS49: Yat 3J **87**
Barnard Wlk. BS31: Key 6B **78**
Barn Cl. BS16: Emer G 2F **51**
BS48: Bar G 6H **73**
Barnes St. BS5: St G 1F **63**
Barnfield Way BA1: Bathe 6K **83**
Barn Hill BA2: Shos 7F **143**
Barnhill Cl. BS37: Yate 2G **31**
Barnhill Rd. BS37: Chip S 5G **31**
Barn La. BS39: C'wd 6J **117**
Barn Owl Way BS34: Stok G 2H **37**
Barn Piece BA15: Brad A 7H **125**
Barn Pool BS25: Ship 5B **132**
Barns Cl. BS48: Nail 7G **57**
Barnstaple Ct. BS4: Know 2A **76**
Barnstaple Rd. BS4: Know 2A **76**
Barnstaple Wlk. BS4: Know 2B **76**
Barnwood Cl. BS15: K'wd 1D **64**
Barnwood Ct. BS48: Nail 1D **70**
Barnwood Rd. BS37: Yate 7C **30**
Barons Cl. BS3: Ash V 6F **61**
Baron's Wood Nature Reserve 1B **80**
Barossa Pl. BS1: Bris 4K **61** (6F **5**)
Barracks La. BS11: Shire 7H **33**
Barratt St. BS5: E'tn 7D **48**
Barrie Way TA8: Bur S 2E **158**
Barrington Cl. BS15: Soun 6D **50**
Barrington Ct. BS4: Wind H 5B **62**
BS15: K'wd 7C **50**
Barrington Rd. TA8: Bur S 7E **156**
BARROW COMMON 6B **74**
Barrow Ct. BS21: Tic 5B **56**
Barrow Ct. La. BS48: Bar G 6F **73**
BARROW GURNEY 6J **73**
Barrow Hill BS30: Wick 3B **66**
Barrow Hill Cres. BS11: Shire 1G **45**
Barrow Hill Rd. BS11: Shire 2G **45**
Barrow La. BS40: Winf 7J **73**
Barrowmead Dr. BS11: Law W 1J **45**
Barrow Rd. BA2: Odd D 3J **121**
BS5: Bar H 2D **62**
BS24: Hut 3C **128**
BS27: Ched 6C **150**
BARROWS 6C **150**
Barrows Cl. BS25: C'hll 1K **131**
Barrows Cft. BS27: Ched 6C **150**
Barrows Pk. BS27: Ched 6C **150**
Barrows, The BS22: W Mare 5A **106**
BS27: Ched 5C **150**
Barrow St. BS48: Bar G 4G **73**
BARROW VALE 7B **118**
Barrow Vw. BA2: F'boro 1F **141**
BARRS COURT 4D **64**
Barr's Ct. BS1: Bris 1A **62** (1G **5**)
Barrs Ct. Av. BS30: Bar C 4E **64**
Barrs Ct. Rd. BS30: Bar C 4E **64**
Barry Cl. BS24: W Mare 4J **127**
BS30: Bit 1G **79**
Barry Rd. BS30: Old C 7G **65**
Barstaple Ho. BS2: Bris 3K **5**
Bartholomew Row BA2: Tim 3F **141**
Bartlett's Rd. BS3: Bedm 7J **61**
Bartlett St. BA1: Bath 4B **100** (2F **7**)
Bartley St. BS3: Bedm 5K **61**
BARTON 7A **130**
Barton Bldgs. BA1: Bath 4B **100** (3F **7**)
Barton Cl. BS4: St Ap 3H **63**
BS35: Alv 7J **11**
BS36: Wint 2C **38**
TA8: Berr 2B **156**
Barton Ct. BA1: Bath 4G **7**
BS5: Bar H 3E **62**
Barton Drove BS25: Wins 1B **148**
(not continuous)
Barton Farm Country Pk. 7E **124**
Barton Grn. BS5: Bar H 2D **62**
BARTON HILL 3D **62**
Barton Hill Rd. BS5: Bar H 3D **62**
Barton Hill Trad. Est. BS5: Bar H 3D **62**
Barton Ho. BS1: Bris 1A **62** (1G **5**)
BS5: Redf 3E **62**
Bartonia Gro. BS4: Brisl 1F **77**
Barton Mnr. BS2: Bris 3C **62** (4K **5**)
Barton Mdw. Est. BS16: Fish 2A **50**
Barton Orchard BA15: Brad A 6G **125**
Barton Rd. BS2: Bris 3B **62** (5K **5**)
BS25: Bart 2J **147**
(Webbington)
BS25: Bart, Wins 7A **130**
(Barton)
BS26: Bart, Webb 2J **147**
TA8: Berr 3B **156**
Barton St. BA1: Bath 5B **100** (4F **7**)
BS1: Bris 1K **61** (1F **5**)
Barton, The BA2: Cor 4A **98**
BS15: Han 5K **63**
BS24: B'don 7A **128**
BS39: Stan D 1C **116**
BS40: Comp M 6B **136**
Barton Va. BS2: Bris 4K **5**
(not continuous)
Barwick Ho. BS11: Shire 1J **45**
BATCH 2H **145**
Batch Bus. Pk. BS24: Lym 4G **145**
Batches, The BS3: Bedm 7H **61**
Batch La. BS24: Lym 3H **145**
BS39: Clut 2H **139**
BATCH, THE
Bishop Sutton 1J **137**
Salisbury 1C **152**
Batch, The BA1: Bathe 7H **83**
BA2: F'boro 6E **118**
BA2: Wel 4K **143**
BS25: C'hll 2B **132**
BS31: Salt 7K **79**
BS39: High L 4B **140**
BS40: But 4E **112**
BS40: Chew M 1H **115**
BS40: Comp M 6A **136**
BS40: R'frd 1K **133**

Batch, The—Berkeley Av.

Batch, The BS48: Back 2B 90
BS49: Yat 4H 87
Bates Cl. BS5: E'tn 1C 62 (1K 5)
BATH 5C 100 (4G 7)
Bath Abbey 5C 100 (4G 7)
Bath Abbey Heritage Vaults 5G 7
(off Bath Abbey)
BATHAMPTON 2H 101
Bathampton La. BA2: B'ptn 2G 101
Bath Bldgs. BS6: Bris 7A 48
Bath Bus. Cen. BA1: Bath 4G 7
(off Up. Borough Walls)
Bath City FC (Twerton Pk.) 5H 99
BATHEASTON 6H 83
Batheaston Swainswick By-Pass
BA1: Bath, B'ptn 1F 101
(Bathampton)
BA1: Bath, Swain, Up Swa 4D 82
(Swainswick)
BATHFORD 1A 102
Bathford Hill BA1: Bathf 1K 101
BS39: Comp D 5B 96
Bath Hill BA2: Wel 3J 143
BS31: Key 4D 78
Bathings, The BS35: T'bry 4A 12
Bathite Cotts. BA2: Mon C 3F 123
Bath Marina & Cvn. Pk. BA1: Bath 3F 99
Bath New Rd. BA3: Clan, Rads 2J 153
Bath Old Rd. BA3: Rads 3K 153
Bath Race Course 4G 81
Bath Riverside Bus. Pk.
BA2: Bath 5B 100 (5E 6)
Bath Rd. BA2: Cor 5F 79
BA2: F'boro 1B 140
BA2: Pea J 6B 142
BA15: Brad A 3G 125
BS4: Bris, Wind H 4B 62 (7K 5)
BS4: Brisl 1G 77
(Brislington)
BS4: Brisl 7F 63
(Kensington Hill)
BS25: C'hll 1B 132
BS30: B'yte, Old C 4H 65
BS30: Bit, Will 1F 79
BS30: Kel, S'frd 4A 80
BS30: L Grn 5C 64
BS30: Wick 3E 66
BS31: Key, Salt 5F 79
BS35: T'bry 4K 11
BS39: Paul 7C 140
BS40: Blag 3C 134
BS40: L'frd 1B 132
Bath R.U.F.C. 4H 7
Bath Spa Station (Rail) 6C 100 (6H 7)
Bath Sports & Leisure Cen. 5C 100 (4H 7)
Bath St. BA1: Bath 5B 100 (5F 7)
BS1: Bris 3A 62 (4G 5)
BS3: Ash G 5G 61
BS16: Stap H 4C 50
BS27: Ched 7D 150
Bathurst Cl. TA8: Bur S 7F 157
Bathurst Pde. BS1: Bris 4K 61 (7E 4)
Bathurst Rd. BS22: W Mare 3A 106
Bathwell Rd. BS4: Wind H 6C 62
BATHWICK 4D 100 (2J 7)
Bathwick Hill BA2: Bath 5D 100 (3J 7)
Bathwick Ri. BA2: Bath 3E 100 (2K 7)
Bathwick St. BA2: Bath 3C 100 (1H 7)
Bathwick Ter. BA2: Bath 4K 7
Batley Ct. BS30: Old C 5H 65
Bat Stall La. BA1: Bath 4G 7
(off Orange Gro.)
Batstone Cl. BA1: Bath 1D 100
Battenburg Rd. BS5: St G 1J 63
Batten Ct. BS37: Chip S 5J 31
Batten Rd. BS5: St G 2K 63
Batten's La. BS5: St G 3J 63
Battersby Way BS10: Hen 5E 34
Battersea Rd. BS5: E'tn 1E 62
Battery La. BS20: P'head 2F 43
Battery Rd. BS20: P'head 2F 43
Battleborough La. TA9: Bre K 6K 157
Battle La. BS40: Chew M 1G 115
Battson Rd. BS14: Stoc 5G 77
Baugh Gdns. BS16: Down 6C 38
Baugh Rd. BS16: Down 6C 38
Baxter Cl. BS15: K'wd 1D 64
Bay Gdns. BS5: Eastv 6E 48
Bayham Rd. BS4: Know, Wind H 6B 62
Bayleys Dr. BS15: K'wd 3A 64
Baynham Ct. BS15: Han 4K 63
Baynton Ho. BS5: E'tn 2C 62
Baynton Mdw. BS16: Emer G 2G 51
Baynton Rd. BS3: Ash G 5G 61
Bay Rd. BS21: Clev 3D 54
Bays, The BS27: Ched 6E 150
Bayswater Av. BS6: Henl 4H 47
Bayswater Rd. BS7: Hor 1B 48
Bay Tree Cl. BS34: Pat 7B 26
Bay Tree Rd. BA1: Bath 1C 100
BS21: Clev 7E 54
Baytree Rd. BS22: W Mare 3A 106
Baytree Vw. BS22: W Mare 3B 106
(not continuous)
Bay Vw. Gdns. TA8: Bur S 3D 158
BEACH 7C 66
Beach Av. BS21: Clev 7C 54
BS35: Sev B 6A 16
Beach End Rd. BS23: Uph 3E 126
Beachgrove Gdns. BS16: Fish 4A 50
Beachgrove Rd. BS16: Fish 4K 49
Beach Hill BS20: P'head 2E 42
BS30: Bit 6J 65
Beach La. BS30: Beach 6B 66
BEACHLEY 1B 8
Beachley Rd. NP16: B'ly 1B 8
Beachley Wlk. BS11: Shire 1H 45
Beach Rd. BS22: Kew 1H 105
BS23: W Mare 7F 105
BS35: Sev B 6A 16
Beach Rd. E. BS20: P'head 2F 43
Beach Rd. W. BS20: P'head 2E 42
Beach, The BS21: Clev 5C 54
BEACON HILL 2C 100
Beacon Ho. BS8: Clif 2B 4
Beacon La. BS36: Wint 2A 38
Beaconlea BS15: K'wd 3B 64
Beacon Rd. BA1: Bath 2C 100
Beaconsfield Cl. BS5: Bar H 3D 62
Beaconsfield Rd. BS4: Know 6D 62
BS5: St G 1G 63
BS8: Clif 7G 47
BS21: Clev 7E 54
BS23: W Mare 5G 105
Beaconsfield St. BS5: Bar H 3D 62
Beale Cl. BS14: Stoc 4G 77
Beale Wlk. BA2: Bath 5A 100 (4C 6)
Beale Way TA8: Bur S 3F 159
Beam St. BS5: Redf 2E 62
Bean Acre, The BS11: Shire 7H 33
Beanhill Cres. BS35: Alv 7J 11
Bean St. BS5: E'tn 7C 48
Beanwood Pk. BS37: W'lgh 4E 40
Bearbridge Rd. BS13: Withy 6F 75
Bear Cl. BA15: Brad A 5F 125
Bearfield Bldgs. BA15: Brad A 4G 125
BEAR FLAT 7B 100
Beatty Way TA8: Bur S 1E 158
Beauchamp Rd. BS7: B'stn 4K 47
Beauford Sq. BA1: Bath 5B 100 (4F 7)
Beaufort BS16: Fren 6A 38
(off Harford Dr.)
Beaufort All. BS5: St G 3H 63
Beaufort Av. BA3: Mid N 4E 152
BS37: Yate 4D 30
Beaufort Bldgs. BS8: Clif 2F 61
Beaufort Cl. BS5: St G 2F 63
BS24: E'boro 2G 129
Beaufort Ct. BS16: Down 7E 38
TA8: Bur S 7D 156
Beaufort Cres. BS34: Stok G 3G 37
Beaufort E. BA1: Bath 2E 100
Beaufort Gdns. BS48: Nail 1F 71
Beaufort Hgts. BS5: St G 2G 63
Beaufort Ho. BS5: Bar H 2D 62
Beaufort M. BA1: Bath 2E 100
Beaufort Pk. BS32: Brad S 3F 27
Beaufort Pl. BA1: Bath 2E 100
BS5: E'tn 1C 62
BS16: Fren 6K 37
Beaufort Rd. BS5: St G 2F 63
BS7: Hor 2B 48
BS8: Clif 7G 47
BS15: K'wd 7A 50
BS16: Down 1E 50
BS16: Stap H 4C 50
BS23: W Mare 4H 105
BS36: Fram C 6E 28
BS37: Yate 4D 30
Beaufort St. BS3: Bedm 7J 61
BS5: E'tn 1C 62
Beaufort Trade Pk. BS16: Puck 3B 52
Beaufort Vs. BA1: Bath 2D 100
Beaufort Way BS10: S'mead 7K 35
Beaufort W. BA1: Bath 2D 100
Beauley Rd. BS3: Bris 4H 61 (7B 4)
Beaumont Cl. BS23: W Mare 1H 127
BS30: L Grn 6E 64
Beaumont St. BS5: E'tn 1C 62
Beaumont Ter. BS5: E'tn 1C 62
Beau St. BA1: Bath 5B 100 (5F 7)
Beaver Cl. BS36: Wint 7D 28
Beazer Cl. BS16: Soun 5B 50
Beazer Maze 5C 100
Beck Cl. BS16: Emer G 2G 51
Becket Ct. BS16: Puck 3B 52
Becket Dr. BS22: Wor 1E 106
Becket Rd. BS22: Wor 1E 106
Becket's La. BS48: Nail 2G 71
Beckford Ct. BA2: Bath 2K 7
(off Darlington Rd.)
Beckford Gdns. BA2: Bath 3D 100 (2K 7)
BS14: Whit 7C 76
Beckford Rd. BA2: Bath 4D 100 (2J 7)
Beckford's Tower & Mus. 6K 81
Beckhampton Rd. BA2: Bath 6K 99 (7B 6)
Beck Ho. BS34: Pat 6C 26
Beckington BS24: W Mare 3J 127
Beckington Rd. BS3: Know 7B 62
Beckington Wlk. BS3: Know 7B 62
Becks Bus. Pk. BS23: W Mare 5J 105
Beckspool Rd. BS16: Fren 1K 49
Beddoe Cl. BA15: Brad A 7J 125
Bedford Ct. BA1: Bath 3C 100 (1H 7)
Bedford Cres. BS7: Hor 3B 48
Bedford Pl. BS2: Bris 1K 61 (1E 4)
Bedford Rd. BS23: W Mare 1G 127
Bedford St. BA1: Bath 3C 100
BEDMINSTER 6J 61
Bedminster Bri. BS1: Bris 4K 61 (7F 5)
BS3: Bedm 4K 61 (7F 5)
BEDMINSTER DOWN 2G 75
Bedminster Down Rd.
BS13: Bedm, B'wth 1G 75
Bedminster Pde. BS3: Bedm 5K 61 (7F 5)
Bedminster Pl. BS3: Bedm 5K 61
Bedminster Rd. BS3: Bedm 1H 75
Bedminster Station (Rail) 6K 61
Bedwin Cl. BS20: P'head 4B 42
Beechacres BS35: T'bry 2A 12
Beech Av. BA2: Clav D 6G 101
Beech Cl. BS25: Ship 5B 132
BS30: Bar C 4E 64
BS35: Alv 7J 11
Beech Ct. BS14: Whit 5C 76
Beechcroft BS4: Dun 1D 92
Beech Cft. BS14: H'gro 5D 76
Beechcroft Wlk. BS7: Hor 7C 36
Beech Dr. BS25: Ship 5B 132
BS48: Nail 6J 57
BEECHEN CLIFF 6B 100
Beechen Cliff Rd.
BA2: Bath 6B 100 (7E 6)
Beechen Dr. BS16: Fish 6K 49
Beeches Gro. BS4: Brisl 7F 63
Beeches Ind. Est. BS37: Yate 4B 30
Beeches, The BA2: Odd D 3K 121
BS4: St Ap 4G 63
BS9: Stok B 5D 46
BS25: Sandf 1H 131
BS30: Old C 7G 65
BS32: Brad S 6F 27
Beechfield Cl. BS4: L Ash 7C 60
Beechfield Gro. BS9: C Din 7C 34
Beech Gro. BA2: Bath 7J 99
Beech Ho. BS16: Stap 3E 48
Beech Leaze BS35: Alv 7J 11
Beechmount Cl. BS24: W Mare 4H 127
Beechmount Ct. BS14: H'gro 2D 76
Beechmount Dr. BS24: W Mare 4J 127
Beechmount Gro. BS14: H'gro 2D 76
Beech Rd. BS7: Hor 3A 48
BS25: Ship 5A 132
BS31: Salt 7J 79
BS49: Yat 3J 87
Beech Ter. BA3: Rads 5H 153
Beech Vw. BA2: Clav D 6F 101
Beechwood Av. BS15: Han 4B 64
BS24: Lock 7E 106
Beechwood Cl. BS14: Stoc 2E 76
Beechwood Dr. BS20: P'head 3A 42
Beechwood Rd. BA2: C Down 3D 122
BS16: Fish 4J 49
BS20: E'tn G 4E 44
BS20: P'head 3A 42
BS48: Nail 7F 57
Beehive Trad. Est. BS5: St G 2G 63
Beehive Yd. BA1: Bath 4C 100 (3G 7)
Beesmoor Rd. BS36: Coal H, Fram C 7F 29
Begbrook Dr. BS16: B'hll 2H 49
Begbrook La. BS16: B'hll 2H 49
Begbrook Pk. BS16: Fren 7J 37
Beggar Bush La. BS8: Abb L, Fail 5H 59
Beggarswell Cl. BS2: Bris 1B 62
Belcombe Pl. BA15: Brad A 6G 125
Belcombe Rd. BA15: Brad A 6F 125
Belfast Wlk. BS4: Know 2A 76
Belfield Ct. TA8: Bur S 7C 156
Belfields La. BS16: Fren 6A 38
Belfry BS30: Warm 3F 65
Belfry All. BS5: St G 1J 63
Belfry Av. BS5: St G 1J 63
Belgrave Cres. BA1: Bath 3C 100
Belgrave Hill BS8: Clif 6G 47
Belgrave Pl. BA1: Bath 2C 100
BS8: Clif 2G 61
Belgrave Rd. BA1: Bath 2D 100
Belgrave Rd. BS8: Clif 1H 61 (1B 4)
BS22: W Mare 4K 105
Belgrave Ter. BA1: Bath 2C 100
Bellamy Av. BS13: Hart 6J 75
Bellamy Cl. BS15: St G 4J 63
Belland Dr. BS14: Whit 6B 76
Bella Vista Rd. BA1: Bath 3B 100
Bell Barn Rd. BS9: Stok B 2D 46
Bell Cl. BA2: F'boro 6D 118
BELLE VUE 3F 153
Belle Vue BA3: Mid N 3F 153
Bellevue BS8: Clif 3H 61 (4A 4)
Bellevue Cl. BA2: Pea J 5D 142
BS15: K'wd 2C 64
Bellevue Cotts. BS8: Clif 3H 61 (5A 4)
BS9: W Trym 1G 47
Bellevue Ct. BS8: Clif 3H 61 (4A 4)
Bellevue Cres. BS8: Clif 3H 61 (4A 4)
Bellevue Mans. BS21: Clev 5D 54
Bellevue Pk. BS4: Brisl 7F 63
Bellevue Rd. BS4: Wind H 5B 62
BS5: E'tn 6E 48
BS5: St G 1J 63
BS15: K'wd 2D 64
BS21: Clev 5D 54
Bellevue Ter. BS4: Brisl 7F 63
BS4: Wind H 5B 62
BS8: Clif 3H 61 (4A 4)
Bell Hill BS16: Stap 4E 48
Bell Hill Rd. BS5: St G 1J 63
Bellhouse Wlk. BS11: Law W 6B 34
Bellifants BA2: F'boro 6E 118
Bell La. BS1: Bris 2K 61 (3E 4)
BS32: Alm 1H 25
BS35: Piln 1H 25
Bellotts Rd. BA2: Bath 5J 99 (5A 6)
Bell Pit Brow BS48: Wrax 7K 57
Bell Rd. BS36: Coal H 7G 29
Bell Sq. BS40: Blag 2C 134
Bell's Wlk. BS40: Wrin 2G 111
BELLUTON 6E 94
Belluton Rd. BS4: Know 6C 62
Belmont BA1: Bath 4B 100 (2F 7)
Belmont Dr. BS8: Fail 6F 59
BS34: Stok G 2G 37
Belmont Hill BS48: Fail, Flax B 1E 72
Belmont Pk. BS7: Fil 6B 36
Belmont Rd. BA2: C Down 3E 122
BS4: Brisl 5E 62
BS6: Bris 6A 48
BS25: Wins 5G 131
Belmont St. BS5: E'tn 7D 48
Belmont, The BS21: Clev 6D 54
Belmore Gdns. BA2: Bath 1H 121
Beloe Rd. BS7: Hor 3A 48
Belroyal Av. BS4: Brisl 6H 63
Belsher Dr. BS15: K'wd 3E 64
Belstone Wlk. BS4: Know 2J 75
Belton Ct. BA1: W'ton 1H 99
Belton Ho. BA1: W'ton 1H 99
Belton Rd. BS5: E'tn 7D 48
BS20: P'head 2C 42
Belvedere BA1: Bath 4B 100 (2F 7)
Belvedere Cres. BS22: W Mare 3A 106
Belvedere Pl. BA1: Bath 3B 100 (1F 7)
(off Morford St.)
Belvedere Rd. BS6: Redl 5G 47
Belvedere Vs. BA1: Bath 3B 100 (1F 7)
Belverstone BS15: K'wd 1A 64
Belvoir Rd. BA2: Bath 6K 99 (7A 6)
BS6: Bris 6A 48
Bence Ct. BS15: Han 4K 63
Benches La. BS40: Winf 7H 91
Bendalls Bri. BS39: Clut 3G 139
Benford Cl. BS16: Fish 2A 50
Bengough's Almshouses
BS2: Bris 2J 61 (2D 4)
BENGROVE 4K 141
Bennett Rd. BS5: St G 2G 63
TA9: High 5H 159
Bennetts Ct. BS37: Yate 5F 31
Bennett's La. BA1: Bath 2C 100
Bennett's Rd. BA1: Swain 7E 82
Bennett St. BA1: Bath 4B 100 (2F 7)
Bennetts Way BS21: Clev 4E 54
Bennett Way BS1: Clif 4F 61
Bensaunt Gro. BS10: Bren 3K 35
Bentley Cl. BS14: Whit 7B 76
Bentley Rd. BS22: Wor 1F 107
Ben Travers Way TA8: Bur S 2E 158
Benville Av. BS9: C Din 7C 34
Berchel Ho. BS3: Bedm 5J 61
Berenda Dr. BS30: L Grn 6F 65
Beresford Cl. BS31: Salt 1J 97
TA8: Bur S 1E 158
Beresford Gdns. BA1: W'ton 7G 81
Berkeley Av. BA3: Mid N 4E 152
BS7: B'stn 5K 47
BS8: Clif 2J 61 (3C 4)

Broadstone La.—Caern Well Pl.

Broadstone La. BS21: King S 1K 85
Broad Stones BA15: Mon F 4C 102
Broadstone Wlk. BS13: Hart 5K 75
Broad St. BA1: Bath 4C 100 (3G 7)
BS1: Bris 2K 61 (3F 5)
BS16: Stap H 4B 50
BS37: Chip S 5H 31
BS40: Wrin 2F 111
BS49: Cong 7K 87
Broad St. Pl. BA1: Bath 4C 100 (3G 7)
Broad Wlk. BS4: Know 7B 62
BS20: P'head 1G 43
Broadwalk Shop. Cen.
BS4: Know 7D 62
Broadway BA2: Bath 5D 100 (5J 7)
BS24: Lock 1H 129
BS24: W Mare 3H 127
BS25: Ship, Star 4K 131
Broad Way BS31: Salt 7H 79
Broadway BS37: Yate 4F 31
Broadway Av. BS9: Henl 2K 47
Broadway Ct. BA2: Bath 6C 100 (6H 7)
Broadway Ho. Holiday Touring Cvn. Pk.
BS27: Ched 4B 150
Broadway La. BA3: Rads 7F 141
Broadway Rd. BS7: B'stn 5K 47
BS13: Withy 5F 75
Broadways Dr. BS16: B'hll 1H 49
Broad Weir BS1: Bris 2A 62 (3H 5)
Brock End BS20: P'head 5B 42
Brockhurst Gdns. BS15: K'wd 1J 63
Brockhurst Rd. BS15: K'wd 1J 63
BROCKLEY 1F 89
Brockley Cl. BS24: W Mare 4H 127
BS34: Lit S 7E 26
BS48: Nail 1F 71
Brockley Combe Rd.
BS48: Back, B'ley 1G 89
Brockley Cres. BS24: W Mare 4H 127
Brockley La. BS48: B'ley, C'vey 5F 71
Brockley Rd. BS31: Salt 7H 79
Brockley Wlk. BS13: B'wth 2G 75
Brockley Way BS48: B'ley 7C 70
BS49: Clav, C've 1B 88
Brockridge La. BS36: Fram C 7G 29
Brocks La. BS4: L Ash 1K 73
Brocks Rd. BS13: Hart 7J 75
Brock St. BA1: Bath 4B 100 (2E 6)
Brockway BS48: Nail 7H 57
Brockworth BS37: Yate 1C 40
Brockworth Cres. BS16: B'hll 2H 49
Bromley Dr. BS16: Down 7B 38
BROMLEY HEATH 7C 38
Bromley Heath Av. BS16: Down 7B 38
Bromley Heath Rd. BS16: Down 1B 50
BS16: Ham 5B 38
Bromley Rd. BS7: Hor 3B 48
BS39: Stan D 2B 116
Brompton Cl. BS15: K'wd 1D 64
Brompton Rd. BS24: W Mare 3J 127
Broncksea Rd. BS7: Fil 6B 36
Brook Cl. BS4: L Ash 1B 74
Brookcote Dr. BS34: Lit S 1F 37
Brookdale Rd. BS13: B'wth 4H 75
Brooke Rd. TA8: Berr 3B 156
Brookfield Av. BS7: B'stn 5K 47
Brookfield Cl. BS37: Chip S 4J 31
Brookfield Pk. BA1: W'ton 1H 99
Brookfield Rd. BS6: Cot 6K 47
BS34: Pat 6D 26
Brookfield Wlk. BS21: Clev 6F 55
BS30: Old C 6G 65
Brookgate BS3: Ash V 1E 74
Brook Hill BS6: Bris 7B 48
Brook Ho. BS34: Lit S 6E 26
Brookland Rd. BS6: Henl 3K 47
BS22: W Mare 5K 105
Brooklands BA2: Dunk 2D 142
Brook La. BS6: Bris 7B 48
BS16: B'hll 2G 49
Brooklea BS30: Old C 5F 65
Brookleaze BS9: Sea M 3C 46
Brookleaze Bldgs. BA1: Bath 1D 100
Brook Lintons BS4: Brisl 6F 63
Brook Lodge Touring Cvn. & Camping Pk.
BS40: Redh 4K 111
Brooklyn BS40: Wrin 2F 111
Brooklyn Rd. BA1: Bath 1E 100
BS13: B'wth 2H 75
Brookmead BS35: T'bry 5B 12
Brookridge Ho. BS10: Hen 4F 35
Brook Rd. BA2: Bath 5K 99 (4A 6)
BS3: Bedm 5K 61
BS5: S'wll 7G 49
BS6: Bris 7B 48
BS15: K'wd 1E 64
(not continuous)
BS16: Fish 4J 49
BS16: Mang 2D 50
Brookside BS20: Pill 5G 45
BS39: Paul 7C 140
BS40: Winf 4K 91
Brookside Cl. BA1: Bathe 5H 83
BS39: Paul 7C 140
Brookside Dr. BA2: F'boro 6D 118
BS36: Fram C 6F 29
Brookside Ho. BA1: W'ton 2H 99
Brookside Rd. BS4: Brisl 7G 63
Brook St. BS5: Redf 2E 62
BS37: Chip S 5G 31
Brookthorpe BS37: Yate 6D 30
Brookthorpe Av. BS11: Law W 6A 34
Brookthorpe Ct. BS37: Yate 6D 30
Brookview Wlk. BS13: B'wth 3H 75
Brook Way BS34: Brad S 5E 26
Broom Farm Cl. BS48: Nail 2G 71
Broomfield Wlk. BS16: Emer G 1F 51
Broomground BA15: W'ley 5C 124
BROOM HILL
Brislington 5H 63
BROOMHILL
Fishponds 2H 49
Broom Hill BS16: B'hll 2G 49
Broomhill La. BS39: Clut 2G 139
Broom Hill La. BS39: High L 5C 140
Broomhill Rd. BS4: Brisl 6H 63
Brooms, The BS16: Emer G 5E 38
Brougham Hayes BA2: Bath 5K 99 (6B 6)
Brougham Pl. BA1: Bath 1E 100
(off St Saviours Rd.)
Broughton Ho. BS1: Bris 4A 62 (7H 5)
Brow Hill BA1: Bathe 6H 83
Brow Hill Vs. BA1: Bathe 6H 83
Brownlow Rd. BS23: W Mare 1G 127
Brown's Folly Nature Reserve 2B 102
Brow, The BA2: Bath 6H 99
BA2: C Down 3E 122
Broxholme Wlk. BS11: Law W 7K 33
Bruce Av. BS5: E'tn 7E 48
Bruce Rd. BS5: E'tn 7E 48
Brue Cl. BS23: W Mare 7J 105
Brue Cres. TA8: Bur S 3D 158
Brue Way TA9: High 6H 159
Brummel Way BS39: Paul 7A 140
Brunel Cl. BS24: W Mare 5H 127
BS30: Warm 2G 65
Brunel Ct. BS37: Yate 4C 30
Brunel Ho. BA2: Bath 5G 99
BS1: Bris 3J 61 (4C 4)
Brunel Lock Rd. BS1: Bris 4F 61
Brunel Rd. BS13: B'wth 2F 75
BS48: Nail 1D 70
Brunel's Way TA9: High 3G 159
Brunel Way BS1: Bris 4F 61
BS3: Ash G, Bwr A 5F 61
BS35: T'bry 5K 11
Brunswick Pl. BA1: Bath 4B 100 (2F 7)
BS1: Bris 4F 61
Brunswick Sq. BS2: Bris 1A 62 (1G 5)
Brunswick St. BA1: Bath 2D 100
BS2: Bris 1A 62
BS5: Redf 2E 62
Bruton BS24: W Mare 3J 127
Bruton Av. BA2: Bath 7B 100 (7E 6)
BS20: P'head 3C 42
Bruton Cl. BS5: St G 1H 63
BS48: Nail 2G 71
Bruton Pl. BS8: Clif 2H 61 (3A 4)
Bryanson's Cl. BS16: Stap 2F 49
Bryant Av. BA3: Rads 5H 153
Bryant Gdns. BS21: Clev 1C 68
Bryants Cl. BS16: Fren 6A 38
Bryants Hill BS5: St G 3K 63
Brynland Av. BS7: B'stn 4A 48
Buchanans Wharf Nth. BS1: Bris 5F 5
Buchanans Wharf Sth. BS1: Bris 5F 5
Buckingham Dr. BS34: Stok G 3F 37
Buckingham Gdns. BS16: Down 2C 50
Buckingham Ho. BS34: Fil 5B 36
Buckingham Pde. BS35: T'bry 3K 11
Buckingham Pl. BS8: Clif 2G 61 (2A 4)
BS16: Down 2C 50
Buckingham Rd. BS4: Brisl 4F 63
BS24: W Mare 3K 127
Buckingham St. BS3: Bedm 7J 61
Buckingham Va. BS8: Clif 1G 61 (1A 4)
Buckland Cl. TA8: Bur S 7E 156
(Corsham Dr.)
TA8: Bur S 6D 156
(off Hillsborough Gdns.)
Buckland Grn. BS22: Wor 6E 84
Bucklands Batch BS48: Nail 2H 71
Bucklands Dr. BS48: Nail 2H 71
Bucklands End BS48: Nail 2H 71
Bucklands Gro. BS48: Nail 2H 71
Bucklands La. BS48: Nail 2H 71
Bucklands Vw. BS48: Nail 2J 71
Bucklewell Cl. BS11: Shire 2K 45
BUCKOVER 3E 12
Budbury Circ. BA15: Brad A 5G 125
Budbury Cl. BA15: Brad A 5G 125
Budbury Pl. BA15: Brad A 5G 125
(not continuous)
Budbury Ridge BA15: Brad A 5G 125
Budbury Tyning BA15: Brad A 5F 125
Bude Av. BS5: St G 1J 63
Bude Cl. BS48: Nail 1J 71
Bude Rd. BS34: Fil 4D 36
Budgetts Mead BS27: Ched 6C 150
Building of Bath Mus. 4C 100 (2F 7)
Bullens Cl. BS32: Brad S 4F 27
Buller Rd. BS4: Know 7E 62
Bullhouse La. BS40: Wrin 1F 111
(not continuous)
Bull La. BS20: Pill 4G 45
Bullocks La. BS21: King S 6C 68
Bull Pit BA15: Brad A 6H 125
Bull Wharf BS1: Bris 3K 61 (4G 5)
Bully La. BS37: Yate 4D 22
Bumper's Batch BA2: S'ske 4C 122
Bungay's Hill BA2: Tim 4B 140
BS39: High L 4B 140
Bunker Underground Military Mus., The
. . . . 5F 159
Bunting Ct. BS22: Wor 3C 106
Burbank Cl. BS30: L Grn 6E 64
Burbarrow La. BS37: Cod, W'lgh 4D 40
Burchells Av. BS15: K'wd 7K 49
BURCHELLS GREEN 1K 63
Burchells Grn. Cl. BS15: K'wd 7K 49
Burchells Grn. Rd. BS15: K'wd 7K 49
Burchill Cl. BS39: Clut 2H 139
Burcombe Cl. BS36: Coal H 7H 29
Burcott Rd. BS11: A'mth 2G 33
Burden Cl. BS32: Brad S 1H 37
Burfoote Gdns. BS14: Stoc 6G 77
Burfoote Rd. BS14: Stoc 6G 77
Burford Av. BS34: Pat 6E 26
Burford Cl. BA2: Bath 1H 121
BS20: P'head 4G 43
Burford Gro. BS11: Shire 3K 45
Burgage Cl. BS37: Chip S 6H 31
Burgess Grn. Cl. BS4: St Ap 2G 63
Burghill Rd. BS10: W Trym 6G 35
Burghley Ct. BS36: Wint 2C 38
Burghley Rd. BS6: Bris 6A 48
Burgis Rd. BS14: Stoc 4F 77
Burleigh Gdns. BA1: Bath 3G 99
Burleigh Way GL12: Wickw 7H 15
(not continuous)
Burley Av. BS16: Mang 3D 50
Burley Cres. BS16: Mang 2D 50
Burley Gro. BS16: Mang 2D 50
Burlington Ct. BS20: P'head 2G 43
Burlington Pl. BA1: Bath 2E 6
Burlington Rd. BA3: Mid N 4G 153
BS6: Redl 6H 47
BS20: P'head 1G 43
Burlington St. BA1: Bath 3B 100 (1E 6)
BS23: W Mare 4G 105
Burltons, The GL12: Crom 2B 14
Burnbush Cl. BS14: Stoc 4G 77
Burnell Dr. BS2: Bris 1B 62
BURNETT 4F 97
Burnett Bus. Pk. BS31: Key 2F 97
Burnett Cl. TA8: Bur S 1E 158
Burnett Hill BS31: Burn, Key 2E 96
Burnett Ind. Est. BS40: Wrin 3G 111
Burney Way BS30: L Grn 6E 64
Burnham Cl. BS15: K'wd 7D 50
BS24: W Mare 4H 127
Burnham Dr. BS15: K'wd 7D 50
BS24: W Mare 4H 127
Burnham Moor La.
TA9: Edith, W'fld 2J 159
BURNHAM-ON-SEA 1C 158
Burnham-on-Sea Holiday Village
TA8: Bur S 3D 158
Burnham Rd. BA2: Bath 5J 99
BS11: Shire 2H 45
TA8: Bur S 3E 158
TA9: High 4E 158
Burnham Touring Pk. TA8: Bur S 6E 156
Burnside Cl. BS10: S'mead 5J 35
Burnt Ho. Cotts. BA2: Odd D 4J 121
Burnt Ho. Rd. BA2: Odd D 4K 121
BURRINGTON 2H 133
Burrington Av. BS24: W Mare 4H 127
Burrington Cl. BS24: W Mare 4H 127
BS48: Nail 1G 71
Burrington Combe 4H 133
Burrington Combe BS40: Blag 4K 133
Burrington La. BS40: Burr 2J 133
Burrington Wlk. BS13: B'wth 2G 75
Burrough Way BS36: Wint 2C 38
Burton Cl. BS1: Bris 4A 62 (7G 5)
Burton Ct. BS8: Clif 2H 61 (3A 4)
Burton Row TA9: Bre K 3H 157
Burton St. BA1: Bath 5C 100 (4G 7)
Burwalls Rd. BS8: L Wds 3E 60
Bury Ct. Cl. BS11: Law W 6A 34
Bury Hill BS36: Wint D 4D 38
Buryhill La. BS37: Yate 6F 23
Bury Hill Vw. BS16: Down 6C 38
Bury La. BS30: Doy, Wick 3E 66
Bury, The BS24: E'boro, Lock 2E 128
Bush Av. BS34: Lit S 1E 36
Bush Ct. BS4: Wind H 6B 62
BS35: Alv 7H 11
Bush Ind. Est. BS5: St G 1F 63
Bush La. BS3: Bris 5H 61
Bushy Coombe BA3: Mid N 3D 152
Bushy Ho. BS3: Wind H 6B 62
Bushy Pk. BS4: Wind H 6B 62
Bushy Thorn Rd. BS40: Chew S 4E 114
BUTCOMBE 4F 113
Butcombe BS24: W Mare 3J 127
Butcombe La. BS40: But 5F 113
Butcombe Wlk. BS14: Whit 5D 76
Butham La. BS40: Chew M 7G 93
Buthay, The GL12: Wickw 7G 15
Butlass Cl. BS39: High L 4B 140
Butler Ho. BS5: St G 1H 63
Butlers Cl. BS5: St G 3H 63
Butlers Wlk. BS5: St G 3H 63
Buttercliffe Ri. BS4: L Ash 6C 60
Butterfield Cl. BS10: Hor 1A 48
BS36: Fram C 1F 39
Butterfield Pk. BS21: Clev 1C 68
Butterfield Rd. BS10: Hor 1A 48
Buttermere Rd. BS23: W Mare 1J 127
Butterworth Ct. BS4: Know 3K 75
Butt La. BS35: T'bry 1A 12
Button Cl. BS14: Whit 4C 76
BUTT'S BATCH 3F 111
Butts Batch BS26: Comp B 3B 148
Butt's Batch BS40: Wrin 3F 111
Butt's La. BA15: Mon F 5D 102
BS39: Hall 7A 140
Butts Orchard BS40: Wrin 3F 111
Buxton Wlk. BS7: Hor 7C 36
Bye Mead BS16: Emer G 7E 38
Byfield BA2: C Down 3D 122
Byfield Bldgs. *BA2: C Down 3D 122*
(off Byfield Pl.)
Byfield Pl. BA2: C Down 3D 122
Byfields BS21: Clev 2C 68
Byron Cl. BS24: Lock 1E 128
Byron Pl. BS8: Clif 2H 61 (3B 4)
BS16: Stap H 4C 50
Byron Rd. BA2: Bath 7B 100 (7F 7)
BS23: W Mare 1J 127
BS24: Lock 1E 128
Byron St. BS2: Bris 7C 48
BS5: Redf 2E 62
Byways Cvn. Pk. BS21: Clev 1C 68
Byzantine Ct. BS1: Bris 7E 4

C

Cabot Cl. BS15: K'wd 2A 64
BS31: Salt 1H 97
BS37: Yate 5F 31
Cabot Ct. BS7: Fil 6B 36
Cabot Grn. BS5: Bar H 2D 62
Cabot Ho. BS35: T'bry 4A 12
Cabot Ri. BS20: P'head 3C 42
Cabot Tower 3H 61
Cabot Way BS8: Clif 4F 61
BS20: Pill 5H 45
BS22: Wor 1E 106
Cabstand BS20: P'head 2F 43
Cadbury Camp 4C 56
Cadbury Camp La. BS20: Clap G 3D 56
BS21: Tic 3D 56
Cadbury Camp La. W. BS21: Tic 5J 55
(not continuous)
Cadbury Cl. TA8: Bur S 6E 156
Cadbury Farm Rd. BS49: Yat 4H 87
Cadbury Halt BS20: W'ton G 7B 42
CADBURY HEATH 3F 65
Cadbury Heath Rd. BS30: C Hth 4E 64
Cadbury La. BS20: W'ton G 7B 42
Cadbury Rd. BS20: P'head 4F 43
BS31: Key 1E 96
Cadbury Sq. BS49: Cong 1K 109
Cadby Ho. BA2: Bath 5G 99
Caddick Cl. BS15: K'wd 6D 50
Cade Cl. BS15: K'wd 3D 64
BS34: Stok G 2G 37
Cadogan Rd. BS14: H'gro 2C 76
Caen Rd. BS3: Wind H 6K 61
Caernarvon Rd. BS31: Key 6A 78
Caernarvon Way TA8: Bur S 6D 156
Caern Well Pl. BA1: Bath 1G 7

Chapel La.—Churchlands Rd.

Chapel La. BS15: Warm 1F 65
BS16: Fish 4J 49
BS16: Fren 1A 50
BS40: Chew S 4D 114
BS40: Winf 5A 92
BS49: C've 4D 88
BS49: Clav 2B 88
GL12: Buck 3E 12
SN14: Hin 3J 53
Chapel Lawns BA3: Clan 2J 153
Chapel Pill La. BS20: Pill 4J 45
Chapel Rd. BA3: Clan 2J 153
BS5: E'tn 7D 48
BS13: B'wth 4G 75
BS15: Han 4A 64
Chapel Row BA1: Bath 5B 100 (4E 6)
BA1: Bathf 1A 102
BA2: B'ptn 2H 101
BS20: Pill 4G 45
Chapel St. BS2: Bris 4C 62
BS35: T'bry 4K 11
TA8: Bur S 1C 158
Chapel Way BS4: St Ap 3G 63
Chaplin Rd. BS5: E'tn 7D 48
Chapter St. BS2: Bris 1A 62 (1H 5)
Charbon Ga. BS34: Stok G 2H 37
Charborough Ct. BS34: Fil 5B 36
Charborough Rd. BS34: Fil 5B 36
Charbury Wlk. BS11: Shire 3J 45
Chard Cl. BS48: Nail 2H 71
Chard Ct. BS14: H'gro 4D 76
Chardet Pl. BS26: Cross 4F 149
Chard Rd. BS21: Clev 1D 68
Chardstock Av. BS9: C Din 7C 34
Chardyke Dr. BS39: Tem C 4G 139
Charfield BS15: K'wd 1E 64
Charfield Rd. BS10: S'mead 6J 35
Chargrove BS30: Old C 3H 65
BS37: Yate 7D 30
Charis Av. BS10: W Trym 1J 47
CHARLCOMBE 7B 82
Charlcombe La. BA1: Bath, Charl 1B 100
Charlcombe Ri. BA1: Bath 1B 100
Charlcombe Vw. Rd. BA1: Bath 1C 100
Charlcombe Way BA1: Bath 1B 100
Charlecombe Ct. BS9: W Trym 2F 47
Charlecombe Rd. BS9: W Trym 2F 47
Charlecombe Trailer Pk.
BS20: P'head 5A 42
Charles Av. BS34: Stok G 3G 37
Charles Cl. BS35: T'bry 1A 12
Charles Ct. BS8: Clif 3G 61
Charles England Ho. BS34: Pat 7B 26
Charles Pl. BS8: Clif 3G 61
Charles Rd. BS34: Fil 4D 36
Charles St. BA1: Bath 5B 100 (4E 6)
BS1: Bris 1K 61 (1F 5)
Charlestone Rd. TA8: Bur S 7D 156
Charleton Ho. *BS2: Bris 2J 5*
(off Gt. Ann St.)
Charlock Cl. BS22: W Mare 5B 106
Charlock Rd. BS22: W Mare 5B 106
Charlotte St. BA1: Bath 5B 100 (4E 6)
BS1: Bris 2J 61 (4C 4)
BS2: Bris 1B 62 (1J 5)
Charlotte St. Sth. BS1: Bris 3J 61 (4C 4)
Charlton Av. BS23: W Mare 1F 127
BS34: Fil 5B 36
Charlton Comn. BS10: Bren 3K 35
Charlton Ct. BS34: Pat 5B 26
Charlton Dr. BS48: Wrax 1A 58
Charlton Fld. La. BS31: Q Char 3J 95
Charlton Gdns. BS10: Bren 3K 35
Charlton La. BA3: Mid N 7G 153
BS10: Bren 4G 35
Charlton Mead Ct. BS10: Bren 3K 35
Charlton Mead Dr. BS10: Bren 3K 35
Charlton Pk. BA3: Mid N 7F 153
BS31: Key 5B 78
Charlton Pl. BS10: Bren 3K 35
Charlton Rd. BA3: Mid N 6E 152
BS10: Bren 6G 35
BS15: K'wd 7K 49
BS23: W Mare 1F 127
BS31: Key 1K 95
BS31: Q Char 2H 95
Charlton St. BS5: Bar H 2D 62
Charlton Vw. BS20: P'head 3E 42
Charminster Rd. BS16: Fish 5K 49
Charmouth Rd. BA1: Bath 4H 99
Charnell Rd. BS16: Stap H 4C 50
Charnhill Brow BS16: Mang 4E 50
Charnhill Cres. BS16: Mang 4D 50
Charnhill Dr. BS16: Mang 4D 50
Charnhill Ridge BS16: Mang 4E 50
Charnhill Va. BS16: Mang 4D 50
Charnwood BS16: Mang 4E 50
Charnwood Dr. BS27: Ched 7D 150
Charnwood Rd. BS14: Whit 6D 76
Charterhouse Cl. BS48: Nail 1H 71
Charterhouse Rd. BS5: St G 1F 63
Charter Rd. BS22: W Mare 4K 105
Charter Wlk. BS14: H'gro 4C 76
Chasefield La. BS16: Fish 4K 49
Chase La. GL12: Wickw 6H 15
Chase Rd. BS15: K'wd 6B 50
Chase, The BS16: Fish 5A 50
Chatcombe BS37: Yate 7E 30
Chatham Pk. BA2: Bath 5E 100
Chatham Row BA1: Bath 4C 100 (2G 7)
Chatsworth Pk. BS35: T'bry 1A 12
Chatsworth Rd. BS4: Bris 5E 62
BS16: Fish 5K 49
Chatterton Grn. BS14: Whit 7B 76
Chatterton Ho. BS1: Bris 7G 5
Chatterton Rd. BS37: Yate 5D 30
Chatterton Sq. BS1: Bris 4B 62 (7J 5)
Chatterton St. BS1: Bris 4B 62 (7H 5)
Chaucer Rd. BA2: Bath 7B 100 (7F 7)
BA3: Rads 6F 153
BS23: W Mare 1J 127
Chaundey Gro. BS13: Hart 5H 75
Chavenage BS15: K'wd 7E 50
Cheapside BS2: Bris 1B 62 (1J 5)
Cheapside St. BS3: Wind H 5B 62
Cheap St. BA1: Bath 5C 100 (4G 7)
CHEDDAR 7D 150
Cheddar Bri. Pk. BS27: Ched 7D 150
Cheddar Bus. Pk. BS27: Ched 7C 150
Cheddar Cl. BS48: Nail 2H 71
TA8: Bur S 7E 156
Cheddarcoombe La.
BS25: Ship, Star 4K 131
Cheddar Ct. BS27: Ched 7D 150
Cheddar Flds. BS27: Ched 7C 150
Cheddar Gorge 5G 151
Cheddar Gorge Cheese Company
(Rural Village) 6E 150
Cheddar Gorge Heritage Cen. (Mus.)
6E 150
Cheddar Sweet Kitchen 6E 150
Cheddar Gro. BS13: B'wth 2G 75
Cheddar Rd. BS26: Axb 4K 149
Cheddar Valley Walk and Cycle Track
7G 131
Cheddar Valley Walk & Cycle Track
2G 149
Chedworth BS15: Soun 5C 50
BS37: W'lgh 7B 30
Chedworth Cl. BA2: Clav D 1H 123
Chedworth Rd. BS7: Hor 2C 48
Cheese La. BS2: Bris 3A 62 (4H 5)
Chelford Gro. BS34: Pat 6D 26
Chelmer Gro. BS31: Key 6D 78
Chelmsford Wlk. BS4: St Ap 4H 63
Chelscombe BA1: W'ton 2H 99
Chelsea Cl. BS31: Key 5E 78
Chelsea Ho. *BA1: Bath 3C 100*
(off London Rd.)
Chelsea Pk. BS5: E'tn 1E 62
Chelsea Rd. BA1: Bath 4J 99
BS5: E'tn 7D 48
Chelsfield BS48: Back 3J 71
Chelston Rd. BS4: Know 3K 75
Chelswood Av. BS22: W Mare 4A 106
Chelswood Gdns. BS22: W Mare 4B 106
Cheltenham La. BS6: Bris 6K 47
Cheltenham Rd. BS6: Bris 6K 47
BS15: K'wd 7C 50
Cheltenham St. BA2: Bath 5A 100 (5D 6)
CHELVEY 5F 71
CHELVEY BATCH 7H 71
Chelvey Batch BS48: B'ley 7H 71
Chelvey La. BS48: B'ley 7F 71
Chelvey Ri. BS48: Nail 1J 71
Chelvey Rd. BS48: Back, B'ley, C'vey, Nail
4D 70
Chelvy Cl. BS13: Hart 7K 75
CHELWOOD 3J 117
Chelwood Dr. BA2: Odd D 3K 121
Chelwood Rd. BS11: Shire 1H 45
BS31: Salt 6J 79
Chelwood Rdbt. BS39: C'wd 4G 117
Chepstow Pk. BS16: Down 6D 38
Chepstow Rd. BS4: Know 2K 75
Chepstow Wlk. BS31: Key 5B 78
Chequers Cl. BS30: Old C 6G 65
Chequers Ct. BS32: Brad S 7J 27
Cherington BS15: Han 4K 63
BS37: Yate 1D 40
Cherington Rd. BS10: W Trym 1J 47
BS48: Nail 1J 71
Cheriton Pl. BS9: W Trym 1H 47
BS30: Old C 3G 65
Cherry Av. BS21: Clev 7E 54
Cherry Cl. BS49: Yat 3H 87
Cherry Gdn. La. BS30: Bit, Old C 6F 65
Cherry Gdn. Rd. BS30: Bit 1G 79
Cherry Gdns. BS30: Bit 1G 79
Cherry Gro. BS16: Mang 2E 50
BS49: Yat 3H 87
Cherry Hay BS21: Clev 1D 68
Cherry La. BS1: Bris 1A 62 (1G 5)
Cherry Orchard La.
BS5: St G 1H 63
Cherry Rd. BS4: L Ash 7K 59
BS37: Chip S 5G 31
BS48: Nail 1F 71
Cherry Tree Cl. BA3: Rads 5J 153
Cherrytree Cl. BS16: Fish 6A 50
Cherry Tree Cl. BS31: Key 6A 78
Cherrytree Ct. BS16: Puck 3C 52
Cherry Tree Ct. BS21: King S 1B 86
Cherrytree Cres. BS16: Fish 6A 50
Cherrytree Rd. BS16: Fish 6A 50
Cherry Wood BS30: Will 7F 65
Cherrywood Ri. BS22: Wor 2D 106
Cherrywood Rd. BS22: Wor 2D 106
Chertsey Rd. BS6: Redl 7H 47
Cherwell Cl. BS35: T'bry 5A 12
Cherwell Rd. BS31: Key 6E 78
Chescombe Rd. BS49: Yat 4H 87
Chesham Rd. Nth. BS22: W Mare 4K 105
Chesham Rd. Sth. BS22: W Mare 4K 105
Chesham Way BS15: K'wd 7B 50
Cheshire Cl. BS37: Yate 3E 30
Chesle Cl. BS20: P'head 5A 42
Cheslefield BS20: P'head 5A 42
Chesle Way BS20: P'head 5A 42
Chesley Hill BS30: B'yte, Wick 2J 65
Chessel Cl. BS32: Brad S 4E 26
Chessell Av. BS35: Piln 6C 16
Chessel St. BS3: Bedm 6H 61
Chessington Av. BS14: H'gro 5D 76
Chester Cl. BS24: Wor 4E 106
Chesterfield Av. BS6: Bris 6A 48
Chesterfield Cl. BS29: Ban 2K 129
Chesterfield Ho. BA3: Mid N 5F 153
Chesterfield Rd. BS6: Bris 6A 48
BS16: Down 3C 50
Chestermaster Cl. BS32: Alm 1C 26
CHESTER PARK 6A 50
Chester Pk. BS5: W'hall 1G 63
Chester Pk. Rd. BS16: Fish 6K 49
Chester Rd. BS5: W'hall 7G 49
Chesters BS30: C Hth 5E 64
Chester St. BS5: E'tn 6D 48
Chesterton Dr. BS48: Nail 7J 57
Chestertons, The BA2: B'ptn 3H 101
(not continuous)
Chestnut Av. BS22: Wor 3E 106
BS26: Axb 4J 149
Chestnut Chase BS48: Nail 6J 57
Chestnut Cl. BA3: Rads 5J 153
BS14: Stoc 5G 77
BS29: Ban 2A 130
BS39: Paul 7C 140
BS49: Cong 7K 87
Chestnut Ct. BS16: Mang 3E 50
Chestnut Dr. BS35: T'bry 3A 12
BS37: Chip S 5G 31
BS49: Clav 2A 88
Chestnut Gro. BA2: Bath 7J 99
BS21: Clev 5E 54
Chestnut Ho. BS13: Hart 7K 75
Chestnut La. BS24: B'don 6K 127
Chestnut Rd. BS4: L Ash 7B 60
BS15: Soun 5D 50
BS16: Down 2B 50
Chestnuts, The BS25: Wins 6G 131
BS27: Ched 5C 150
Chestnut Wlk. BS13: B'wth 4G 75
BS31: Salt 7J 79
Chestnut Way BS15: Soun 5D 50
Cheston Coombe BS48: Back 5A 72
Chetwode Cl. BS10: Bren 4K 35
Chetwood Ho. BS5: Bar H 3E 62
Chevening Cl. BS34: Stok G 3F 37
Cheviot Dr. BS35: T'bry 4C 12
Cheviot Way BS30: Old C 4G 65
Chew Hill BS40: Chew M 7G 93
Chew La. BS40: Chew M, Chew S 3E 114
CHEW MAGNA 1G 115
Chew Rd. BS40: Chew M, Winf 5A 92
CHEW STOKE 3D 114
Chew St. BS40: Chew M 1G 115
Chewton Cl. BS16: Fish 5K 49
CHEWTON KEYNSHAM 1C 96
Chewton Rd. BS31: Key 1C 96
Chew Valley Cvn. Pk. BS39: Bis S 1J 137
Chew Valley Lake Info. Cen. 5G 115
Chew Valley Lake Nature Trails 6H 115
Chew Valley Lake Sailing Cen. 6F 115
Cheyne Rd. BS9: Stok B 2D 46
Chichester Cl. TA8: Bur S 7D 156
Chichester Ho. BS4: St Ap 3H 63
Chichester Pl. BA3: Rads 4A 154
Chichester Way BS24: Wor 4E 106
BS37: Yate 3D 30
Chicken La. BS27: Ched 6C 150
Chickwell La. BA3: Hem 6K 155
Chilcompton Rd. BA3: Mid N 7C 152
Childrens Av. BA1: Bath 3A 100 (1C 6)
Chillyhill La.
BS40: Chew M, Chew S 2E 114
Chiltern Cl. BS14: Whit 6D 76
BS30: Old C 4G 65
Chiltern Pk. BS35: T'bry 4B 12
Chilton Rd. BA1: Bath 2D 100
BS4: Know 2C 76
Chilwood Cl. BS37: Iron A 3J 29
Chimes, The BS48: Nail 2E 70
Chine, The BS16: Stap 3F 49
Chine Vw. BS16: Down 7D 38
Chiphouse Rd. BS15: Soun 6D 50
Chipperfield Dr. BS15: K'wd 7D 50
Chipping Cross BS21: Clev 2C 68
Chipping Edge Ind. Est.
BS37: Chip S 5H 31
CHIPPING SODBURY 5H 31
Chippings, The BS16: Stap 3F 49
Chisbury St. BS5: Eastv. 5E 48
Chittening Rd. BS11: Chit 1J 33
Chock La. BS9: W Trym 1G 47
CHOLWELL 3F 139
Christchurch Av. BS16: Down 3B 50
Christ Chu. Cl. BS48: Nail 7G 57
Christ Chu. Cotts. *BA1: Bath 1F 7*
(off Julian Rd.)
Christchurch Hall BA1: Bath 2F 7
Christchurch La. BS16: Down 2B 50
Christ Chu. Path Nth.
BS23: W Mare 4H 105
Christ Chu. Path. Sth.
BS23: W Mare 4G 105
Christchurch Rd. BA15: Brad A 4H 125
BS8: Clif 2G 61
Christian Cl. BS22: Wor 1E 106
Christina Ter. BS8: Clif 4G 61
Christmas Steps BS1: Bris 2K 61 (3E 4)
Christmas St. BS1: Bris 2K 61 (3E 4)
CHRISTON 6H 129
Christon Hill BS26: Chri 5G 129
Christon Rd. BS26: Chri, Lox 2G 147
BS29: Ban 4K 129
Christon Ter. BS23: W Mare 3H 127
Chubb Cl. BS30: Bar C 4D 64
Church Acre BA15: Brad A 5G 125
Church Av. BS5: E'tn 7D 48
BS9: Stok B 4E 46
BS30: Warm 2G 65
Church Barton BS39: High L 4B 140
Church Cl. BA1: Bathf 1K 101
BA2: B'ptn 1H 101
BS10: Hen 5E 34
BS20: P'head 3F 43
BS21: Clev 7A 54
BS36: Fram C 6F 29
BS49: Yat 4J 87
Church Cnr. BS24: Lym 5K 145
Church Ct. BA3: Mid N 5E 152
BS40: Redh 1B 112
Churchdown Wlk. BS11: Shire 3J 45
Church Dr. BS5: St G 1G 63
BS49: Cong 7K 87
CHURCHEND 1F 15
Churchend La. GL12: Char 1F 15
Churches BA15: Brad A 5F 125
Church Farm Cl. BA2: Mark 3F 119
Churchfarm Cl. BS37: Yate 3F 31
Church Farm Paddock BS30: Bit 3J 79
Church Farm Rd. BS16: Emer G 2F 51
Chu. Farm Touring Cvn. & Camping Site
BA15: W'ley 5B 124
Church Hayes Cl. BS48: Nail 2G 71
Church Hayes Dr. BS48: Nail 2G 71
Church Hill BA2: F'frd 7K 123
BA2: Tim 3F 141
BA3: Writ 4C 154
BS4: Brisl 7F 63
BS35: Olv 2B 18
Church Ho. Rd. TA8: Berr 2B 156
CHURCHILL 1B 132
Churchill Av. BS21: Clev 7C 54
Churchill Cl. BS21: Clev 7C 54
BS30: Bar C 4E 64
TA8: Bur S 3E 158
Churchill Dr. BS9: W Trym 1D 46
CHURCHILL GREEN 7J 109
Churchill Grn. BS25: C'hll 7H 109
Churchill Hall BS9: Stok B 5F 47
Churchill Rd. BS4: Brisl 5E 62
BS23: W Mare 5J 105
Churchill Sports Cen. 7J 109
Churchlands Ct. TA8: Bur S 1C 158
Churchlands Rd. BS3: Bedm 7H 61

Close, The—Coronation Rd.

Close, The BS35: T'bry 4K 11
BS36: Coal H 1G 39
Clothier Rd. BS4: Brisl 7H 63
Cloud Hill Ind. Est.
BS39: Tem C 5J 139
Clouds Hill Av. BS5: St G 1G 63
Clouds Hill Rd. BS5: St G 1H 63
Clovelly Cl. BS5: St G 1H 63
Clovelly Rd. BS5: St G 1H 63
BS22: Wor 2E 106
Clover Cl. BS21: Clev 6F 55
BS39: Paul 2D 152
Clover Ct. BS22: W Mare 5B 106
Cloverdale Dr. BS30: L Grn 6E 64
Cloverdown BS4: Know 1A 76
Clover Ground BS9: W Trym 7H 35
Cloverlea Bus. Cen. BS36: H'fld 4G 39
Cloverlea Rd. BS30: Old C 5G 65
Clover Leaze BS32: Brad S 1F 37
Clover Rd. BS22: Wick L 5E 84
Clover Way TA9: High 4F 159
CLUTTON 2G 139
CLUTTON HILL 1K 139
Clutton Hill BS39: Clut 2H 139
Clyce Rd. TA9: High 5E 158
Clyde Av. BS31: Key 6D 78
Clyde Gdns. BA2: Bath 5H 99
BS5: St G 3K 63
Clyde Gro. BS34: Fil 5B 36
Clyde La. BS6: Redl 6H 47
Clyde M. BS6: Redl 6J 47
Clyde Pk. BS6: Redl 6H 47
Clyde Rd. BS4: Know 6C 62
BS6: Redl 6H 47
BS36: Fram C 6F 29
Clydesdale Cl. BS14: H'gro 4C 76
Clyde Ter. BS3: Bedm 6J 61
BS4: Know 6C 62
Clynder Gro. BS21: Clev 3E 54
Coach Rd. BA15: Brad A 6G 125
Coalbridge Cl. BS22: Wor 2D 106
Coaley Rd. BS11: Shire 3H 45
COALPIT HEATH 1G 39
Coalpit Rd. BA1: Bathe 6J 83
Coalsack La. BS36: H'fld 4F 39
Coalville Rd. BS36: Coal H 7H 29
Coape Rd. BS14: Stoc 5H 77
Coast Rd. TA8: Berr 2A 156
Coates Gro. BS48: Nail 7J 57
Coates Wlk. BS4: Know 4K 75
Cobblestone M. BS8: Clif 2G 61
Cobden Cen., The BS16: Emer G 5E 38
Cobden St. BS5: Redf 2D 62
Coberley BS15: K'wd 3A 64
Cobhorn Dr. BS13: Withy 6F 75
Cobley Cft. BS21: Clev 2C 68
Cobourg Rd. BS6: Bris 7B 48
Cobthorn Way BS49: Cong 6A 88
Coburg Vs. BA1: Bath 2C 100
Cock and Yew Tree Hill
BS40: Regil 2A 114
Cockers Hill BS39: Comp D 7K 95
Cock La. SN14: Hin 3J 53
Cock Rd. BS15: K'wd 3C 64
COCKSHOT HILL 6C 50
CODRINGTON 4H 41
Codrington Pl. BS8: Clif 2G 61
Codrington Rd. BS7: B'stn 5K 47
BS37: W'lgh 4D 40
Cody Ct. BS15: Han 4K 63
Cogan Rd. BS16: Soun 5C 50
Cogmill La. BS36: Fram C 2D 28
BS37: Iron A 2D 28
Cogsall Rd. BS14: Stoc 4H 77
Coity Pl. BS21: Clev 5C 54
Coker Rd. BS22: Wor 2F 107
Colbourne Rd. BA2: Odd D 3K 121
Colchester Cres. BS4: Know 3K 75
Coldbath BA2: F'boro 6D 118
Coldharbour La. BS16: Fren, Stap 6G 37
BS23: W Mare 2F 127
Coldharbour Rd. BS6: Redl 5H 47
Coldpark Gdns. BS13: Withy 5E 74
Coldpark Rd. BS13: Withy 5E 74
Coldrick Cl. BS14: Whit 7B 76
Colebrook Rd. BS15: K'wd 1A 64
Coleford Rd. BS10: S'mead 7K 35
Colehouse Farm Cvn. Pk.
BS21: Clev 3D 68
Colehouse La. BS21: Clev 2B 68
Cole Mead BS13: B'wth 5H 75
Coleridge Gdns. TA8: Bur S 5D 156
Coleridge Rd. BS5: Eastv 5E 48
BS21: Clev 6C 54
BS23: W Mare 2H 127
Coleridge Va. Rd. E. BS21: Clev 7D 54
Coleridge Va. Rd. Nth. BS21: Clev 7C 54
Coleridge Va. Rd. Sth.
BS21: Clev 7C 54
Coleridge Va. Rd. W.
BS21: Clev 7C 54
Cole Rd. BS2: Bris 3D 62
Colesborne Cl. BS37: Yate 6D 30
Coleshill Dr. BS13: Hart 5H 75
Coley Rd. BS40: E Harp 6K 137
Colin Cl. BS35: T'bry 3K 11
College Av. BS16: Fish 3J 49
College Ct. BS16: Fish 3J 49
TA8: Bur S 1C 158
College Flds. BS8: Clif 1F 61
College Grn. BS1: Bris 3J 61 (4D 4)
College Ho. *BS1: Bris 4E 4*
(off Orchard St.)
College La. BS1: Bris 4D 4
College Pk. Dr. BS10: Hen 6F 35
College Rd. BA1: L'dwn 1A 100
BS8: Clif 1F 61
BS9: W Trym 1G 47
BS16: Fish 3J 49
College Sq. BS1: Bris 3J 61 (5C 4)
College St. BS1: Bris 3J 61 (5C 4)
TA8: Bur S 1C 158
College Vw. BA1: Bath 2C 100
College Way BS34: Fil 3C 36
Collett Cl. BS15: Han 4K 63
BS22: Wor 7G 85
Collett Way BS37: Yate 3C 30
Collier Cl. BA2: Cam 5H 141
Colliers Break BS16: Emer G 3F 51
Collier's La. BA1: Charl 6A 82
BS40: C'hse 2H 151
Colliers Ri. BA3: Rads 3A 154
Colliers Wlk. BS48: Nail 7G 57
Collingwood Av. BS15: K'wd 7C 50
Collingwood Cl. BS22: Wor 7C 84
BS31: Salt 1J 97
Collingwood Rd. BS6: Redl 7H 47
Collin Rd. BS4: Brisl 5F 63
Collins Av. BS34: Lit S 1E 36
Collins Bldgs. BS31: Salt 7J 79
Collins Dr. BS35: Sev B 3C 24
Collinson Rd. BS13: Hart 5H 75
Collins St. BS11: A'mth 7F 33
Colliter Cres. BS3: Bedm 7G 61
Collum La. BS22: Kew 4B 84
Colne Grn. BS31: Key 6E 78
Coln Sq. BS35: T'bry 4A 12
Colombo Cres. BS23: W Mare 2G 127
Colonnades, The BA1: Bath 5F 7
Colony, The TA8: Bur S 6C 156
Colston Av. BS1: Bris 3K 61 (4E 4)
Colston Cen. *BS1: Bris 3E 4*
(off Colston St.)
Colston Cl. BS16: Soun 5B 50
BS36: Wint D 3C 38
Colston Ct. BS7: B'stn 5K 47
Colston Dale BS16: Stap 4G 49
Colston Fort *BS6: Bris 1E 4*
(off Montague Pl.)
Colston Hall 2K 61 (3E 4)
Colston Hill BS16: Stap 4F 49
Colston M. BS6: Bris 7A 48
Colston Pde. BS1: Bris 4A 62 (7G 5)
Colston Pl. BS1: Bris 3A 62 (5H 5)
Colston Rd. BS5: E'tn 7E 48
Colston St. BS1: Bris 2K 61 (3E 4)
BS16: Soun 5B 50
Colston Twr. *BS1: Bris 3E 4*
(off Colston St.)
Colston Yd. *BS1: Bris 2E 4*
(off Colston St.)
Colthurst Dr. BS15: Han 4C 64
COLT'S GREEN 6K 31
Colwyn Rd. BS5: E'tn 7E 48
Combe Av. BS20: P'head 2E 42
COMBE DOWN 3D 122
Combe Flds. BS20: P'head 2E 42
Combe Gro. BA1: Bath 3H 99
COMBE HAY 7J 121
Combe Hay La.
BA2: C Hay, Odd D 6H 121
Combe La. BS39: Hall 7K 139
Combe Pk. BA1: Bath 4J 99
Combermere BS35: T'bry 4B 12
Combe Rd. BA2: C Down 3D 122
BS20: P'head 3F 43
Combe Rd. Cl. BA2: C Down 3D 122
Combe Royal Cres. BA2: Clav D 6F 101
Combeside BA2: Bath 1C 122
BS48: Back 3J 71
Combe, The BA3: Writ 4D 154
BS40: Burr 2H 133
Combfactory La. BS5: E'tn 1D 62
Comb Paddock BS9: W Trym 1H 47
Comer Rd. BS27: Ched 7C 150
Comfortable Pl. BA1: Bath 4A 100 (3C 6)
Commerce Way TA9: High 6H 159
Commercial Rd. BS1: Bris 4K 61 (7E 4)
Common E., The BS34: Brad S 5E 26
Commonfield Rd. BS11: Law W 6B 34
Common La. BS8: Fail 5F 45
BS20: E'tn G 5F 45
(not continuous)
BS25: C'hll 6H 109
BS35: Aust 7G 9
Common Mead La. BS16: Ham 6J 37
Common Rd. BS15: Han 6K 63
BS36: Wint 7D 28
Common, The BS16: Fren 1K 49
BS34: Pat 5D 26
BS35: Olv 2B 18
Compass Ct. BA1: Bath 2E 6
COMPTON BISHOP 3B 148
COMPTON COMMON 7A 96
COMPTON DANDO 5A 96
Compton Dr. BS9: Sea M 1C 46
COMPTON GREEN 6C 96
Compton Grn. BS31: Key 6C 78
COMPTON GREENFIELD 6F 25
Compton La. BS26: Axb 4H 149
Compton Lodge *BS6: Redl 7H 47*
(off Hampton Rd.)
COMPTON MARTIN 7A 136
Compton Mead BS48: Bar G 6H 73
Compton St. BS5: Redf 2E 62
Comrade Av. BS25: Ship 5A 132
Comyn Wlk. BS16: Fish 3J 49
Concorde Dr. BS10: S'mead 6H 35
BS21: Clev 1B 68
Concorde Ho. BS34: Fil 5B 36
Concorde Rd. BS34: Pat 7A 26
Concourse, The BS4: Brisl 7G 63
Condor Cl. BS22: W Mare 4B 106
Condor Ho. BS7: L'lze 1E 48
Condover Rd. BS4: Brisl 6H 63
Conduit Pl. BS2: Bris 7C 48
Conduit Rd. BS2: Bris 7C 48
Coneygree BS13: B'wth 5F 75
Conference Av. BS20: P'head 3G 43
Conference Cl. BS20: P'head 4H 43
Congleton Rd. BS5: W'hall 7F 49
CONGRESBURY 7K 87
CONHAM 4H 63
Conham Hill BS15: Han 4J 63
Conham Rd. BS5: St G 4H 63
BS15: St G 4H 63
Conham Va. BS15: St G 4H 63
Conifer Cl. BS16: Fish 2B 50
BS36: Fram C 5E 28
Conifer Way BS24: Lock 7C 106
Conigre Hill BA15: Brad A 5G 125
Coniston Av. BS9: W Trym 2E 46
Coniston Cl. BS30: Old C 3H 65
Coniston Cres. BS23: W Mare 1H 127
Coniston Rd. BS34: Pat 6A 26
CONKWELL 3A 124
Connaught Pl. BS23: W Mare 4F 105
Connaught Rd. BS4: Know 2A 76
Connection Rd. BA2: Bath 5G 99
Constable Cl. BS31: Key 4D 78
Constable Dr. BS22: Wor 1D 106
Constable Rd. BS7: L'lze 2D 48
Constantine Av. BS34: Stok G 2G 37
Constitution Hill BS8: Clif 3G 61 (4A 4)
Convent Cl. BS10: Hen 4D 34
Convocation Av. BA2: Clav D 6H 101
Conway Cres. TA8: Bur S 6D 156
Conway Grn. BS31: Key 7E 78
Conway Rd. BS4: Brisl 5E 62
Conygar Cl. BS21: Clev 4F 55
Conygre Grn. BA2: Tim 3F 141
Conygre Gro. BS34: Fil 3D 36
Conygre Ri. BA2: F'boro 6D 118
Conygre Rd. BS34: Fil 4C 36
Cook Cl. BS30: Old C 5G 65
Cooke's Dr. BS35: E Comp 5G 25
Cooks Bridle Path BS48: Back 4B 90
Cooks Cl. BS32: Brad S 3E 26
Cooks Folly Rd. BS9: Stok B 5D 46
Cooks Gdns. BS48: Wrax 7K 57
Cook's Hill BS39: Clut 2G 139
Cook's La. BS21: Clev 7G 55
BS29: Ban 1A 130
Cooks La. BS36: H'fld 4H 39
Cooksley Rd. BS5: Redf 1E 62
Cookson Cl. TA8: Bur S 3E 158
Cook St. BS11: A'mth 7F 33
Cookworthy Cl. BS5: Bar H 3D 62
Coombe Av. BS35: T'bry 2K 11
Coombe Bri. Av. BS9: Stok B 2D 46
Coombe Cl. BS10: Hen 4D 34
BS20: P'head 3F 43
Coombe Dale BS9: Sea M 2C 46
BS48: Back 3E 90
COOMBE DINGLE 1D 46
Coombe Dingle Sports Complex 1E 46
Coombe Gdns. BS9: Stok B 2E 46
Coombe La. BS8: Fail 7D 44
(not continuous)
BS9: Stok B, W Trym 1D 46
BS20: E'tn G 6E 44
BS26: Comp B 2B 148
BS40: E Harp 7J 137
Coombend BA3: Clan, Rads 2J 153
Coombe Orchard *BA3: Rads 3K 153*
(off Bath New Rd.)
Coombe Rd. BS5: Eastv 6E 48
BS23: W Mare 4G 105
BS48: Nail 1F 71
Coombe Side TA9: Bre K 5K 157
Coombe's Way BS26: Bidd 6J 147
Coombes Way BS30: Old C 5H 65
Coombe, The BS40: Blag, R'frd 2K 133
BS40: Comp M 7A 136
Coombe Way BS10: Hen 6F 35
Coomb Rocke BS9: Stok B 1D 46
Cooperage La. BS3: Bris 4H 61 (7A 4)
Cooperage Rd. BS5: Redf 2F 63
Co-operation Rd.
BS5: E'tn 7E 48
Cooper Rd. BS9: W Trym 1F 47
BS35: T'bry 5K 11
Coopers Dr. BS37: Yate 1F 31
Coots, The BS14: Stoc 4G 77
Copeland Dr. BS14: Whit 5D 76
Cope Pk. BS32: Alm 1E 26
Copford La. BS4: L Ash 1B 74
Cophills La. BS35: L Sev 2A 10
Copley Ct. BS15: Han 4C 64
Copley Gdns. BS7: L'lze 2D 48
BS22: Wor 2D 106
Copper Cl. BS27: Ched 6C 150
Copperfield Dr. BS22: Wor 7D 84
Coppice Hill BA15: Brad A 5H 125
Coppice M. BS21: Clev 5C 54
Coppice, The BS13: Withy 6E 74
BS32: Brad S 7G 27
Copse Cl. BS24: W Mare 4J 127
Copse Cnr. BS24: Lym 4A 146
Copse End BS25: Wins 3F 131
Copseland BA2: Clav D 6F 101
Copse Rd. BS4: Know 6D 62
BS21: Clev 5C 54
BS31: Salt 6G 79
Copthorne Cl. BS14: H'gro 5D 76
Copthorn La. BS40: Burr, L'frd 7H 111
Coralberry Dr. BS22: Wor 3D 106
Corbet Cl. BS11: Law W 5B 34
Corbett Cl. BS37: Yate 2F 31
Corbett Ho. BS5: Bar H 2E 62
Cordwell Wlk. BS10: Hor 1K 47
Corey Cl. BS2: Bris 7B 48
Corfe Cl. BS48: Nail 1F 71
Corfe Cres. BS31: Key 6C 78
Corfe Pl. BS30: Will 1F 79
Corfe Rd. BS4: Know 3K 75
Coriander Dr. BS32: Brad S 1J 37
Coriander Wlk. BS5: Eastv 6E 48
Corinthian Ct. BS1: Bris 4A 62 (6H 5)
Corinum Cl. BS16: Emer G 2G 51
Corkers Hill BS5: St G 3H 63
Cork Pl. BA1: Bath 3A 6
Cork St. BA1: Bath 4K 99 (2A 6)
Cork Ter. BA1: Bath 4K 99 (2A 6)
Cormorant Cl. BS22: Wor 3D 106
Corner Cft. BS21: Clev 1D 68
Cornfield Cl. BS32: Brad S 5E 26
Cornfields, The BS22: Wor 6D 84
Cornhill Dr. BS14: H'gro 3C 76
Cornish Gro. BS14: Stoc 4G 77
Cornish Rd. BS14: Stoc 4G 77
Cornish Wlk. BS14: Stoc 4G 77
Cornleaze BS13: B'wth 5G 75
Corn St. BA1: Bath 5B 100 (5F 7)
BS1: Bris 3K 61 (4E 4)
Cornwall Cres. BS37: Yate 3F 31
Cornwallis Av. BS8: Clif 3G 61
BS22: Wor 7C 84
Cornwallis Cres. BS8: Clif 3F 61
Cornwallis Gro. BS8: Clif 3F 61
Cornwallis Ho. BS8: Clif 3G 61
Cornwall Rd. BS7: B'stn 4K 47
Coromandel Hgts. BA1: Bath 1F 7
Coronation Av. BA2: Bath 1J 121
BA15: Brad A 5J 125
BS16: Fish 4J 49
BS31: Key 6B 78
Coronation Cl. BS30: C Hth 4E 64
Coronation Cotts. BA1: Bathe 7H 83
Coronation Est. BS23: W Mare 2H 127
Coronation Pl. BS1: Bris 3K 61 (4F 5)
Coronation Rd. BA1: Bath 4K 99 (2A 6)
BS3: Ash G, Bris 5G 61 (7A 4)
BS15: K'wd 2D 64
BS16: Down 3C 50
BS22: Wor 2C 106

Dring, The—Ellis Pk.

Dring, The BA3: Rads 4J **153**
Drive, The BS9: Henl 2H **47**
BS14: H'gro 4E **76**
BS23: W Mare 4H **105**
BS25: C'hll 1A **132**
BS25: Ship 5A **132**
BS39: Stan D 3B **116**
TA8: Bur S 5C **156**
Drove Ct. BS48: Nail 6G **57**
Drove Rd. BS23: W Mare 7G **105**
BS49: Cong 1K **109**
Drove, The BS20: P'bry 1A **44**
(not continuous)
Drove Way BS24: Nye 4E **108**
Druett's Cl. BS10: Hor 1A **48**
Druid Cl. BS9: Stok B 3E **46**
Druid Hill BS9: Stok B 3E **46**
Druid Rd. BS9: Stok B 4D **46**
Druid Stoke Av. BS9: Stok B 3C **46**
Druid Woods BS9: Stok B 3C **46**
Drumhead Way, The BS25: Ship 5A **132**
Drummond Ct. BS30: L Grn 5D **64**
Drummond Rd. BS2: Bris 7A **48**
BS16: Fish 5H **49**
Drungway BA2: Mon C 3G **123**
Dryham Cl. BS15: K'wd 1D **64**
Dryleaze BS31: Key 3C **78**
BS37: Yate 1E **30**
Dryleaze Rd. BS16: B'hll 2H **49**
Drysdale Cl. BS22: W Mare 3B **106**
Dubber's La. BS5: Eastv 6G **49**
Dublin Cres. BS9: Henl 2H **47**
Duchess Rd. BS8: Clif 7G **47**
Duchess Way BS16: Stap 3F **49**
Duchy Cl. BA3: Clan 1J **153**
Duchy Rd. BA3: Clan 1J **153**
Ducie Cl. GL12: Crom 2B **14**
Ducie Rd. BS5: Bar H 2D **62**
BS16: Stap H 3C **50**
Duck La. BS21: Kenn 3G **69**
BS22: Wick L 3E **84**
BS40: L'frd 4C **110**
Duckmoor Rd. BS3: Ash G 5G **61**
Duckmoor Rd. Ind. Est. BS3: Ash G 5F **61**
Duck St. BS25: C'hll 7J **109**
GL12: Tyth 7F **13**
Dudley Cl. BS31: Key 6C **78**
Dudley Ct. BS30: Bar C 5D **64**
Dudley Gro. BS7: Hor 7C **36**
Dugar Wlk. BS6: Redl 5J **47**
Duke St. BA2: Bath 5C **100** (5H **7**)
Dulhorn Farm Camping Site
BS24: E'wth 7B **146**
Dulverton Rd. BS7: B'stn 4K **47**
Dumaine Av. BS34: Stok G 2G **37**
Dumfries Pl. BS23: W Mare 7G **105**
Dumpers La. BS40: Chew M 2G **115**
Dunbar Cl. TA9: High 4E **158**
Duncan Gdns. BA1: W'ton 7G **81**
Duncombe La. BS15: K'wd 6J **49**
Duncombe Rd. BS15: K'wd 7K **49**
Dundas Cl. BS10: Hen 5E **34**
Dundonald Rd. BS6: Redl 5H **47**
Dundridge Gdns. BS5: St G 3J **63**
Dundridge La. BS5: St G 3J **63**
DUNDRY 1D **92**
Dundry Cl. BS15: K'wd 3B **64**
Dundry La. BS4: Dun 6B **74**
BS40: Winf 4A **92**
Dundry Vw. BS4: Know 1C **76**
Dunedin Way BS22: St Geo 7G **85**
Dunford Rd. BS3: Wind H 6K **61**
Dunkeld Av. BS7: Fil 5B **36**
BS34: Fil 5B **36**
Dunkerry Rd. BS3: Wind H 6K **61**
DUNKERTON 2D **142**
Dunkerton Hill BA2: Dunk, Pea J 4D **142**
Dunkery Cl. BS48: Nail 1G **71**
Dunkery Rd. BS23: W Mare 3H **105**
Dunkirk Rd. BS16: Fish 5H **49**
Dunkite La. BS22: Wor 7D **84**
Dunmail Rd. BS10: S'mead 5J **35**
Dunmore St. BS4: Wind H 5B **62**
Dunsford Pl. BA2: Bath 4K **7**
Dunstan Rd. TA8: Bur S 1D **158**
Dunster Cres. BS24: W Mare 3H **127**
Dunster Gdns. BS30: Will 7F **65**
BS48: Nail 1G **71**
Dunster Ho. BA2: C Down 2C **122**
Dunster Rd. BS4: Know 2B **76**
BS31: Key 6B **78**
Dunsters Rd. BS49: Clav 2B **88**
Durban Rd. BS34: Pat 6B **26**
Durban Way BS49: Yat 2H **87**
Durbin Pk. Rd. BS21: Clev 4D **54**
Durbin Wlk. BS5: E'tn 1C **62**
Durcott La. BA2: Cam 5G **141**
Durdham Ct. BS6: Redl 5G **47**
Durdham Hall BS9: Stok B 4F **47**
Durdham Pk. BS6: Redl 5G **47**
Durham Gro. BS31: Key 6B **78**
Durham Rd. BS2: Bris 6C **48**
Durleigh Cl. BS13: B'wth 4G **75**
Durley Hill BS31: Key 2K **77**
Durley La. BS31: Key 3A **78**
Durley Pk. BA2: Bath 7A **100**
BS31: Key 3A **78**
Durnford Av. BS3: Ash G 5G **61**
Durnford St. BS3: Ash G 5G **61**
Durnhill BS40: Comp M 6K **135**
Dursley Cl. BS37: Yate 5E **30**
Dursley Rd. BS11: Shire 3H **45**
Durston BS24: W Mare 3J **127**
Durville Rd. BS13: B'wth 4H **75**
Durweston Wlk. BS14: Stoc 2E **76**
Dutton Cl. BS14: Stoc 4F **77**
Dutton Rd. BS14: Stoc 4F **77**
Dutton Wlk. BS14: Stoc 4F **77**
Dyers Cl. BS13: Hart 6K **75**
Dyer's La. BS37: Iron A 7A **22**
Dylan Thomas Ct. BS30: Bar C 4E **64**
Dymboro Av. BA3: Mid N 5D **152**
Dymboro Cl. BA3: Mid N 5D **152**
Dymboro Gdns. BA3: Mid N 5D **152**
Dymboro, The BA3: Mid N 5D **152**
DYRHAM 4K **53**
Dyrham *BS16: Fren* *6A 38*
(off Harford Dr.)
Dyrham Cl. BS9: Henl 2K **47**
BS35: T'bry 1A **12**
TA8: Bur S 1F **159**
Dyrham Pde. BS34: Pat 6E **26**
Dyrham Pk. 4K **53**
Dyrham Rd. BS15: K'wd 1D **64**
Dyrham Vw. BS16: Puck 4C **52**
Dysons Cl. BS49: Yat 3H **87**

E

Eagle Cl. BS22: W Mare 4B **106**
Eagle Cotts. BA1: Bathe 5H **83**
Eagle Cres. BS16: Puck 4C **52**
Eagle Dr. BS34: Pat 6A **26**
Eagle Pk. BA1: Bathe 5H **83**
Eagle Rd. BA1: Bathe 5H **83**
BS4: Brisl 7F **63**
Eagles, The BS49: Yat 3H **87**
Eagles Wood Bus. Pk. BS32: Brad S 3E **26**
Earlesfield BS48: Nail 1E **70**
Earlham Gro. BS23: W Mare 5H **105**
Earl Russell Way BS5: E'tn 2D **62**
Earls Mead BS16: Stap 4G **49**
Earlstone Cl. BS30: C Hth 5E **64**
Earlstone Cres. BS30: C Hth 5E **64**
Earl St. BS1: Bris 1K **61** (1F **5**)
EARTHCOTT GREEN 6C **20**
Earthcott Rd. BS35: Alv, E Grn, Itch 5C **20**
Easedale Cl. BS10: S'mead 5K **35**
East Av. TA9: High 4E **158**
Eastbourne Av. BA1: Bath 2D **100**
Eastbourne Rd. BS5: E'tn 1D **62**
Eastbourne Vs. BA1: Bath 2D **100**
Eastbury Cl. BS35: T'bry 3A **12**
Eastbury Rd. BS16: Fish 4J **49**
BS35: T'bry 3A **12**
EAST CLEVEDON 6F **55**
E. Clevedon Triangle BS21: Clev 5E **54**
East Cl. BA2: Bath 6G **99**
Eastcombe Gdns. BS23: W Mare 3H **105**
Eastcombe Rd. BS23: W Mare 3H **105**
Eastcote Pk. BS14: Whit 5D **76**
East Ct. BS3: Ash V 6F **61**
Eastcourt Rd. BS39: Tem C 5G **139**
East Cft. BS9: Henl 1J **47**
Eastcroft BS40: Blag 3D **134**
Eastcroft Cl. BS40: Blag 3D **134**
Eastdown Pl. *BA3: Clan* *1J 153*
(off Eastdown Rd.)
Eastdown Rd. BA3: Clan 1J **153**
EAST DUNDRY 2G **93**
E. Dundry La. BS4: Dun 1F **93**
E. Dundry Rd. BS14: Whit 1B **94**
EAST END
Blackwell Common 1K **71**
Blagdon 3C **134**
East End BS26: L Wre 7D **148**
EASTER COMPTON 5G **25**
Easter Ct. BS37: Yate 5A **30**
Eastermead La. BS29: Ban 2C **130**
Eastern Drove BS49: Clav 4K **69**
EASTERTOWN 4B **146**
Eastertown BS24: Lym 4A **146**
EASTFIELD 1H **47**
Eastfield BS9: W Trym 1H **47**
Eastfield Av. BA1: W'ton 7H **81**
BS37: Yate 1E **30**
Eastfield Gdns. BS23: W Mare 3H **105**
Eastfield La. BS35: N'wick 2D **16**
Eastfield Pk. BS23: W Mare 3G **105**
Eastfield Rd. BS6: Cot 6K **47**
BS9: W Trym 1G **47**
BS24: Hut 3C **128**
Eastfield Ter. BS9: Henl 2H **47**
Eastgate Cen. BS5: Eastv 5D **48**
Eastgate Office Cen. BS5: Eastv 5D **48**
Eastgate Rd. BS5: Eastv 5D **48**
East Gro. BS6: Bris 7B **48**
EAST HARPTREE 7K **137**
EAST HEWISH 5B **86**
Eastlake Cl. BS7: L'lze 1D **48**
Eastland Av. BS35: T'bry 2A **12**
Eastland Rd. BS35: T'bry 2A **12**
Eastlea BS21: Clev 1B **68**
E. Lea Rd. BA1: Bath 3G **99**
Eastleigh Cl. BS16: Soun 4C **50**
TA8: Bur S 7E **156**
Eastleigh Rd. BS10: S'mead 6K **35**
BS16: Soun 5C **50**
Eastlyn Rd. BS13: B'wth 2H **75**
East Mead BA3: Mid N 4F **153**
Eastmead Ct. BS9: Stok B 4E **46**
E. Mead Drove BS24: B'don 7H **127**
Eastmead La. BS9: Stok B 4E **46**
Eastnor Rd. BS14: Whit 7C **76**
Easton Bus. Cen. BS5: E'tn 1D **62**
Easton Hill Rd. BS35: T'bry 2B **12**
EASTON-IN-GORDANO 4E **44**
Easton Leisure Cen. 1C **62**
Easton Rd. BS5: E'tn 2C **62**
BS20: Pill 4G **45**
Easton Way BS5: E'tn 7C **48**
Eastover Cl. BS9: W Trym 7G **35**
Eastover Gro. BA2: Odd D 3J **121**
Eastover Rd. BS39: High L 4B **140**
East Pde. BS9: Sea M 2C **46**
East Pk. BS5: Eastv 6E **48**
East Pk. Dr. BS5: Eastv 6E **48**
East Pk. Trad. Est.
BS5: E'tn, W'hall 7F **49**
E. Priory Cl. BS9: W Trym 1G **47**
East Ride TA9: Bre K 6K **157**
Eastridge Dr. BS13: B'wth 5F **75**
EAST ROLSTONE 3B **108**
E. Shrubbery BS6: Redl 6H **47**
East St. BS2: Bris 1B **62** (1J **5**)
BS3: Bedm 6J **61**
BS11: A'mth 6E **32**
BS29: Ban 2B **130**
EAST TWERTON 5K **99**
East Vw. BS16: Mang 2D **50**
EASTVILLE 5E **48**
Eastville BA1: Bath 2D **100**
East Wlk. BS37: Yate 5E **30**
East Way BA2: Bath 6G **99**
Eastway BS48: Nail 6F **57**
Eastway Cl. BS48: Nail 7F **57**
Eastway Sq. BS48: Nail 6G **57**
Eastwell La. BS25: Wins 7E **130**
(not continuous)
Eastwood BA2: B'ptn 5G **101**
Eastwood Cl. BS39: High L 3B **140**
Eastwood Cres. BS4: Brisl 5H **63**
E. Wood Pl. BS20: P'head 1F **43**
Eastwood Rd. BS4: Brisl 5H **63**
Eastwoods BA1: Bathf 7K **83**
Eaton Cl. BS14: Stoc 5G **77**
BS16: Fish 4K **49**
Eaton Cres. BS8: Clif 1G **61** (1A **4**)
Eaton St. BS3: Bedm 6J **61**
EBDON 5E **84**
Ebdon Ct. BS22: Wor 2E **106**
Ebdon Rd. BS22: Wick L, Wor 6D **84**
Ebenezer La. BS9: Stok B 2D **46**
(not continuous)
Ebenezer St. BS5: St G 2F **63**
Ebenezer Ter. BA2: Bath 6J **7**
Eccleston Ho. BS5: Bar H 3D **62**
Eckweek Gdns. BA2: Pea J 5D **142**
Eckweek La. BA2: Pea J 5D **142**
(not continuous)
Eckweek Rd. BA2: Pea J 5D **142**
Eclipse Office Pk. BS16: Stap H 4A **50**
Eden Gro. BS7: Hor 6B **36**
Eden Pk. Cl BA1: Bathe 6J **83**
Eden Pk. Dr. BA1: Bathe 6J **83**
Eden Ter. BA1: Bath 1D **100**
Eden Vs. *BA1: Bath* *1E 100*
(off Dafford's Bldgs.)
Edgar Bldgs. BA1: Bath 3F **7**
Edgarley Ct. BS21: Clev 4C **54**
Edgecombe Av. BS22: W Mare 2B **106**
Edgecombe Cl. BS15: K'wd 7D **50**
Edgecumbe Rd. BS6: Redl 6K **47**
Edgefield Cl. BS14: Whit 7B **76**
Edgefield Rd. BS14: Whit 7B **76**
Edgehill Rd. BS21: Clev 3D **54**
Edgeware Rd. BS3: Bris 5J **61**
BS16: Stap H 4B **50**
Edgewood Cl. BS14: H'gro 2D **76**
BS30: L Grn 6E **64**
Edgeworth BS37: Yate 1C **40**
Edgeworth Rd. BA2: Bath 2J **121**
Edinburgh Pl. BS23: W Mare 4F **105**
Edinburgh Rd. BS31: Key 6C **78**
Edington Gro. BS10: Hen 5G **35**
Edingworth 7D **146**
Edingworth Rd. BS24: E'wth 7C **146**
EDITHMEAD 1J **159**
Edithmead La. TA9: Edith 7G **157**
Edmund Cl. BS16: Down 2B **50**
Edmund Ct. BS16: Puck 2B **52**
Edmunds Way BS27: Ched 7E **150**
Edna Av. BS4: Brisl 6G **63**
Edward Bird Ho. BS7: L'lze 1D **48**
Edward Rd. BS4: Bris 5D **62**
BS15: K'wd 1C **64**
BS21: Clev 4E **54**
Edward Rd. Sth. BS21: Clev 4E **54**
Edward Rd. W. BS21: Clev 3E **54**
Edward St. BA1: Bath 4J **99** (2A **6**)
BA2: Bath 4D **100** (3J **7**)
BS5: Eastv 6F **49**
BS5: Redf 1E **62**
Edwin Short Cl. BS30: Bit 2J **79**
Effingham Rd. BS6: Bris 6A **48**
Egerton Brow BS7: B'stn 4K **47**
Egerton La. BS7: B'stn 4K **47**
Egerton Rd. BA2: Bath 7A **100**
BS7: B'stn 4K **47**
Eggshill La. BS37: Yate 5D **30**
Eglin Cft. BS13: Withy 6H **75**
Eighth Av. BS7: Hor 7D **36**
BS14: H'gro 3C **76**
Eirene Ter. BS20: Pill 4H **45**
ELBERTON 7B **10**
Elberton BS15: K'wd 1E **64**
Elberton Rd. BS9: Sea M 1B **46**
BS35: Elb, Olv 6B **10**
ELBOROUGH 2G **129**
Elborough Av. BS49: Yat 3H **87**
Elborough Gdns. BS24: E'boro 2G **129**
Elbridge Ho. BS2: Bris 2J **5**
Elbury Av. BS15: K'wd 6A **50**
Elderberry Wlk. BS10: S'mead 5J **35**
BS22: Wor *3D 106*
(off Silverberry Rd.)
Elder Cl. TA9: High 3F **159**
Elderwood Dr. BS30: L Grn 6E **64**
Elderwood Rd. BS14: H'gro 3D **76**
Eldon Pl. BA1: Bath 1D **100**
Eldon Ter. BS3: Wind H 6K **61**
Eldonwall Trad. Est. BS4: Brisl 4E **62**
Eldon Way BS4: Brisl 4E **62**
Eldred Cl. BS9: Stok B 3D **46**
Eleanor Cl. BA2: Bath 6F **99**
Eleventh Av. BS7: Hor 6D **36**
Elfin Rd. BS16: Fish 3J **49**
Elgar Cl. BS4: Know 4K **75**
BS21: Clev 1E **68**
Elgin Av. BS7: Fil 6B **36**
Elgin Pk. BS6: Redl 6H **47**
Elgin Rd. BS16: Fish 6K **49**
Eliot Cl. BS7: Hor 6C **36**
BS23: W Mare 2J **127**
Elizabeth Cl. BS24: Hut 2B **128**
BS35: T'bry 4B **12**
Elizabeth Ct. TA8: Bur S 2D **158**
Elizabeth Cres. BS34: Stok G 3G **37**
Elizabeth's M. BS4: St Ap 3H **63**
Elizabeth Way BS16: Mang 5F **51**
Elkstone Wlk. BS30: Bit 7G **65**
Ellacombe Rd. BS30: L Grn 7C **64**
Ellan Hay Rd. BS32: Brad S 1J **37**
Ellbridge Cl. BS9: Stok B 3D **46**
Ellenborough Cres. BS23: W Mare 6G **105**
Ellenborough Ho. BS8: Clif 5A **4**
Ellenborough Pk. Nth.
BS23: W Mare 6F **105**
Ellenborough Pk. Rd.
BS23: W Mare 6G **105**
Ellenborough Pk. Sth.
BS23: W Mare 6F **105**
Ellen Ho. BA2: Bath 6G **99**
Ellesmere BS35: T'bry 4A **12**
Ellesmere Rd. BS4: Brisl 2F **77**
BS15: K'wd 1B **64**
BS23: Uph 3F **127**
Ellfield Cl. BS13: B'wth 4F **75**
Ellick Rd. BS40: Blag 5A **134**
Ellicks Cl. BS32: Brad S 4G **27**
Ellicott Rd. BS7: Hor 2B **48**
Ellinghurst Cl. BS10: Hen 5G **35**
Elliott Av. BS16: Fren 6A **38**
Ellis Av. BS13: B'wth 2G **75**
Ellis Pk. BS22: St Geo 1G **107**

Elliston Dr.—Fern Gro.

Elliston Dr. BA2: Bath 7H **99**
Elliston La. BS6: Redl 6J **47**
Elliston Rd. BS6: Redl 6J **47**
Ellsbridge Cl. BS31: Key 5F **79**
Ellsworth Rd. BS10: Hen 5F **35**
Elm Cl. BS11: Law W 6K **33**
BS25: Star 4K **131**
BS29: Ban 1J **129**
BS34: Lit S 7F **27**
BS37: Chip S 5G **31**
BS48: Nail 1E **70**
BS49: Yat 4H **87**
Elm Ct. BS6: Redl 6H **47**
BS14: Whit 4C **76**
BS31: Key 6A **78**
Elmcroft BA1: Bath 1E **100**
Elmcroft Cres. BS7: L'lze 4C **48**
Elmdale Cres. BS35: T'bry 3A **12**
Elmdale Gdns. BS16: Fish 4J **49**
Elmdale Rd. BS3: Bedm 7H **61**
BS8: Clif 1H **61** (1B **4**)
Elmfield BA15: Brad A 5G **125**
BS15: K'wd 3C **64**
Elmfield Cl. BS15: K'wd 3C **64**
Elmfield Rd. BS9: W Trym 7G **35**
Elm Gro. BA1: Swain 1E **100**
BA2: Bath 7J **99**
BS24: Lock 1D **128**
Elmgrove Av. BS5: E'tn 1D **62**
Elmgrove Dr. BS37: Yate 4F **31**
Elmgrove Pk. BS6: Cot 7K **47**
Elmgrove Rd. BS6: Cot 7K **47**
BS16: Fish 5G **49**
Elmham Way BS22: W Wick 3F **107**
Elm Hayes BS13: B'wth 4F **75**
Elm Hayes Vw. BS39: Paul 1C **152**
Elmhirst Gdns. BS37: Yate 4G **31**
Elmhurst Av. BS5: Eastv 5F **49**
Elmhurst Est. BA1: Bathe 6J **83**
Elmhurst Gdns. BS4: L Ash 1K **73**
Elmhurst Rd. BS24: Hut 3C **128**
Elmhyrst Rd. BS23: W Mare 4H **105**
Elming Down Cl. BS32: Brad S 1F **37**
Elm La. BS6: Redl 6H **47**
Elmlea Av. BS9: W Trym 3F **47**
Elmleigh Av. BS16: Mang 3F **51**
Elmleigh Cl. BS16: Mang 3F **51**
Elmleigh Rd. BS16: Mang 3E **50**
Elm Lodge Rd. BS48: Wrax 6J **57**
Elmore BS15: Soun 6D **50**
BS37: Yate 6D **30**
Elmore Rd. BS7: Hor 2C **48**
BS34: Pat 5B **26**
Elm Pk. BS34: Fil 5C **36**
Elm Pl. BA2: Bath 7B **100**
Elm Rd. BS7: Hor 3A **48**
BS15: K'wd 3C **64**
BS39: Paul 1C **152**
Elms Cross Dr. BA15: Brad A 7G **125**
Elms Gro. BS34: Pat 5D **26**
Elmsleigh Rd. BS23: W Mare 1F **127**
Elmsley La. BS22: Kew 6A **84**
(not continuous)
Elms, The BA2: Tim 3F **141**
BA15: Brad A 4F **125**
BS16: Fren 6A **38**
Elm Ter. BA3: Rads 5G **153**
TA8: Bur S 2D **158**
Elm Tree Av. BA3: Rads 5H **153**
BS16: Mang 1E **50**
BS21: Tic 5C **56**
Elmtree Cl. BS15: K'wd 7B **50**
Elmtree Dr. BS13: Withy 6F **75**
Elm Tree Pk. BS20: P'bry 4B **44**
Elm Tree Rd. BS21: Clev 7D **54**
BS24: Lock 7D **106**
Elmtree Way BS15: K'wd 7B **50**
Elmvale Dr. BS24: Hut 2D **128**
Elm Vw. BA3: Mid N 4F **153**
Elm Wlk. BS20: P'head 4E **42**
BS49: Yat 4H **87**
Elmwood BS37: Yate 6E **30**
Elsbert Dr. BS13: B'wth 4E **74**
Elstree Rd. BS5: W'hall 7G **49**
Elton Ho. BS2: Bris 2K **5**
Elton La. BS7: B'stn 6K **47**
Elton Mans. BS7: B'stn 5K **47**
Elton Rd. BS7: B'stn 5K **47**
BS8: Clif 2H **61** (2B **4**)
BS15: K'wd 7K **49**
BS21: Clev 6B **54**
BS22: Wor 7F **85**
Elton St. BS2: Bris 1B **62** (1K **5**)
Elvard Cl. BS13: Withy 6G **75**
Elvard Rd. BS13: Withy 5G **75**
Elvaston Rd. BS3: Wind H 6A **62**
Elwell La. BS40: Winf 2K **91**
Ely Gro. BS9: Sea M 1B **46**
Embassy Rd. BS5: W'hall 7G **49**
Embassy Wlk. BS5: W'hall 7G **49**
Embercourt Dr. BS48: Back 4J **71**
Embleton Rd. BS10: S'mead 5H **35**
EMERSON'S GREEN 2F **51**
Emersons Grn. La. BS16: Emer G 2E **50**
(Blackhorse Rd.)
BS16: Emer G 2G **51**
(Johnson Rd.)
Emerson Sq. BS7: Hor 7C **36**
Emerson Way BS16: Emer G 7F **39**
Emery Ga. BS29: Ban 2B **130**
Emery Rd. BS4: Brisl 7H **63**
Emet Gro. BS16: Emer G 2F **51**
Emet La. BS16: Emer G 2F **51**
Emley La. BS40: A'wck, Burr, L'frd 1J **133**
Emlyn Cl. BS22: Wor 7F **85**
Emlyn Rd. BS5: E'tn 6E **48**
Emma Chris Way BS34: Fil 5E **36**
Emmanuel Ct. BS8: Clif 1G **61**
Emmett Wood BS14: Whit 7D **76**
Empire Cres. BS30: Han 5C **64**
Empress Menen Gdns.
BA1: Bath 3G **99**
Emra Cl. BS5: St G 7H **49**
Enderleigh Gdns. BS25: C'hll 1B **132**
Enfield Rd. BS16: Fish 5J **49**
ENGINE COMMON 7C **22**
Engine Comn. La. BS37: Yate 6C **22**
Enginehouse La. BS31: Q Char 6J **77**
Engine La. BS48: Nail 1D **70**
England's Cres. BS36: Wint 7C **28**
ENGLISHCOMBE 2G **121**
Englishcombe La. BA2: Bath 1H **121**
Englishcombe Rd. BA2: Eng 2F **121**
BS13: Hart 7J **75**
Englishcombe Way BA2: Bath 1A **122**
Enmore BS24: W Mare 3J **127**
Enmore Cl. TA8: Bur S 7E **156**
Ennerdale Cl. BS23: W Mare 7J **105**
Ennerdale Rd. BS10: S'mead 5K **35**
Entry Hill BA2: Bath, C Down 1B **122**
Entry Hill Dr. BA2: Bath 1B **122**
Entry Hill Gdns. BA2: Bath 1B **122**
Entry Hill Pk. BA2: C Down 2B **122**
Entry Ri. BA2: C Down 3B **122**
Epney Cl. BS34: Pat 5B **26**
Epsom Cl. BS16: Down 6D **38**
Epworth Rd. BS10: Bren 4G **35**
Equinox BS32: Brad S 3E **26**
Erin Wlk. BS4: Know 2K **75**
Ermine Way BS11: Shire 1G **45**
Ermleet Rd. BS6: Redl 6J **47**
Ernest Barker Cl. BS5: Bar H 2D **62**
Ernestville Rd. BS16: Fish 5H **49**
Ervine Ter. BS2: Bris 1B **62**
Esgar Ri. BS22: Wor 1C **106**
Eskdale BS35: T'bry 5B **12**
Eskdale Cl. BS22: W Mare 4B **106**
Esmond Gro. BS21: Clev 5D **54**
Esplanade TA8: Bur S 2C **158**
Esplanade Rd. BS20: P'head 2E **42**
Esporta Health & Fitness Club 3H **37**
Essery Rd. BS5: E'tn 6E **48**
Esson Rd. BS15: K'wd 7K **49**
Estcourt Gdns. BS16: Stap 3F **49**
Estcourt La. BS16: Stap 3F **49**
Estelle Pk. BS5: Eastv 6E **48**
Estoril BS37: Yate 5F **31**
Estune Wlk. BS4: L Ash 7A **60**
Etloe Rd. BS6: Henl 4G **47**
Eton La. BS29: Ban 5H **107**
Eton Rd. BS4: Brisl 6F **63**
TA8: Bur S 2D **158**
Ettlingen Way BS21: Clev 7E **54**
Ettricke Dr. BS16: Fish 2K **49**
Eugene Flats BS2: Bris 1F **5**
Eugene St. BS2: Bris 1K **61** (1F **5**)
BS5: E'tn 1B **62** (1K **5**)
Evans Cl. BS4: St Ap 4H **63**
Evans Rd. BS6: Redl 6H **47**
Eveleigh Ho. *BA2: Bath 3G 7*
(off Grove St.)
Evelyn La. BS11: A'mth 6F **33**
Evelyn Rd. BA1: Bath 3H **99**
BS10: W Trym 7J **35**
Evelyn Ter. BA1: Bath 2C **100**
Evenlode Gdns. BS11: Shire 3K **45**
Evenlode Way BS31: Key 7E **78**
Evercreech Rd. BS14: Whit 6C **76**
Evercreech Way TA9: High 6H **159**
Everest Av. BS16: Fish 4G **49**
Everest Rd. BS16: Fish 4G **49**
Evergreen Cl. BS25: Wins 4F **131**
Eve Rd. BS5: E'tn 7D **48**
Everson Cl. BS23: W Mare 1J **127**
Ewart Rd. BS22: W Mare 4A **106**
Ewell Rd. BS14: H'gro 4D **76**
Exbourne BS22: Wor 2E **106**
Exbury Cl. TA8: Bur S 1E **158**
Excelsior St. BA2: Bath 6C **100** (6H **7**)
Excelsior Ter. BA3: Mid N 5F **153**
Exchange Av. BS1: Bris 3K **61** (4F **5**)
Exeter Bldgs. BS6: Redl 6H **47**
Exeter Cl. TA8: Bur S 1E **158**
Exeter Rd. BS3: Bris 5H **61**
BS20: P'head 4G **43**
BS23: W Mare 7G **105**
Exford Cl. BS23: W Mare 3H **127**
Exley Cl. BS30: Old C 4G **65**
Exmoor Rd. BA2: C Down 2B **122**
Exmoor St. BS3: Bedm 5H **61**
Exmouth Rd. BS4: Know 1B **76**
Explore-at-Bristol 3J **61** (5D **4**)
Exton BS24: W Mare 3J **127**
Exton Cl. BS14: Whit 5D **76**
Eyer's La. BS2: Bris 2B **62** (2J **5**)

F

Faber Gro. BS13: Hart 6J **75**
Fabian Dr. BS34: Stok G 2G **37**
Factory Rd. BS36: Wint 7D **28**
FAILAND 5F **59**
Failand Cres. BS9: Sea M 3C **46**
Failand La. BS20: Fail, P'bry 6C **44**
Failand Wlk. BS9: Sea M 2C **46**
Fairacre Cl. BS7: L'lze 3D **48**
BS24: Lock 1F **129**
Fairacres Cl. BS31: Key 5C **78**
Fairdean Rd. TA9: High 4G **159**
Fairfax St. BS1: Bris 2K **61** (3F **5**)
Fairfield BA2: Tun 2A **142**
Fairfield Av. BA1: Bath 1C **100**
Fairfield Cl. BS22: W Mare 3K **105**
BS48: Back 3B **72**
Fairfield Mead BS48: Back 3B **72**
FAIRFIELD PARK 1C **100**
Fairfield Pk. Rd. BA1: Bath 1B **100**
Fairfield Pl. BS3: Bedm 5H **61**
Fairfield Rd. BA1: Bath 2C **100**
BS3: Bedm 5J **61**
BS6: Bris 6B **48**
Fairfield Ter. BA1: Bath 1C **100**
BA2: Pea J 6C **142**
Fairfield Vw. BA1: Bath 1C **100**
Fairfield Way BS48: Back 4A **72**
Fairfoot Rd. BS4: Wind H 6C **62**
Fairford Cl. BS15: Soun 6D **50**
TA9: High 4G **159**
Fairford Cres. BS34: Pat 6E **26**
Fairford Rd. BS11: Shire 1H **45**
TA9: High 4G **159**
Fair Furlong BS13: Withy 6G **75**
Fairhaven BS37: Yate 5F **31**
Fairhaven Cotts. BA1: Bathe 4J **83**
Fairhaven Rd. BS6: B'stn 4J **47**
Fair Hill BS25: Ship 5B **132**
Fairlands Way BS27: Ched 7E **150**
Fair Lawn BS30: Old C 5E **64**
Fairlawn Av. BS34: Fil 4C **36**
Fairlawn Rd. BS6: Bris 6B **48**
Fairleigh Rd. BS21: Clev 1A **68**
Fairlyn Dr. BS15: Soun 5D **50**
Fairoaks BS30: L Grn 6E **64**
Fairseat Workshops BS40: Chew S 5E **114**
Fairview BS22: Wor 7D **84**
Fair Vw. Dr. BS6: Redl 6J **47**
Fairview Rd. BS15: K'wd 1D **64**
Fairway BS4: Brisl 1F **77**
Fairway Cl. BS22: W Mare 2K **105**
BS30: Old C 5F **65**
TA8: Berr 3B **156**
Fairway Ind. Cen. BS34: Fil 4B **36**
Fairways BS31: Salt 1J **97**
Fairy Hill BS39: Comp D 5B **96**
Falcon Cl. BS9: W Trym 7F **35**
BS20: P'head 4F **43**
BS34: Pat 6A **26**
Falcon Ct. BS9: W Trym 2G **47**
Falcon Cres. BS22: W Mare 4B **106**
Falcondale Rd. BS9: W Trym 1F **47**
Falcondale Wlk. BS9: W Trym 7G **35**
Falcon Dr. BS34: Pat 6A **26**
Falconer Rd. BA1: W'ton 7G **81**
Falcon Wlk. BS34: Pat 5A **26**
Falcon Way BS35: T'bry 2B **12**
Falfield Rd. BS4: Brisl 6E **62**
Falfield Wlk. BS10: S'mead 7J **35**
Falkland Rd. BS6: Bris 6B **48**
Fallodon Ct. BS9: Henl 3H **47**
Fallodon Way BS9: Henl 3H **47**
Fallowfield BS22: Wor 7D **84**
BS30: Old C 4H **65**
BS40: Blag 3B **134**
Falmouth Cl. BS48: Nail 1J **71**
Falmouth Rd. BS7: B'stn 4K **47**
Fane Cl. BS10: Hen 5G **35**
Fanshawe Rd. BS14: H'gro 3C **76**
Faraday Rd. BS8: Clif 4F **61**
Farendell Rd. BS16: Emer G 6F **39**
Far Handstones BS30: C Hth 5E **64**
Farington Rd. BS10: W Trym 1K **47**
Farlands BS16: Puck 2B **52**
FARLEIGH 3B **72**
Farleigh Hospital Cotts.
BS48: Flax B 2F **73**
Farleigh La. GL12: Crom 2B **14**
Farleigh Ri. BA1: Bathf 2B **102**
BA15: Mon F 2C **102**
Farleigh Rd. BS31: Key 6B **78**
BS48: Back 4K **71**
Farleigh Vw. *BA1: Bath 2C 100*
(off Beacon Rd.)
Farleigh Wlk. BS13: B'wth 2G **75**
FARLEIGH WICK 7C **102**
Farler's End BS48: Nail 2H **71**
(not continuous)
Farley Cl. BS34: Lit S 6E **26**
FARMBOROUGH 7E **118**
Farm Cl. BS16: Emer G 2F **51**
Farm Ct. BS16: Down 1C **50**
Farmer Rd. BS13: Withy 6E **74**
Farmhouse Cl. BS48: Nail 1G **71**
Farm La. BA2: Wel 4K **143**
BS35: E Comp 3D **24**
Farm Rd. BS16: Down 1C **50**
BS22: W Mare 3K **105**
BS24: Hut 3C **128**
Farmwell Cl. BS13: Hart 5H **75**
Farnaby Cl. BS4: Know 3J **75**
Farnborough Rd. BS24: Lock 7G **107**
Farndale Rd. BS5: St G 3J **63**
BS22: W Mare 4B **106**
Farne Cl. BS9: Henl 3H **47**
Farrant Cl. BS4: Know 4K **75**
Farringford Ho. BS5: Eastv 6F **49**
Farrington Flds. BS39: Far G 3A **152**
Farrington Flds. Trad. Est.
BS39: Far G 3A **152**
Farrington Rd. BS39: Far G, Paul 1A **152**
Farr's La. BA2: C Down 2D **122**
Farrs La. BS1: Bris 3K **61** (5E **4**)
Farr St. BS11: A'mth 7F **33**
Farthing Combe BS26: Axb 4K **149**
Fashion Research Cen. 4B **100** (2E **6**)
FAULKLAND 4J **155**
Faulkland La. BA2: Ston L 1J **155**
BA3: Fox 1J **155**
Faulkland Rd. BA2: Bath 6K **99** (7A **6**)
Faulkland Vw. BA2: Pea J 6E **142**
Faversham Dr. BS24: W Mare 4J **127**
Fawkes Cl. BS15: Warm 1F **65**
Fearnville Est. BS21: Clev 7C **54**
Featherbed La. BS39: Clut, Stan W 5D **116**
BS40: Regil 1K **113**
Featherstone Rd. BS16: Fish 4H **49**
Feeder Rd. BS2: Bris 4B **62** (6K **5**)
Felix Rd. BS5: E'tn 1D **62**
Felsberg Way BS27: Ched 7E **150**
Felstead Rd. BS10: S'mead 6A **36**
Feltham Ct. BS34: Fil 5B **36**
Feltham Rd. BS16: Puck 3C **52**
FELTON 3G **91**
Felton Gro. BS13: B'wth 2F **75**
FELTON HILL 4G **91**
Felton La. BS40: F'tn, Winf 4H **91**
Felton St. BS40: F'tn 4G **91**
Fenbrook Cl. BS16: Ham 6K **37**
Feniton BS22: Wor 2E **106**
Fennel Dr. BS32: Brad S 7J **27**
Fennel La. BS26: Axb 4H **149**
Fennell Gro. BS10: Hen 5G **35**
Fenners BS22: Wor 7F **85**
Fenshurst Gdns. BS4: L Ash 2K **73**
Fenswood Cl. BS4: L Ash 1J **73**
Fenswood Ct. BS4: L Ash 1J **73**
Fenswood Mead BS4: L Ash 1J **73**
Fenswood Rd. BS4: L Ash 1J **73**
Fenton Cl. BS31: Salt 7H **79**
Fenton Rd. BS7: B'stn 4K **47**
Ferenberge Cl. BA2: F'boro 6E **118**
Fermaine Av. BS4: Brisl 6H **63**
Fernbank Rd. BS6: Redl 6J **47**
Fern Cl. BA3: Mid N 6F **153**
BS10: Bren 4H **35**
Ferndale Av. BS30: L Grn 6D **64**
Ferndale Cl. BS32: Alm 6F **19**
Ferndale Rd. BA1: Swain 7E **82**
BS7: Hor 5C **36**
BS20: P'head 2F **43**
Ferndene BS32: Brad S 4E **26**
Ferndown BS25: Ship 5A **132**
BS37: Yate 5E **30**
Ferndown Cl. BS11: Law W 1A **46**
Fern Gro. BS32: Brad S 6F **27**
BS48: Nail 2E **70**

Fernhill—Fulford Wlk.

Fernhill BS32: Alm . . . 5D 18
Fernhill La. BS11: Law W . . . 6B 34
Fernhurst Rd. BS5: S'wll . . . 7H 49
Fern Lea BS24: B'don . . . 7K 127
Fernlea Gdns. BS20: E'tn G . . . 4F 45
Fernlea Rd. BS22: W Mare . . . 5A 106
Fernleaze BS36: Coal H . . . 1G 39
Fernleigh Ct. BS6: Redl . . . 5H 47
Fern Rd. BS16: Stap H . . . 3B 50
Fernside BS48: Back . . . 3J 71
Fernsteed Rd. BS13: B'wth . . . 4F 75
Fern St. BS2: Bris . . . 7B 48
Ferry La. BA2: Bath . . . 5C 100 (5H 7)
BS24: Lym . . . 2A 146
Ferryman's Ct. BS2: Bris . . . 3H 5
Ferry Rd. BS15: Han . . . 1B 78
Ferry Steps Ind. Est. BS2: Bris . . . 5C 62
Ferry St. BS1: Bris . . . 3A 62 (5G 5)
Fersfield BA2: Bath . . . 1D 122
Fiddes Rd. BS6: Redl . . . 4J 47
Fielders, The BS22: Wor . . . 7F 85
Field Farm Cl. BS34: Stok G . . . 3H 37
Fieldgardens Rd. BS39: Tem C . . . 4H 139
Fieldgrove La. BS30: Bit . . . 2G 79
Fieldings Rd. BA2: Bath . . . 5J 99
Fieldins BA15: W'ley . . . 5C 124
Field La. BS30: L Grn . . . 6C 64
BS35: Itch . . . 2C 20
BS35: L Sev . . . 4B 10
Field Marshal Slim Ct.
BS2: Bris . . . 2B 62 (1J 5)
Field Rd. BS15: K'wd . . . 7A 50
Field Vw. BS5: E'tn . . . 1C 62
Field Vw. Dr. BS16: Fish . . . 2A 50
Fieldway BS25: Sandf . . . 1H 131
Field Way TA9: High . . . 3F 159
Fiennes Cl. BS16: Stap H . . . 4C 50
Fifth Av. BS7: Hor . . . 6C 36
BS14: H'gro . . . 3D 76
Fifth Way BS11: A'mth . . . 5J 33
Filby Dr. BS34: Lit S . . . 6E 26
Filer Cl. BA2: Pea J . . . 5D 142
FILTON . . . 4C 36
Filton Abbey Wood Station (Rail)
. . . 6D 36
FILTON AIRFIELD . . . 2A 36
Filton Av. BS7: Hor . . . 2A 48
BS34: Fil . . . 3C 36
Filton Gro. BS7: Hor . . . 2B 48
Filton Hill BS34: Fil . . . 3C 36
Filton La. BS34: Stok G . . . 5F 37
Filton Recreation Cen. . . . 5C 36
Filton Rd. BS7: Hor . . . 1B 48
BS16: Fren . . . 6K 37
BS16: Ham . . . 5G 37
BS34: Stok G . . . 5F 37
Filwood B'way. BS4: Know . . . 2A 76
Filwood Ct. BS16: Fish . . . 5K 49
Filwood Dr. BS15: K'wd . . . 1D 64
Filwood Ho. BS16: Fish . . . 5K 49
FILWOOD PARK . . . 1A 76
Filwood Pk. BS4: Know . . . 2A 76
Filwood Pool . . . 2A 76
Filwood Rd. BS16: Fish . . . 4J 49
Finch Cl. BS22: Wor . . . 4C 106
BS35: T'bry . . . 2A 12
Finches Way TA8: Bur S . . . 6D 156
Finch Rd. BS37: Chip S . . . 6F 31
Finmere Gdns. BS22: Wor . . . 7E 84
Fircliff Pk. BS20: P'head . . . 1F 43
Fireclay Rd. BS5: St G . . . 3F 63
Fire Engine La. BS36: Coal H . . . 7H 29
Firework Cl. BS15: Warm . . . 1F 65
Firfield St. BS4: Wind H . . . 5C 62
Firgrove Cres. BS37: Yate . . . 4F 31
Firgrove La. BA2: Pea J . . . 4B 142
Fir La. BS40: C'hse . . . 1K 151
Firleaze BS48: Nail . . . 1D 70
Firs Ct. BS31: Key . . . 6A 78
First Av. BA2: Bath . . . 7K 99 (7C 6)
BA3: Mid N . . . 6G 153
BS4: St Ap . . . 4G 63
BS14: H'gro . . . 3C 76
BS20: P'bry . . . 2C 44
Firs, The BA2: C Down . . . 3D 122
BA2: Lim S . . . 7J 123
BS16: Down . . . 2C 50
First Way BS11: A'mth . . . 6G 33
Fir Tree Av. BS24: Lock . . . 1C 128
BS39: Paul . . . 2D 152
Fir Tree Cl. BS34: Pat . . . 7A 26
Firtree La. BS5: St G . . . 3J 63
Fisher Av. BS15: K'wd . . . 7E 50
Fisher Rd. BS15: K'wd . . . 7E 50
FISHPONDS . . . 4J 49
Fishponds Rd. BS5: Eastv . . . 6E 48
BS16: Fish . . . 5G 49
Fishponds Trad. Est. BS5: S'wll . . . 6G 49
(Chapel La.)
Fishponds Trad. Est. BS5: S'wll . . . 6H 49
(Foundry La.)
Fishpool Hill BS10: Bren . . . 3H 35
Fitchett Wlk. BS10: Hen . . . 4F 35
Fitness First . . . 1J 35
Fitzgerald Rd. BS3: Wind H . . . 6B 62
Fitzharding Rd. BS20: Pill . . . 5J 45
Fitzmaurice Pl. BA15: Brad A . . . 7H 125
Fitzroy Rd. BS16: Fish . . . 6K 49
Fitzroy St. BS4: Wind H . . . 5C 62
Fitzroy Ter. BS6: Redl . . . 6H 47
Five Acre Dr. BS16: B'hll . . . 1H 49
Five Arches Cl. BA3: Mid N . . . 4H 153
Fiveways Cl. BS27: Ched . . . 7C 150
Flagstaff Rd. BS26: Chri . . . 6H 129
Flamingo Cres. BS22: Wor . . . 4C 106
Flat, The BS39: Clut . . . 7F 117
Flatwoods Cres. BA2: Clav D . . . 1H 123
Flatwoods Rd. BA2: Clav D . . . 1H 123
FLAX BOURTON . . . 3D 72
Flax Bourton Rd. BS8: Fail . . . 5F 59
Flaxman Cl. BS7: L'lze . . . 2D 48
FLAXPITS . . . 2C 38
Flaxpits La. BS36: Wint . . . 1B 38
Fletcher's La. BS26: Bidd . . . 7H 147
Florence Gro. BS22: W Mare . . . 4K 105
Florence Pk. BS6: Henl . . . 4H 47
BS32: Alm . . . 1E 26
Florence Rd. BS16: Soun . . . 5C 50
Florida Ter. BA3: Mid N . . . 4G 153
Flowerdown Bri. BS22: W Mare . . . 5B 106
BS24: W Mare . . . 5B 106
Flowerdown Rd. BS24: Lock . . . 1G 129
Flowers Hill BS4: Brisl . . . 2G 77
Flowers Hill Cl. BS4: Brisl . . . 1G 77
Flowers Ind. Est. BS4: Brisl . . . 1H 77
Flowerwell Rd. BS13: Hart . . . 5H 75
Folleigh Cl. BS4: L Ash . . . 7B 60
Folleigh Dr. BS4: L Ash . . . 7B 60
Folleigh La. BS4: L Ash . . . 7B 60
Folliot Cl. BS16: B'hll . . . 1J 49
Folly Bri. Cl. BS37: Yate . . . 4D 30
Folly Brook Rd.
BS16: Emer G . . . 5E 38
Follyfield BA15: Brad A . . . 7H 125
Folly La. BS2: Bris . . . 2C 62
BS23: Uph . . . 4G 127
BS25: Ship . . . 6A 132
Folly Rd. BS37: Iron A . . . 2D 28
Folly, The BS16: Down . . . 1D 50
BS31: Salt . . . 1K 97
Fontana Cl. BS30: L Grn . . . 6F 65
Fonthill Rd. BA1: L'dwn . . . 1A 100
BS10: S'mead . . . 5K 35
Fonthill Way BS30: Bit . . . 7F 65
Fontmell Ct. BS14: Stoc . . . 3F 77
Fontwell Dr. BS16: Down . . . 6D 38
Footes La. BS36: Fram C . . . 7F 29
Footshill Cl. BS15: K'wd . . . 3A 64
Footshill Dr. BS15: K'wd . . . 2A 64
Footshill Gdns. BS15: K'wd . . . 3A 64
Footshill Rd. BS15: K'wd . . . 3A 64
Forde Cl. BS30: Bar C . . . 4D 64
Fordell Pl. BS4: Wind H . . . 6C 62
Ford La. BS16: Emer G . . . 2F 51
Ford Rd. BA2: Pea J . . . 5C 142
Ford St. BS5: Bar H . . . 3E 62
Forefield Pl. BA2: Bath . . . 6C 100 (7H 7)
Forefield Ri. BA2: Bath . . . 7C 100 (7J 7)
Forefield Ter. BA2: Bath . . . 6C 100 (7H 7)
Forest Av. BS16: Fish . . . 5K 49
Forest Dr. BS10: Bren . . . 4J 35
BS23: W Mare . . . 3J 105
Forest Edge BS15: Han . . . 5A 64
Forester Av. BA2: Bath . . . 3C 100 (1H 7)
Forester Ct. BA2: Bath . . . 3C 100 (1H 7)
Forester La. BA2: Bath . . . 3D 100 (1J 7)
Forester Rd. BA2: Bath . . . 4D 100 (2J 7)
BS20: P'head . . . 4F 43
Forest Hills BS32: Alm . . . 1D 26
Forest Rd. BS15: K'wd . . . 2B 64
BS16: Fish . . . 5K 49
Forest Wlk. BS15: K'wd . . . 2A 64
BS16: Fish . . . 5K 49
Forge End BS20: P'bry . . . 5C 44
Forgotten World
(Wheelwright's & Romany Mus.)
. . . 2H 147
Fortescue Rd. BA3: Rads . . . 4K 153
Fortfield Rd. BS14: H'gro, Whit . . . 6C 76
Forty Acre La. BS35: Alv . . . 2J 19
Forum Bldgs. *BA1: Bath . . . 6G 7*
(off St James's Pde.)
Fosse Barton BS48: Nail . . . 7F 57
Fosse Cl. BS48: Nail . . . 7E 56
Fossedale Av. BS14: H'gro . . . 4E 76
Fossefield Rd. BA3: Mid N . . . 7F 153
Fosse Gdns. BA2: Odd D . . . 4K 121
Fosse Grn. BA3: Clan . . . 2J 153
Fosse La. BA1: Bathe . . . 7J 83
BA3: Mid N . . . 3G 153
BS48: Nail . . . 7E 56
(not continuous)
Fosse Way BA3: Mid N . . . 7G 153
Fosseway BS21: Clev . . . 1C 68
Fosse Way BS48: Nail . . . 7E 56
Fosseway Ct. BS8: Clif . . . 2G 61
Fosse Way Est. BA2: Odd D . . . 3J 121
Fosseway Gdns. BA3: Rads . . . 5H 153
Fosseway Sth. BA3: Mid N . . . 7F 153
Fosseway, The BS8: Clif . . . 2G 61
Foss La. BS22: Kew . . . 5A 84
Foss Way BA2: Pea J . . . 1K 153
Fossway BA3: Clan . . . 2J 153
Foss Way BA3: Mid N, Rads . . . 1K 153
BA3: Rads . . . 5H 153
Foster's Almshouses
BS1: Bris . . . 2K 61 (3E 4)
Foster St. BS5: E'tn . . . 6D 48
Foundry La. BS5: S'wll . . . 6H 49
Fountain Bldgs. BA1: Bath . . . 4C 100 (3G 7)
Fountain Ct. BS32: Brad S . . . 3E 26
BS37: Yate . . . 7D 30
(off Abbotswood)
Fountaine Ct. BS5: Eastv . . . 6E 48
Fountain Hill BS9: Stok B . . . 1F 61
Fountain La. BS25: Wins . . . 6H 131
Fountains Dr. BS30: Bar C . . . 3D 64
Four Acre Av. BS16: Down . . . 7C 38
Fouracre Cres. BS16: Down . . . 6C 38
Four Acre Rd. BS16: Down . . . 6C 38
Four Acres BS13: Withy . . . 6E 74
Four Acres Cl. BS13: Withy . . . 6F 75
BS48: Nail . . . 2G 71
Fourth Av. BA3: Mid N . . . 6G 153
BS7: Hor . . . 5C 36
BS14: H'gro . . . 3D 76
Fourth Way BS11: A'mth . . . 6H 33
Fowey Cl. BS48: Nail . . . 2J 71
Fowey Rd. BS22: Wor . . . 7E 84
Fox & Hounds La. BS31: Key . . . 5D 78
Fox Av. BS37: Yate . . . 4D 30
Foxborough Gdns. BS32: Brad S . . . 4F 27
Fox Cl. BS4: St Ap . . . 4H 63
Foxcombe Rd. BA1: Bath . . . 4H 99
BS14: Whit . . . 6D 76
FOXCOTE . . . 2F 155
Foxcote BS15: K'wd . . . 2D 64
Foxcote Rd. BS3: Bedm . . . 6G 61
Fox Ct. BS30: L Grn . . . 6D 64
Foxcroft Cl. BS32: Brad S . . . 7H 27
Foxcroft Rd. BS5: St G . . . 1F 63
Fox Den Rd. BS34: Stok G . . . 5F 37
Foxe Rd. BS36: Fram C . . . 6E 28
Foxfield Av. BS32: Brad S . . . 4F 27
Foxglove Cl. BS16: Stap . . . 4G 49
BS22: Wick L . . . 6E 84
BS35: T'bry . . . 2B 12
FOX HILL . . . 2D 122
Fox Hill BA2: C Down . . . 3C 122
FOX HILLS . . . 5A 154
Foxhole La. GL12: Crom . . . 3D 14
Foxholes La. BS32: Old D . . . 2E 18
Fox Ho. BS4: Brisl . . . 6G 63
Fox Rd. BS5: E'tn . . . 7D 48
Fraley Rd. BS9: W Trym . . . 1G 47
FRAMPTON COTTERELL . . . 6E 28
Frampton Ct. BS30: L Grn . . . 5D 64
Frampton Cres. BS16: Fish . . . 4A 50
FRAMPTON END . . . 6G 29
Frampton End Rd. BS36: Fram C . . . 6G 29
BS37: Iron A . . . 6G 29
Frances Greeves Ct. BS10: Hen . . . 6G 35
Francis Fox Rd. BS23: W Mare . . . 5G 105
Francis Ho. BS2: Bris . . . 1K 61
Francis Pl. BS30: L Grn . . . 5D 64
Francis Rd. BS3: Bedm . . . 7J 61
BS10: W Trym . . . 7J 35
Francis Way BS30: B'yte . . . 2H 65
Francombe Gro. BS10: Hor . . . 2A 48
Francombe Ho. BS1: Bris . . . 7F 5
Frankcom Ho. BA2: Bath . . . 1K 7
Frankland Cl. BA1: Bath . . . 2G 99
Frankley Bldgs. BA1: Bath . . . 2D 100
Frankley Ter. *BA1: Bath . . . 2D 100*
(off Snow Hill)
Franklin Ct. BS1: Bris . . . 4A 62 (6H 5)
Franklins Way BS49: Clav . . . 2B 88
Franklyn La. BS2: Bris . . . 7B 48
Franklyn St. BS2: Bris . . . 7B 48
Fraser Cl. BS22: Wor . . . 7C 84
TA8: Bur S . . . 1E 158
Fraser St. BS3: Wind H . . . 6K 61
Frayne Rd. BS3: Ash G . . . 5G 61
Frederick Av. BA2: Pea J . . . 6C 142
Frederick Pl. BS8: Clif . . . 2H 61 (2A 4)
Frederick St. BS4: Wind H . . . 5C 62
Freeland Bldgs. BS5: Eastv . . . 6E 48
Freeland Pl. BS8: Clif . . . 3F 61
Freelands BS21: Clev . . . 2C 68
Freeling Ho. BS1: Bris . . . 4A 62 (7G 5)
Freeman's La. BS48: Bar G . . . 1F 91
Freemantle Gdns. BS5: Eastv . . . 5E 48
Freemantle Rd. BS5: Eastv . . . 5E 48
Freestone Rd. BS2: Bris . . . 3C 62
Free Tank BS2: Bris . . . 3B 62 (5K 5)
Freeview Rd. BA2: Bath . . . 5G 99
Fremantle Ho. BS2: Bris . . . 1K 61
Fremantle La. BS6: Cot . . . 7K 47
Fremantle Rd. BS6: Bris, Cot . . . 7K 47
Fremantle Sq. BS6: Bris . . . 7K 47
FRENCHAY . . . 1K 49
Frenchay Cl. BS16: Fish . . . 1K 49
Frenchay Comn. BS16: Fren . . . 1K 49
Frenchay Hill BS16: Fren . . . 1A 50
Frenchay Pk. Rd. BS16: B'hll . . . 2G 49
Frenchay Rd. BS16: Fish . . . 1A 50
BS23: W Mare . . . 1G 127
Frenchay Village Mus. . . . 7J 37
French Cl. BA2: Pea J . . . 6D 142
BS48: Nail . . . 6H 57
Frenchfield Rd. BA2: Pea J . . . 6D 142
FRESHFORD . . . 7K 123
Freshford Ho. BS1: Bris . . . 4A 62 (6G 5)
Freshford La. BA2: F'frd . . . 7J 123
Freshford Station (Rail) . . . 7A 124
Freshland Way BS15: K'wd . . . 1K 63
Freshmoor BS21: Clev . . . 6F 55
Frezinghill La. BS30: Wick . . . 7G 67
Friar Av. BS22: Wor . . . 1C 106
Friars Ho. BS37: Yate . . . 7D 30
Friars Way TA8: Bur S . . . 2D 158
Friary BS1: Bris . . . 4B 62 (6J 5)
Friary Cl. BS21: Clev . . . 4C 54
Friary Grange Pk. BS36: Wint . . . 1C 38
Friary Rd. BS7: B'stn . . . 4K 47
BS20: P'head . . . 3D 42
Friendly Row BS20: Pill . . . 3G 45
Friendship Gro. BS48: Nail . . . 7H 57
Friendship Rd. BS4: Know . . . 7B 62
BS48: Nail . . . 6H 57
Friezewood Rd. BS3: Ash G . . . 5G 61
Fripp Cl. BS5: Bar H . . . 3D 62
Frith La. GL12: Wickw . . . 2E 22
Frobisher Av. BS20: P'head . . . 3C 42
Frobisher Cl. BS20: P'head . . . 3C 42
BS22: Wor . . . 7C 84
TA8: Bur S . . . 7F 157
Frobisher Rd. BS3: Ash G . . . 6G 61
FROGLAND CROSS . . . 2A 28
Froglands Farm Cvn. & Camping Pk.
BS27: Ched . . . 7E 150
Froglands La. BS27: Ched . . . 7E 150
Frogland Way BS27: Ched . . . 7E 150
Frog La. BS1: Bris . . . 3J 61 (4D 4)
BS36: Coal H . . . 6J 29
BS40: F'tn . . . 3G 91
BS40: R'frd . . . 2K 133
BS40: Ubl . . . 4G 135
BS40: Winf . . . 6J 91
Frogmore St. BS1: Bris . . . 3J 61 (4D 4)
Frome Bank Gdns.
BS36: Wint D . . . 4C 38
Frome Ct. BS35: T'bry . . . 4A 12
Frome Glen BS36: Wint D . . . 3C 38
Frome Old Rd. BA3: Rads . . . 4A 154
Frome Pl. BS16: Stap . . . 2G 49
Frome Rd. BA2: Odd D . . . 2J 121
BA3: Rads, Writ . . . 4K 153
BA15: Brad A . . . 7G 125
BS37: Chip S . . . 5J 31
Fromeside Pk. BS16: Fish . . . 1K 49
Frome St. BS2: Bris . . . 1B 62 (1J 5)
Frome Ter. BS16: Stap . . . 3G 49
Frome Valley Nature Trail . . . 3G 49
Frome Valley Rd. BS16: B'hll . . . 2H 49
Frome Valley Walkway
BS37: Chip S . . . 5G 31
(off Brook St.)
Frome Vw. BS36: Fram C . . . 7F 29
Frome Vs. BS16: Fren . . . 1A 50
Frome Way BS36: Wint . . . 2C 38
Front St. BS25: C'hll . . . 1K 131
Froomshaw Rd. BS16: B'hll . . . 1J 49
FROST HILL . . . 4J 87
Frost Hill BS49: Cong, Yat . . . 4K 87
(not continuous)
Fry Ct. BS3: Bris . . . 5J 61
Fry's Cl. BS16: Stap . . . 4F 49
Fry's Hill BS4: Brisl . . . 7F 63
BS15: Soun . . . 7C 50
(not continuous)
Fry's La. BS40: Burr . . . 1H 133
Frys Leaze BA1: Bath . . . 1D 100
Fryth Way BS48: Nail . . . 7E 56
Fulford Rd. BS13: Hart . . . 5H 75
Fulford Wlk. BS13: Hart . . . 5H 75

Fullens Cl.—Governors Ho.

Fullens Cl. BS22: W Mare 5B 106
Fuller Rd. BA1: Bath 1E 100
Fullers La. BS25: Wins 7G 131
Fullers Way BA2: Odd D 4K 121
Fullwell Cl. BA3: Faul 5K 155
Fulmar Cl. BS35: T'bry 2B 12
Fulmar Rd. BS22: Wor 3D 106
Fulwell La. BA3: Faul 5K 155
Funchal Vs. BS8: Clif 2G 61
Furber Ct. BS5: St G 3K 63
Furber Ridge BS5: St G 3K 63
Furber Rd. BS5: St G 2K 63
Furber Va. BS5: St G 3K 63
Furland Rd. BS22: W Mare 2A 106
Furlong Cl. BA3: Mid N 7D 152
Furlong Path BS26: Axb 5J 149
Furlong, The BS6: Henl 3J 47
Furnleaze BS39: Clut 2G 139
Furnwood BS5: St G 3J 63
Furze Cl. BS22: W Mare 2K 105
Furze Rd. BS16: Fish 5A 50
BS22: W Mare 2J 105
Furzewood Rd. BS15: K'wd 1D 64
Fussell Ct. BS15: K'wd 1D 64
Fylton Cft. BS14: Whit 7D 76

G

Gable Cl. BS35: E Comp 4G 25
Gable Rd. BS5: E'tn 7C 48
Gables Cl. BS29: Ban 2B 130
Gadshill Dr. BS34: Stok G 2G 37
Gadshill Rd. BS5: Eastv 5E 48
Gad's La. BS27: Ched 6D 150
Gages Cl. BS15: K'wd 2D 64
Gages Rd. BS15: K'wd 2C 64
Gainsborough Dr. BS22: Wor 1D 106
Gainsborough Gdns. BA1: Bath 3J 99
Gainsborough M. BS10: Bren 5H 35
Gainsborough Rd. BS31: Key 5D 78
Gainsborough Sq. BS7: L'lze 1D 48
Galingale Way BS20: P'head 3H 43
Galleries, The BS1: Bris 2A 62 (3G 5)
Gallivan Cl. BS34: Lit S 6D 26
Galway Rd. BS4: Know 1A 76
Gander Cl. BS13: Hart 5H 75
Gannet Rd. BS22: Wor 3D 106
Garamond Ct. BS1: Bris 4A 62 (7H 5)
Garden Cl. BS9: Sea M 3C 46
BS22: Wor 2C 106
Garden Ct. BS8: Clif 1G 61
Gardeners Cl. BS27: Ched 5D 150
Gardeners Wlk. BS4: L Ash 1B 74
Gardenhurst TA8: Bur S 6D 156
Gardenhurst Cl. TA8: Bur S 7D 156
Gardens Rd. BS21: Clev 5C 54
Gardens, The BA2: Tun 1A 142
BS16: Fren 6G 37
BS16: Stap H 5C 50
Garden Walls GL12: Wickw 7H 15
Gardner Av. BS13: B'wth 3F 75
Gardner Rd. BS20: P'head 2F 43
Garfield Rd. BS5: St G 1J 63
Garfield Ter. BA1: Bath 1E 100
Garner Ct. BS22: Wor 7F 85
Garnet St. BS3: Bedm 6H 61
Garnett Pl. BS16: Down 1D 50
Garonor Way BS20: P'bry 3D 44
Garre Ho. BA2: Bath 6F 99
Garrett Dr. BS32: Brad S 7F 27
Garrick Rd. BA2: Bath 6F 99
Garsdale Rd. BS22: W Mare 4B 106
Garston La. BS40: Blag 2C 134
Garstons BA1: Bathf 1B 102
BS21: Clev 2B 68
BS40: Wrin 3G 111
Garstons Cl. BS40: Wrin 2G 111
BS48: Back 4H 71
Garstons Orchard BS40: Wrin 3F 111
Garstons, The BS20: P'head 4E 42
Garth Rd. BS13: B'wth 2G 75
Gasferry Rd. BS1: Bris 4H 61 (7B 4)
(not continuous)
Gaskins, The BS7: L'lze 3C 48
Gas La. BS2: Bris 3C 62 (5K 5)
Gass Cl. TA9: High 4H 159
Gaston Av. BS31: Key 4D 78
Gastons, The BS11: Law W 7A 34
Gatcombe BS48: Flax B 2G 73
Gatcombe Dr. BS34: Stok G 3G 37
Gatcombe Rd. BS13: Hart 5H 75
Gatehouse Av. BS13: Withy 5G 75
Gatehouse Cen. BS13: Withy 5H 75
Gatehouse Cl. BS13: Withy 5G 75
Gatehouse Ct. BS13: Withy 5G 75
Gatehouse Way BS13: Withy 5G 75
Gatesby Mead BS34: Stok G 2G 37
Gathorne Cres. BS37: Yate 4D 30
Gathorne Rd. BS3: Bris 5H 61
Gatton Rd. BS2: Bris 7C 48
Gaunts Cl. BS20: P'head 4B 42
GAUNT'S EARTHCOTT 1K 27
Gaunt's Earthcott La. BS32: Gau E 1K 27
Gaunts La. BS1: Bris 3J 61 (4D 4)
Gaunts Rd. BS37: Chip S 6H 31
Gay Ct. BA1: Bathe 7G 83
Gay Elms Rd. BS13: Withy 6G 75
Gayner Rd. BS7: Fil 6C 36
Gay's Hill BA1: Bath 3C 100
Gay's Rd. BS15: Han 5K 63
Gay St. BA1: Bath 4B 100 (3F 7)
Gaywood Ho. BS3: Bedm 6H 61
Gazelle Rd. BS24: W Mare 2K 127
Gazzard Cl. BS36: Wint 7C 28
Gazzard Rd. BS36: Wint 7C 28
Gee Moors BS15: K'wd 2D 64
Gefle Cl. BS1: Bris 4H 61 (7A 4)
Geldof Dr. BA3: Mid N 4E 152
General Higgins Ho. TA9: High 5G 159
Geoffrey Cl. BS13: B'wth 4E 74
George & Dragon La. *BS5: St G* *2F 63*
(off Claremont Ter.)
George Cl. BS48: Back 3B 72
George Jones Rd. BS2: Bris 2C 62
George's Bldgs. BA1: Bath 3C 100 (1G 7)
George's Pl. *BA2: Bath* *4J 7*
(off Bathwick Hill)
George's Rd. BA1: Bath 2C 100
George St. BA1: Bath 4B 100 (3F 7)
BA2: Bath 5D 100 (4K 7)
BS5: Redf 1E 62
BS20: P'head 6E 42
BS23: W Mare 5G 105
TA8: Bur S 1C 158
George Whitefield Ct.
BS1: Bris 2A 62 (2H 5)
Georgian Garden 4B 100 (3E 6)
Georgian House 3J 61 (4C 4)
Georgian Vw. BA2: Bath 1J 121
Gerald Rd. BS3: Ash G 6G 61
Gerard Rd. BS23: W Mare 4G 105
Gerrard Bldgs. BA2: Bath 4C 100 (3J 7)
Gerrard Cl. BS4: Know 3K 75
Gerrish Av. BS5: Redf 1E 62
BS16: Mang 3D 50
Gibbet La. BS14: Whit 2E 94
Gibbsfold Rd. BS13: Hart 7J 75
Gibson Rd. BS6: Cot 7K 47
Gielgud Cl. TA8: Bur S 2F 159
Giffard Ho. BS34: Lit S 1F 37
Gifford Cl. BS37: Rang 5A 22
Gifford Ct. BS34: Stok G 5F 37
Gifford Cres. BS34: Lit S 1E 36
Gifford Rd. BS10: Hen 3F 35
Giffords Pl. BS13: B'wth 3G 75
Gilbeck Rd. BS48: Nail 7E 56
Gilbert Rd. BS5: Redf 1E 62
BS15: K'wd 7B 50
Gilberyn Dr. BS22: Wor 1F 107
Gilda Cl. BS14: H'gro 5E 76
Gilda Cres. BS14: H'gro 4D 76
Gilda Pde. BS14: H'gro 5E 76
Gilda Sq. W. BS14: H'gro 5D 76
(not continuous)
Gillard Cl. BS15: K'wd 1K 63
Gillard Rd. BS15: K'wd 1K 63
Gill Av. BS16: Fish 3K 49
Gillebank Cl. BS14: Stoc 5F 77
Gillingham Hill BS5: St G 4K 63
Gillingham Ter. BA1: Bath 2D 100
Gillingstool BS35: T'bry 4A 12
Gill M. BS22: Wor 7E 84
Gillmore Cl. BS22: W Mare 3B 106
Gillmore Rd. BS22: W Mare 3B 106
Gillson Cl. BS24: Hut 3B 128
Gilpin Cl. BS15: K'wd 7D 50
Gilray Cl. BS7: L'lze 2D 48
Gilroy Cl. BS30: L Grn 6F 65
Gilslake Av. BS10: Bren 4H 35
Gilton Ho. BS4: Brisl 7G 63
Gimblett Rd. BS22: Wor 7F 85
Gingell's Grn. BS5: St G 1J 63
Gipsies Plat BS35: Sev B 7B 16
Gipsy Patch La. BS34: Lit S 1D 36
Glades, The BS5: Eastv 6G 49
Gladstone Dr. BS16: Soun 5B 50
Gladstone La. BS36: Fram C 7G 29
Gladstone Pl. BA2: C Down 3E 122
Gladstone Rd. BA2: C Down 2E 122
BS14: H'gro 4D 76
BS15: K'wd 7B 50
Gladstone St. BA3: Mid N 3F 153
BS3: Bedm 6H 61
BS5: Redf 2F 63
BS16: Soun 5B 50
Glaisdale Rd. BS16: Fish 3J 49
Glanville Dr. BS39: Hin B 7A 138
Glanville Gdns. BS15: K'wd 2C 64
Glass Ho. La. BS2: Bris 4D 62
Glastonbury Cl. BS30: Bar C 4D 64
BS48: Nail 1K 71
Glastonbury Way BS22: Wor 2E 106
Glebe Av. BS20: P'head 4G 43
Glebe Cl. BS4: L Ash 7B 60
Glebe Fld. BS32: Alm 1C 26
Glebelands BA3: Rads 5H 153
Glebelands Rd. BS34: Fil 4C 36
Glebe Rd. BA2: Bath 7H 99
BS4: L Ash 1C 74
BS5: St G 1G 63
BS20: P'head 4G 43
BS21: Clev 7C 54
BS23: W Mare 4G 105
Glebe, The BA2: F'frd 7K 123
BA2: Tim 2F 141
BS35: Piln 6C 16
BS40: Wrin 2F 111
Glebe Wlk. BS31: Key 6A 78
Gledemoor Dr. BS36: Coal H 7H 29
Gleeson Ho. BS16: Fish 2K 49
Glena Av. BS4: Know 7D 62
Glenarm Rd. BS4: Brisl 7G 63
Glenarm Wlk. BS4: Brisl 7G 63
Glen Av. BS8: Abb L 1K 59
Glenavon Ct. BS9: Stok B 4C 46
Glenavon Pk. BS9: Stok B 4C 46
Glenburn Rd. BS15: K'wd 7K 49
Glencairn Ct. BA2: Bath 5D 100 (4J 7)
Glencoe Bus. Pk. BS23: W Mare 5J 105
Glencoyne Sq. BS10: S'mead 5J 35
Glendale BS8: Clif 3F 61
BS16: Down 7C 38
BS16: Fish 5A 50
Glendare St. BS5: Bar H 3E 62
Glendevon Rd. BS14: Whit 7C 76
Glen Dr. BS9: Stok B 4D 46
Gleneagles BS37: Yate 5E 30
Gleneagles Cl. BS22: Wor 1D 106
BS48: Nail 1J 71
Gleneagles Dr. BS10: Hen 4D 34
Gleneagles Rd. BS30: Warm 3F 65
Glenfall BS37: Yate 7D 30
Glenfrome Ho. BS5: Eastv 6D 48
Glenfrome Rd. BS2: Bris 6C 48
BS5: Eastv 5D 48
Glen La. BS4: Brisl 7F 63
Glen Pk. BS5: Eastv 6E 48
BS5: St G 1J 63
Glen Pk. Gdns. BS5: St G 1J 63
Glenroy Av. BS15: K'wd 7K 49
Glenside Cl. BS16: Fish 1A 50
Glenside Hospital Mus. 3G 49
Glenside Pk. BS16: Stap 3G 49
Glen, The BS6: Redl 5H 47
BS15: Han 5K 63
BS22: W Mare 2K 105
BS31: Salt 2K 97
BS37: Yate 4E 30
Glentworth Rd. BS6: Redl 6J 47
BS8: Clif 3H 61 (5A 4)
Glenview Rd. BS4: Brisl 7F 63
Glenwood BS16: Fish 5A 50
Glenwood Dr. BS30: Old C 5F 65
Glenwood Ri. BS20: P'head 3B 42
Glenwood Rd. BS10: W Trym 1J 47
Glen Yeo Ter. BS49: Cong 7J 87
Glevum Cl. BS16: Emer G 1G 51
Gloster Av. BS5: Eastv 5F 49
Gloucester Cl. BS34: Stok G 2F 37
Gloucester Ho. BS2: Bris 2K 5
Gloucester La. BS2: Bris 2B 62 (2K 5)
Gloucester Mans. BS7: B'stn 6K 47
Gloucester Pl. *BS2: Bris* *2E 4*
(off Horfield Rd.)
Gloucester Rd. BA1: Bath, Swain 5E 82
BA1: Up Swa 1B 82
BS7: B'stn, Hor 6K 47
BS11: A'mth 6E 32
BS16: Soun 5C 50
BS32: Alm, Brad S 1D 26
BS34: Pat 7C 26
BS35: Alv, Grov, Rudg 4G 19
BS35: T'bry 3K 11
GL12: Fal 1D 12
TA8: Bur S 1E 158
Gloucester Rd. Nth. BS7: Fil 6B 36
BS34: Fil 6B 36
Gloucester Row BS8: Clif 2F 61
Gloucestershire County Cricket Club
. . . . . 4A 48
Gloucester St. BA1: Bath 4B 100 (2E 6)
BS2: Bris 1A 62 (1H 5)
BS5: Eastv 5F 49
BS8: Clif 2F 61
BS23: W Mare 5F 105
Gloucester Ter. BS35: T'bry 3K 11
Glovers Fld. BS25: Ship 6B 132
Glyn Va. BS3: Know 1K 75
Goblin Combe Nature Reserve 4G 89
Goddard Dr. BS22: Wor 7F 85
Godfrey Ct. BS30: L Grn 5D 64
Goding La. BS29: Ban 2B 130
Godwin Dr. BS48: Nail 7E 56
Goffenton Dr. BS16: Fish 2K 49
Goldcrest Rd. BS37: Chip S 7F 31
GOLDEN HILL 3J 47
Golden Hill BS6: B'stn 3K 47
Golden Valley La. BS30: Bit 2J 79
Goldfinch Way BS16: Puck 4C 52
Goldney Av. BS8: Clif 3G 61
BS30: Warm 2G 65
Goldney Cl. BS39: Tem C 4G 139
Goldney Ho. BS8: Clif 3G 61 (4A 4)
Goldney La. BS8: Clif 3G 61
Goldney Rd. BS8: Clif 3G 61
Goldney Way BS39: Tem C 4G 139
Goldsbury Wlk. BS11: Law W 6A 34
GOLD'S CROSS 6A 116
Goldsmiths Ho. BS2: Bris 3B 62 (4J 5)
Golf Club La. BS31: Salt 1J 97
Golf Course La. BS34: Fil 4B 36
Golf Course Rd. BA2: Bath 5E 100
Golf Links Rd. TA8: Bur S 4C 156
Gooch Ct. BS30: Old C 6G 65
Gooch Way BS22: Wor 1F 107
Goodeve Pk. BS9: Stok B 5D 46
(not continuous)
Goodeve Rd. BS9: Stok B 5D 46
Goodhind St. BS5: E'tn 1C 62 (1K 5)
Goodneston Rd. BS16: Fish 5J 49
Goodrich Cl. BS37: Yate 5A 30
Goodring Hill BS11: Law W 6A 34
Good Shepherd Cl. BS7: B'stn 4J 47
Goodwin Dr. BS14: Whit 6B 76
Goodwood Gdns. BS16: Down 6D 38
Goold Cl. BA2: Cor 3A 98
Goolden St. BS4: Wind H 6C 62
Goosard La. BS39: High L 5B 140
Goose Acre BS32: Brad S 1H 37
Gooseberry La. BS31: Key 5D 78
GOOSE GREEN
Chipping Sodbury 2E 30
Warmley 7G 51
Goose Grn. BS30: Sis 7G 51
Goosegreen BS36: Fram C 6G 29
Goose Grn. BS37: Yate 2E 30
Goose Grn. Way BS37: Yate 2C 30
Gooseham Mead BS49: Cong 7K 87
Gooseland Cl. BS14: Whit 7B 76
Goosey Drove BS24: Pux 7D 86
Goosey La. BS22: St Geo 2G 107
Gordano Gdns. BS20: E'tn G 4F 45
Gordano Rd. BS20: P'bry 7A 32
Gordano Sports Cen. 5E 42
Gordano Vw. BS20: P'head 3E 42
Gordano Way BS20: P'bry 3D 44
Gordon Av. BS5: W'hall 7F 49
Gordon Bldgs. *BA3: Rads* *3A 154*
(off Abbey Vw.)
Gordon Cl. BS5: W'hall 7G 49
Gordon Rd. BA2: Bath 6D 100 (7J 7)
BA2: Pea J 5D 142
BS2: Bris 7B 48
BS5: W'hall 7F 49
BS8: Clif 2H 61 (3A 4)
BS23: W Mare 5H 105
Gore Rd. BS3: Bedm 6G 61
TA8: Bur S 6C 156
Gore's Marsh Rd. BS3: Bedm 7G 61
Gores Pk. BS39: High L 3K 139
Gorge Walk 6E 150
Gorham Cl. BS11: Law W 5C 34
Gorlands Rd. BS37: Chip S 5J 31
Gorlangton Cl. BS14: H'gro 3C 76
Gorse Cover Rd. BS35: Sev B 7A 16
Gorse Hill BS16: Fish, Stap H 5K 49
Gorse La. BS8: Clif 3H 61 (4A 4)
BS30: Doy 3J 67
SN14: Dyr 3J 67
Gosforth Cl. BS10: S'mead 6H 35
Gosforth Rd. BS10: S'mead 5H 35
Goslet Rd. BS14: Stoc 5G 77
Goss Barton BS48: Nail 1F 71
Goss Cl. BS48: Nail 1E 70
Goss La. BS48: Nail 1E 70
Goss Vw. BS48: Nail 1E 70
Gotley Rd. BS4: Brisl 7F 63
Gott Dr. BS4: St Ap 4F 63
Gough Pl. BS27: Ched 6C 150
Gough's Cave 6F 151
Goulston Rd. BS13: B'wth 5G 75
Goulston Wlk. BS13: B'wth 4G 75
Goulter St. BS5: Bar H 3D 62
Gourney Cl. BS11: Law W 5B 34
Governors Ho. BA2: Bath 5K 99 (5A 6)

Gover Rd.—Halliwell Rd.

Gover Rd. BS15: Han 6A 64
Govier Way BS35: Sev B 2C 24
Grace Cl. BS37: Chip S 5J 31
BS49: Yat 3H 87
Grace Ct. BS16: Down 2B 50
Grace Dr. BA3: Mid N 4E 152
BS15: K'wd 7D 50
Grace Pk. Rd. BS4: Brisl 1F 77
Grace Rd. BS16: Down 3A 50
BS22: Wor 7F 85
Gradwell Cl. BS22: Wor 1F 107
Graeme Cl. BS16: Fish 4J 49
Graham Rd. BS3: Bedm 6J 61
BS5: E'tn 7D 48
BS16: Down 2D 50
BS23: W Mare 5G 105
Grainger Ct. BS11: Shire 1J 45
Graitney Cl. BS49: C've 3C 88
Grampian Cl. BS30: Old C 5G 65
Granby Ct. BS8: Clif 3F 61
Granby Hill BS8: Clif 3F 61
Grandmother's Rock La.
BS30: Beach 7D 66
Grand Pde. BA2: Bath 5C 100 (4G 7)
Grand Pier 5F 105
Grange Av. BS15: Han 4A 64
BS34: Lit S 1E 36
TA9: High 5G 159
Grange Cl. BS23: Uph 4G 127
BS32: Brad S 4E 26
BS34: Stok G 3J 37
Grange Cl. Nth. BS9: W Trym 2H 47
Grange Ct. BS9: Henl 2H 47
BS15: Han 4B 64
Grange Ct. Rd. BS9: Henl 2G 47
Grange Dr. BS16: Fish 2A 50
Grange End BA3: Mid N 7F 153
Grange La. BS13: Withy 6F 75
Grange Pk. BS9: W Trym 2H 47
BS16: Fren 7A 38
Grange Rd. BS8: Clif 2G 61
BS13: B'wth 5G 75
BS23: Uph 4G 127
BS31: Salt 1G 97
TA9: W Hunt 7D 158
Grange, The BS9: C Din 1D 46
BS48: Flax B 3D 72
Grange Vw. BA15: Brad A 5J 125
Grangeville Cl. BS30: L Grn 6F 65
Grangewood Cl. BS16: Fish 2A 50
Granny's La. BS15: Han 3C 64
Grantham La. BS15: K'wd 1A 64
Grantham Rd. BS15: K'wd 1A 64
Grantson Cl. BS4: Brisl 7G 63
Granville Cl. BS15: Han 6K 63
Granville Rd. BA1: L'dwn 7A 82
Granville St. BS5: Bar H 3E 62
Grasmere Cl. BS10: S'mead 7G 35
Grasmere Dr. BS23: W Mare 1H 127
Grasmere Gdns. BS30: Old C 3H 65
Grassington Dr. BS37: Chip S 6G 31
Grass Meers Dr. BS14: Whit 6C 76
Grassmere Rd. BS49: Yat 3H 87
Grass Rd. TA8: Brean 2B 144
Gratitude Rd. BS5: E'tn 7E 48
Gravel Hill BS40: Up Str 6K 113
Gravel Hill Rd. BS37: Yate 3E 30
(Church Rd.)
BS37: Yate 2F 31
(Peg Hill, not continuous)
Gravel Wlk. BA1: Bath 4A 100 (2D 6)
Graveney Cl. BS4: Brisl 1F 77
Gray Cl. BS10: Hen 5E 34
Grayle Rd. BS10: Hen 5G 35
Grays Hill BA2: Ston L 7H 143
Gt. Ann St. BS2: Bris 2B 62 (2K 5)
GREAT ASHLEY 3E 124
Gt. Bedford St. BA1: Bath 3B 100 (1E 6)
Great Brockeridge BS9: W Trym 2F 47
Great Dowles BS30: C Hth 5E 64
Gt. George St. BS1: Bris 3J 61 (4C 4)
BS2: Bris 2B 62 (2J 5)
Gt. Hayles Rd. BS14: H'gro 3B 76
Great Leaze BS30: C Hth 5E 64
Gt. Meadow Rd. BS32: Brad S 7H 27
Gt. Park Rd. BS32: Brad S 3E 26
Gt. Pulteney St. BA2: Bath 4C 100 (3H 7)
Gt. Stanhope St. BA1: Bath 5A 100 (4D 6)
GREAT STOKE 2H 37
Gt. Stoke Way BS34: Stok G 2J 37
(Great Stoke)
BS34: Stok G 5F 37
(Harry Stoke)
Greatstone La. BS40: Winf 7K 91
(not continuous)
Gt. Western Bus. Pk. BS37: Yate 3B 30
(not continuous)
Gt. Western Ct. BS34: Stok G 3H 37
Gt. Western La. BS5: Bar H 3E 62
Gt. Western Rd. BS21: Clev 6D 54
Great Weston Train Experience 6G 105
Great Wood Cl. BS13: Hart 6J 75
Greenacre BS22: W Mare 2K 105
Greenacre Pl. Cvn. Pk. TA9: Edith 2K 159
Greenacre Rd. BS14: Whit 7C 76
Greenacres BA1: W'ton 7H 81
BA3: Mid N 5C 152
BS9: W Trym 1E 46
Grn. Acres Cvn. Site BS35: Aust 5G 9
Greenacres Pk. Homes
BS36: Coal H 2H 39
Greenbank Av. E. BS5: E'tn 7E 48
Greenbank Av. W. BS5: E'tn 7D 48
Greenbank Gdns. BA1: W'ton 2H 99
Greenbank Rd. BS3: Bris 4G 61 (7A 4)
BS5: E'tn 7E 48
BS15: Han 5B 64
Greenbank Vw. BS5: Eastv 6E 48
Green Cl. BS7: Hor 7C 36
BS39: Paul 7C 140
Green Cotts. BA2: C Down 3E 122
Green Cft. BS5: S'wll 7J 49
Greendale Rd. BS3: Wind H 6A 62
BS6: Redl 4H 47
Grn. Dell Cl. BS10: Hen 4D 34
Greenditch Av. BS13: Hart 5J 75
Grn. Ditch La. BA3: C'tn 7A 152
Greenditch St. BS35: Olv, Toc 4A 18
BS35: Piln, Toc 4J 17
Greendown BS5: St G 2J 63
Grn. Down Pl. BA2: C Down 3C 122
Grn. Dragon Rd. BS36: Wint 2B 38
Greenfield Av. BS10: S'mead 7K 35
Greenfield Cres. BS48: Nail 6G 57
Greenfield Pk. BS20: P'head 5E 42
Greenfield Pl. BS23: W Mare 4E 104
Greenfield Rd. BS10: S'mead 6K 35
Greenfields Av. BS29: Ban 2A 130
Greenfield Wlk. BA3: Mid N 3E 152
Greenfinch Lodge BS16: B'hll 2H 49
Greengage Cl. BS22: W Mare 4C 106
Greenhayes BS27: Ched 6D 150
Green Hayes BS37: Chip S 6J 31
Greenhill BS35: Alv 1J 19
Greenhill Cl. BS22: Wor 1E 106
BS48: Nail 7F 57
Greenhill Down BS35: Alv 1J 19
Greenhill Gdns. BS35: Alv 1J 19
Greenhill Gro. BS3: Bedm 7G 61
Greenhill La. BS11: Law W 6C 34
BS25: Sandf 1H 131
BS35: Alv 2H 19
Greenhill Pde. BS35: Alv 7J 11
Greenhill Pl. BA3: Mid N 3E 152
Greenhill Rd. BA3: Mid N 3E 152
BS25: Sandf 1G 131
BS35: Alv 7J 11
Greenland Mills BA15: Brad A 6H 125
Greenland Rd. BS22: W Mare 3B 106
Greenlands Rd. BA2: Pea J 5C 142
BS10: Hen 3E 34
Greenlands Way BS10: Hen 4E 34
Greenland Vw. BA15: Brad A 6H 125
Green La. BS8: Fail 5G 59
BS11: A'mth 7F 33
BS35: Redw, Sev B 6A 16
BS36: Wint 1A 38
BS39: Far G, Hall 7G 139
BS40: Blag, Comp M 6F 135
BS40: But 5E 112
BS40: Redh, Winf 7E 90
GL12: Bag 3A 22
GL12: Buck 3F 13
TA8: Berr 6C 144
Greenleaze BS4: Know 1D 76
Greenleaze Av. BS16: Down 6B 38
Greenleaze Cl. BS16: Down 6B 38
Greenmore Rd. BS4: Know 7D 62
Greenore BS15: K'wd 2A 64
Green Pk. BA1: Bath 5D 6
Green Pk. Ho. BA1: Bath 5E 6
Green Pk. M. BA1: Bath 5A 100 (5D 6)
Green Pk. Rd. BA1: Bath 5B 100 (4E 6)
Greenpark Rd. BS10: S'mead 6A 36
Green Pk. Station BA1: Bath 5A 100 (4D 6)
GREEN PARLOUR 5D 154
Grn. Parlour Rd. BA3: Writ 5D 154
Grn. Pastures Rd. BS48: Wrax 6J 57
Greenridge BS39: Clut 2H 139
Greenridge Cl. BS13: Withy 6E 74
GREENSBROOK 2H 139
Greens Hill BS16: Fish 5G 49
Green Side BS16: Mang 2E 50
Greenside Cl. BS10: Hen 4D 34
Greenslade Gdns. BS48: Nail 6F 57
Green St. BA1: Bath 5B 100 (4F 7)
BA2: Shos 1D 154
BS3: Wind H 5B 62
Green, The BA2: Odd D 3K 121
BA3: Faul 4K 155
BS11: Shire 2J 45
BS15: Soun 6C 50
BS20: Pill 4H 45
BS24: Lock 1E 128
BS25: Wins 5F 131
BS30: Wick 4B 66
BS34: Stok G 3G 37
BS35: Olv 3C 18
BS39: Comp D 6B 96
BS48: Back 5H 71
GL12: Crom 4B 14
Grn. Tree Rd. BA3: Mid N 3F 153
GREENVALE 4F 141
Greenvale Cl. BA2: Tim 4F 141
Greenvale Dr. BA2: Tim 4F 141
Greenvale Rd. BS39: Paul 1B 152
Greenview BS30: L Grn 7E 64
Green Wlk. BS4: Know 1C 76
GREENWAY 7B 138
Greenway BA3: Faul 5J 155
Greenway Bush La.
BS3: Bris 5G 61 (7A 4)
Greenway Ct. BA2: Bath 7B 100
Greenway Dr. BS10: S'mead 6K 35
Greenway La. BA1: C Ash 5K 67
BA2: Bath 1B 122
Greenway Pk. BS10: S'mead 7K 35
BS21: Clev 6F 55
Greenway Rd. BS6: Redl 6H 47
Greenways BS15: K'wd 7E 50
Greenways Rd. BS37: Yate 3D 30
Greenway, The BS16: Fish 5A 50
Greenwell La. BS40: L'frd 5E 110
Greenwood Cl. BS7: Hor 1A 48
TA9: W Hunt 7E 158
Greenwood Dr. BS35: Alv 1H 19
Greenwood Rd. BS4: Know 7C 62
BS22: Wor 2C 106
Gregory Ct. BS30: C Hth 3E 64
Gregory Mead BS49: Yat 2G 87
Gregorys Gro. BA2: Odd D 4K 121
Gregory's Tyning BS39: Paul 7C 140
Greinton BS24: W Mare 3J 127
Grenville Av. BS24: Lock 1E 128
Grenville Cl. BS5: St G 1H 63
Grenville Rd. BS6: Bris 5A 48
TA8: Bur S 1E 158
Greve Ct. BS30: Bar C 5D 64
Greville Rd. BS3: Bris 5H 61
Greville St. BS3: Bedm 5J 61
GREYFIELD 3A 140
Greyfield Comn. BS39: High L 3A 140
Greyfield Rd. BS39: High L 3A 140
Greyfield Vw. BS39: Tem C 4H 139
Greyfriars BS1: Bris 2K 61 (2E 4)
Grey Hollow BS40: E Harp 7K 137
Greyhound Wlk. *BS1: Bris* *3G 5*
(off Galleries, The)
Greylands Rd. BS13: B'wth 3F 75
Greystoke BS10: W Trym 6G 35
Greystoke Av. BS10: S'mead 7G 35
Greystoke Gdns. BS10: S'mead 7H 35
Greystones BS16: Down 6C 38
Griffin Cl. BS22: Wor 2E 106
Griffin Ct. BA1: Bath 5E 6
Griffin Rd. BS21: Clev 6D 54
Griggfield Wlk. BS14: H'gro 3B 76
Grimsbury Rd. BS15: K'wd 1E 64
Grindell Rd. BS5: St G 2F 63
Grinfield Av. BS13: Hart 6J 75
Grinfield Ct. BS13: Hart 6J 75
Grittleton Rd. BS7: Hor 7A 36
Grosvenor Bri. Rd.
BA1: Bath 2E 100
Grosvenor Pk. BA1: Bath 2E 100
Grosvenor Pl. BA1: Bath 2E 100
Grosvenor Rd. BS2: Bris 7B 48
Grosvenor Ter. BA1: Bath 1E 100
Grosvenor Vs. BA1: Bath 2D 100
Grove Av. BS1: Bris 4K 61 (6F 5)
BS9: C Din 1C 46
BS16: Fish 4H 49
Grove Bank BS16: Fren 6A 38
Grove Dr. BS22: W Mare 3A 106
Grove La. BA3: Faul 4J 155
BS23: W Mare 4F 105
SN14: Hin 2J 53
Grove Leaze BA15: Brad A 6F 125
BS11: Shire 2G 45
Grove Orchard BS40: Blag 3C 134
Grove Pk. BS4: Brisl 7F 63
BS6: Redl 6J 47
BS23: W Mare 4F 105
Grove Pk. Av. BS4: Brisl 7F 63
Grove Pk. Rd. BS4: Brisl 7F 63
BS23: W Mare 3F 105
Grove Pk. Ter. BS16: Fish 4H 49
Grove Rd. BS6: Redl 6G 47
BS9: C Din 7C 34
BS16: Fish 4H 49
BS22: W Mare 3A 106
BS23: W Mare 4F 105
BS29: Ban 1J 129
TA8: Bur S 7C 156
GROVESEND 5C 12
Grovesend Rd. BS35: Grov, T'bry 4A 12
BS35: T'bry 3K 11
Groves Sports Cen. 2F 71
Groves, The BS13: Hart 6K 75
Grove St. BA2: Bath 4C 100 (3G 7)
Grove, The BA1: W'ton 2J 99
BS1: Bris 4K 61 (6E 4)
BS21: Clev 1B 68
BS25: Wins 4F 131
BS30: C Hth 5E 64
BS34: Pat 6D 26
BS37: Rang 5A 22
BS39: Hall 6K 139
BS40: Blag 3C 134
BS48: Wrax 6A 58
TA8: Bur S 6D 156
Grove Vw. BS16: Ham 4A 38
BS16: Stap 2G 49
Gro. Wood Rd. BA3: Hay 6J 153
Guernsey Av. BS4: Brisl 5H 63
Guest Av. BS16: Emer G 1F 51
Gug, The BS39: High L 3A 140
Guild Ct. BS1: Bris 3A 62 (6G 5)
Guildford Rd. BS4: St Ap 4G 63
Guinea La. BA1: Bath 4B 100 (2F 7)
BS16: Fish 3J 49
(not continuous)
Guinea St. BS1: Bris 4K 61 (7F 5)
Gullen BA2: Shos, Ston L 1F 155
Gulliford Cl. TA9: High 4F 159
Gulliford's Bank BS21: Clev 7E 54
Gullimore Gdns. BS13: Hart 6H 75
Gullivers Pl. BS37: Chip S 6G 31
Gullock Tyning BA3: Mid N 5F 153
Gullons Cl. BS13: B'wth 4G 75
Gullon Wlk. BS13: Withy 5F 75
Gullybrook La. BS5: Bar H 3D 62
Gully, The BS36: Wint 7D 28
Gumhurn La. BS35: Piln 5E 16
Gunnings Cl. BS15: K'wd 3B 64
Gunter's Hill BS5: St G 3J 63
Guthrie Rd. BS8: Clif 1F 61
Gwilliam St. BS3: Wind H 6K 61
Gwyn St. BS2: Bris 7A 48
Gypsy La. BS16: Puck 5J 39
BS31: Key 3E 96
BS36: H'fld 5J 39

H

Haberfield Hill BS8: Abb L 6J 45
Haberfield Ho. BS8: Clif 3F 61
Hacket BS35: T'bry 3C 12
Hacket Hill BS35: T'bry 4D 12
Hacket La. BS35: Grov 5D 12
BS35: T'bry 3B 12
(not continuous)
HACKET, THE 3C 12
Haddrell Ct. BS35: Alv 7H 11
Hadley Ct. BS30: C Hth 3F 65
Hadley Rd. BA2: C Down 2D 122
Hadrian Cl. BS9: Stok B 4C 46
Hadrians Wlk. BS16: Emer G 2G 51
Ha Ha, The BA2: Tim 3E 140
Haig Cl. BS9: Sea M 1B 46
Halbrow Cres. BS16: Fish 3A 50
Haldon Cl. BS3: Wind H 1K 75
Hale Cl. BS15: Han 5B 64
HALE COOMBE 7H 131
Hales Horn Cl. BS32: Brad S 1F 37
Halfacre Cl. BS14: Whit 7C 76
Halfacre La. BS14: Whit 7D 76
Half Yd. BS40: L'frd 5E 110
Halifax Rd. BS37: Yate 2D 30
Hallam Rd. BS21: Clev 5C 54
Hallards Cl. BS11: Law W 7K 33
HALLATROW 6K 139
Hallatrow Bus. Pk. BS39: Hall 7J 139
Hallatrow Rd. BS39: Hall, Paul 6K 139
HALLEN 3C 34
Hallen Cl. BS10: Hen 4D 34
BS16: Emer G 2G 51
HALL END 3D 22
Hall End La. BS37: H End 4C 22
GL12: H End 4C 22
Hallen Dr. BS9: Sea M 1C 46
Hallen Ind. Est. BS10: H'len 7A 24
Hallen Rd. BS10: H'len, Hen 3C 34
Hallets Way BS20: P'head 3F 43
Halliwell Rd. BS20: P'head 4A 42

Idwal Cl.—Kiln Pk.

Idwal Cl. BA2: Pea J . . . 5C 142
Ilford Cl. BS31: Salt . . . 7J 79
Ilchester Cres. BS13: B'wth . . . 1H 75
Ilchester Rd. BS13: B'wth . . . 1G 75
Iles Cl. BS15: Han. . . . 5B 64
Ilex Av. BS21: Clev . . . 7E 54
Ilex Cl. BS13: B'wth . . . 4F 75
Ilminster BS24: W Mare . . . 3J 127
Ilminster Av. BS4: Know . . . 1A 76
Ilminster Cl. BS21: Clev . . . 7E 54
BS48: Nail. . . . 2F 71
Ilsyn Gro. BS14: Stoc . . . 3F 77
Imax Cinema at-Bristol . . . 3J 61 (5D 4)
Imber Ct. Cl. BS14: H'gro . . . 2D 76
Imperial Pk. BS13: B'wth . . . 4J 75
Imperial Rd. BS6: Redl. . . . 7H 47
BS14: H'gro . . . 2E 76
Imperial Wlk. BS14: H'gro . . . 1D 76
Inclosures, The BS24: Wor . . . 4D 106
INGLESBATCH . . . 5C 120
Ingleside Rd. BS15: K'wd . . . 7K 49
Inglestone Rd. GL12: Wickw. . . . 7H 15
(not continuous)
Ingleton Dr. BS22: Wor . . . 7E 84
Ingmire Rd. BS5: Eastv. . . . 5D 48
INGST . . . 1J 17
Ingst Hill BS35: Ingst . . . 2H 17
Ingst Rd. BS35: Elb. . . . 1K 17
Inkerman Cl. BS7: Hor . . . 1A 48
Inman Ho. BA1: Bath. . . . 2C 100
Inner Down, The BS32: Old D . . . 2F 19
Inner Elm Ter. BA3: Rads . . . 5G 153
Innicks Cl. BS40: Ubl . . . 4H 135
Innox Gdns. BS13: Withy . . . 5G 75
Innox Gro. BA2: Eng . . . 2F 121
Innox La. BA1: Up Swa . . . 5D 82
Innox Rd. BA1: Swain, Up Swa . . . 5D 82
BA2: Bath. . . . 6H 99
INN'S COURT . . . 3K 75
Inns Ct. Av. BS4: Know . . . 3K 75
Inns Ct. Dr. BS4: Know . . . 3K 75
Inns Ct. Grn. BS4: Know . . . 3K 75
(not continuous)
Instow BS22: Wor . . . 2E 106
Instow Rd. BS4: Know . . . 2A 76
Instow Wlk. BS4: Know. . . . 2A 76
Inter City Ho. BS1: Bris . . . 3A 62 (5H 5)
International Trad. Est.
BS11: A'mth . . . 5F 33
Interplex BS32: Brad S . . . 3E 26
Inverness Rd. BA2: Bath . . . 5J 99
Ipswich Dr. BS4: St Ap . . . 3G 63
Irby Rd. BS3: Bedm . . . 6G 61
Irena Rd. BS16: Fish. . . . 5H 49
Ireton Rd. BS3: Bedm. . . . 6H 61
IRON ACTON . . . 2H 29
Iron Acton Way BS37: Yate . . . 3A 30
Ironchurch Rd. BS11: A'mth . . . 3F 33
Iron Hogg La. GL12: Fal . . . 1G 13
Ironmould La. BS4: Brisl . . . 7J 63
Irving Cl. BS16: Stap H. . . . 4C 50
BS21: Clev . . . 6F 55
Irving Ho. BS1: Bris . . . 3D 4
Isabella Cotts. BA2: C Down . . . 3D 122
(off Rock La.)
Isabella M. BA2: C Down . . . 3D 122
Island Gdns. BS16: Stap . . . 4E 48
Island, The BA3: Mid N. . . . 5E 152
Island Trade Pk. BS11: A'mth . . . 6G 33
Isleport Bus. Pk. TA9: High. . . . 4H 159
Isleport Rd. TA9: High . . . 5H 159
Isleys Ct. BS30: L Grn . . . 6D 64
Islington Rd. BS3: Bris. . . . 5H 61 (7B 4)
Ison Hill BS10: Hen . . . 4D 34
Ison Hill Rd. BS10: Hen . . . 4D 34
ITCHINGTON . . . 2D 20
Itchington Rd. BS35: Grov, Itch. . . . 6C 12
GL12: Tyth . . . 2E 20
Ivo Peters Rd. BA2: Bath . . . 5A 100 (5D 6)
Ivor Rd. BS5: W'hall . . . 1E 62
IVORY HILL. . . . 3E 38
Ivy Av. BA2: Bath. . . . 7J 99
Ivy Bank Pk. BA2: C Down. . . . 2B 122
Ivybridge BS22: Wor . . . 2E 106
Ivy Cl. BS48: Nail . . . 1F 71
Ivy Cotts. BA2: S'ske . . . 5B 122
Ivy Ct. BS20: P'head . . . 3B 42
Ivy Gro. BA2: Bath. . . . 7J 99
Ivy La. BA15: L Wrax. . . . 6J 103
BS16: Fish . . . 5J 49
BS24: Wor . . . 4E 106
Ivy Pl. BA2: Bath . . . 7J 99
Ivy Ter. BA15: Brad A . . . 5H 125
BS37: W'lgh . . . 3B 40
Ivy Vs. BA2: Bath. . . . 7J 99
Ivy Wlk. BA3: Mid N . . . 6F 153
BS29: Ban. . . . 1J 129
Ivywell Rd. BS9: Stok B . . . 5E 46
IWOOD . . . 1C 110
Iwood La. BS40: Iwood . . . 3C 110

J

Jack Knight Ho. BS7: Hor . . . 3B 48
Jackson Cl. BS35: Piln . . . 6D 16
Jacobs Ct. BS1: Bris . . . 5C 4
Jacob's Ladder. . . . 6E 150
Jacob's Mdw. BS20: P'head . . . 4H 43
Jacob's Tower . . . 6E 150
Jacob St. BS2: Bris. . . . 2B 62 (3J 5)
(David St.)
BS2: Bris. . . . 2A 62 (3H 5)
(Tower Hill)
Jacob's Wells Rd. BS8: Clif . . . 3H 61 (4A 4)
Jamaica St. BS2: Bris. . . . 1A 62 (1F 5)
James Cl. BS16: Soun . . . 4C 50
James Rd. BS16: Soun . . . 5C 50
James St. BS2: Bris . . . 6C 48
BS5: E'tn . . . 1B 62 (1K 5)
James St. W. BA1: Bath . . . 5A 100 (4D 6)
Jane Austen Cen. . . . 3F 7
Jane St. BS5: E'tn. . . . 2D 62
Jarvis St. BS5: Bar H . . . 3D 62
Jasmine Cl. BS22: Wor. . . . 3E 106
TA9: High . . . 4F 159
Jasmine Gro. BS11: Law W . . . 5C 34
Jasmine La. BS49: Clav . . . 7B 70
Jasmine Way BS24: Wor. . . . 3E 106
Jasper St. BS3: Bedm. . . . 6H 61
Jaycroft Rd. TA8: Bur S. . . . 2D 158
Jays, The GL12: Tyth. . . . 6F 13
Jean Rd. BS4: Brisl. . . . 7G 63
Jeffery Ct. BS30: C Hth . . . 3F 65
JEFFRIES HILL . . . 4K 63
Jeffries Hill Bottom
BS15: St G. . . . 4K 63
Jellicoe Av. BS16: Stap. . . . 7G 37
Jellicoe Ct. BS22: Wor . . . 7C 84
Jena Ct. BS31: Salt. . . . 7H 79
Jenner Cl. BS37: Chip S . . . 6K 31
Jennings Ct. BS3: Bris . . . 7A 4
Jersey Av. BS4: Brisl. . . . 5H 63
Jesmond Rd. BS21: Clev. . . . 6C 54
BS22: St Geo . . . 7G 85
Jesse Hughes Ct. BA1: Bath . . . 1E 100
Jessop Ct. BS1: Bris. . . . 3A 62 (5G 5)
Jessop Underpass BS3: Ash G. . . . 5F 61
Jew's La. BA2: Bath . . . 5J 99
Jews La. BS25: C'hll . . . 1B 132
Jim O'Neil Ho. BS11: Shire. . . . 1H 45
Jocelin Dr. BS22: Wor . . . 7D 84
Jocelyn Rd. BS7: Hor . . . 1B 48
Jockey La. BS5: St G. . . . 2J 63
John Cabot Ct. BS1: Bris . . . 4G 61 (6A 4)
John Carr's Ter. BS8: Clif . . . 3H 61 (4A 4)
John Cozens Ho. BS2: Bris . . . 2K 5
John James Ct. BS7: L'lze. . . . 1D 48
Johnny Ball La. BS2: Bris. . . . 2K 61 (2E 4)
John Repton Gdns. BS10: Bren. . . . 5H 35
John Slessor Ct. BA1: Bath . . . 3B 100 (1F 7)
Johnson Dr. BS30: Bar C. . . . 4D 64
Johnson Rd. BS16: Emer G. . . . 2G 51
Johnsons La. BS5: W'hall . . . 7F 49
Johnsons Rd. BS5: W'hall . . . 7E 48
Johnstone St. BA2: Bath. . . . 5C 100 (4H 7)
John St. BA1: Bath . . . 4B 100 (3F 7)
BS1: Bris . . . 2K 61 (3F 5)
BS2: Bris . . . 6C 48
BS15: K'wd . . . 1A 64
TA8: Bur S . . . 1C 158
TA9: High . . . 5F 159
John Wesley Rd. BS5: St G. . . . 3K 63
BS15: St G . . . 4K 63
John Wesley's Chapel . . . 2A 62 (2G 5)
John Wood Bldg. BA1: Bath. . . . 5F 7
Jones Cl. BS49: Yat. . . . 2F 87
Jones Hill BA15: Brad A . . . 7F 125
Jordan Wlk. BS32: Brad S. . . . 6F 27
Jorrocks Ind. Est. BS37: W'lgh . . . 3C 40
Joy Hill BS8: Clif. . . . 3F 61
Jubilee Cotts. BS13: B'wth . . . 2F 75
Jubilee Cres. BS16: Mang. . . . 1E 50
Jubilee Dr. BS8: Fail . . . 5F 59
BS35: T'bry . . . 3B 12
Jubilee Gdns. BS37: Yate . . . 4G 31
Jubilee Ho. BS34: Lit S. . . . 6E 26
Jubilee La. BS40: L'frd . . . 6C 110
GL12: Crom . . . 5A 14
Jubilee Path BS22: W Mare . . . 3A 106
Jubilee Pl. BS1: Bris. . . . 4K 61 (6F 5)
BS21: Clev . . . 1D 68
Jubilee Rd. BA3: Rads . . . 5H 153
BS2: Bris . . . 7C 48
BS4: Know . . . 7E 62
BS5: St G. . . . 2H 63
BS15: Soun . . . 5C 50
Jubilee Rd. BS23: W Mare . . . 5G 105
BS26: Axb. . . . 4J 149
Jubilee Row BS2: Bris . . . 7C 48
(off Ashley St.)
Jubilee St. BS2: Bris . . . 3B 62 (4K 5)
TA8: Bur S . . . 2D 158
Jubilee Swimming Pool . . . 7D 62
Jubilee Ter. BS39: Paul. . . . 7C 140
Jubilee Way BS11: A'mth . . . 5F 33
Julian Cl. BS9: Stok B. . . . 5E 46
Julian Cotts. BA2: Mon C . . . 3G 123
Julian Ct. BS9: Stok B. . . . 5E 46
Julian Rd. BA1: Bath . . . 3B 100 (1E 6)
BS9: Stok B . . . 5E 46
Julian's Acres TA8: Berr . . . 2B 156
Julier Ho. BA1: Bath. . . . 1G 7
Julius Cl. BS16: Emer G . . . 2G 51
Julius Rd. BS7: B'stn . . . 5K 47
Junction Av. BA2: Bath . . . 6A 100 (7C 6)
Junction Rd. BA2: Bath. . . . 6A 100 (6C 6)
BA15: Brad A . . . 6H 125
Juniper Ct. BS5: Eastv. . . . 6E 48
Juniper Pl. BS22: Wor . . . 7D 84
Juniper Way BS32: Brad S . . . 7H 27
Jupiter Rd. BS34: Pat . . . 7K 25
Justice Av. BS31: Salt . . . 7J 79
Justice Rd. BS16: Fish . . . 5H 49
Jutland Rd. BS11: A'mth . . . 6F 33

K

Karen Cl. BS48: Back . . . 6J 71
Karen Dr. BS48: Back . . . 5J 71
Kathdene Gdns. BS7: Bris. . . . 5B 48
Kaynton Mead BA1: Bath . . . 5H 99
Keats Rd. BA3: Rads . . . 6F 153
Keble Av. BS13: Withy. . . . 6F 75
Keed's La. BS4: L Ash. . . . 7J 59
Keedwell Hill BS4: L Ash . . . 1K 73
Keel Cl. BS5: St G . . . 3H 63
Keel's Hill BA2: Pea J. . . . 5C 142
Keene's Way BS21: Clev . . . 7B 54
Keen's Gro. BS35: Piln . . . 6C 16
Keep, The BS22: Wor . . . 1E 106
BS30: Old C . . . 4H 65
Keg Store, The BS1: Bris . . . 3A 62 (4G 5)
Keinton Wlk. BS10: Hen . . . 5G 35
Kelaway Av. BS7: Hor. . . . 2A 48
Kelbra Cres. BS36: Fram C . . . 1F 39
Kellaway Av. BS6: B'stn, Hor. . . . 3J 47
Kellaway Cres. BS9: Henl . . . 2K 47
Kellways BS48: Back. . . . 6J 71
Kelso Pl. BA1: Bath . . . 4K 99 (3A 6)
KELSTON . . . 7C 80
Kelston Cl. BS31: Salt. . . . 7H 79
BS37: Yate . . . 7D 30
Kelston Gdns. BS10: W Trym . . . 7K 35
BS22: Wor . . . 6F 85
Kelston Gro. BS15: Han . . . 3C 64
Kelston Rd. BA1: Bath. . . . 2E 98
BS10: W Trym . . . 7K 35
BS22: Wor . . . 7F 85
BS31: Key . . . 5B 78
Kelston Vw. BA2: Bath. . . . 6F 99
BS31: Salt . . . 7H 79
Kelston Wlk. BS16: Fish . . . 4A 50
Kelting Gro. BS21: Clev. . . . 7F 55
Kemble Cl. BS15: K'wd. . . . 3C 64
BS48: Nail. . . . 1J 71
Kemble Gdns. BS11: Shire . . . 3J 45
Kemperleye Way BS32: Brad S . . . 7F 27
Kempes Ct. BS4: L Ash. . . . 7A 60
Kempton Cl. BS16: Down . . . 6D 38
BS35: T'bry . . . 1K 11
Kencot Wlk. BS13: Withy . . . 7H 75
Kendall Gdns. BS16: Stap H . . . 4B 50
Kendall Rd. BS16: Stap H. . . . 4B 50
Kendal Rd. BS7: Hor. . . . 1C 48
KENDLESHIRE . . . 4E 38
Kendon Dr. BS10: Hor. . . . 1K 47
Kendon Way BS10: S'mead. . . . 7K 35
Kenilworth BS37: Yate. . . . 6F 31
Kenilworth Cl. BS31: Key . . . 6B 78
Kenilworth Ct. BA1: Bath . . . 3D 100
(off Longacre Ho.)
Kenilworth Dr. BS30: Will . . . 7F 65
Kenilworth Rd. BS6: Cot . . . 7J 47
Kenmare Rd. BS4: Know. . . . 1A 76
Kenmeade Cl. BS25: Ship. . . . 5A 132
Kenmoor Rd. BS21: Kenn . . . 3G 69
Kenmore Cres. BS7: Hor. . . . 6A 36
Kenmore Dr. BS7: Hor . . . 6A 36
Kenmore Gro. BS7: Hor . . . 6A 36
KENN. . . . 3F 69
Kennard Cl. BS15: K'wd . . . 2A 64
Kennard Ri. BS15: K'wd . . . 1A 64
Kennard Rd. BS15: K'wd. . . . 1A 64
Kennaway Path BS21: Clev . . . 7E 54
Kennaway Rd. BS21: Clev. . . . 7D 54
Kenn Cl. BS23: W Mare. . . . 7J 105
Kenn Ct. BS4: Know . . . 3A 76
Kennedy Cl. TA9: High . . . 4G 159
Kennedy Ho. BS37: Yate . . . 5F 31
Kennedy Way BS37: Chip S, Yate. . . . 5E 30
Kennel La. BS26: Webb. . . . 3J 147
Kennel Lodge Rd. BS3: Bwr A. . . . 5E 60
Kenn Est. BS21: Kenn . . . 5E 68
Kennet Gdns. BA15: Brad A . . . 7H 125
Kenneth Rd. BS4: Brisl . . . 7F 63
Kennet Pk. BA2: B'ptn. . . . 2G 101
Kennet Rd. BS31: Key. . . . 6E 78
Kennet Way BS35: T'bry . . . 4B 12
Kennford BS22: Wor . . . 2D 106
Kennington Av. BS7: B'stn. . . . 4A 48
BS15: K'wd . . . 7B 50
Kennington Rd. BA1: Bath . . . 4H 99
Kennion Rd. BS5: St G . . . 2J 63
Kennmoor Cl. BS30: C Hth . . . 3E 64
Kenn Moor Dr. BS21: Clev. . . . 1E 68
Kenn Moor Rd. BS49: Yat . . . 2H 87
Kenn Rd. BS5: St G. . . . 2J 63
BS21: Clev, Kenn . . . 1D 68
Kenn St. BS21: Kenn. . . . 3F 69
Kensal Av. BS3: Wind H . . . 6A 62
Kensal Rd. BS3: Wind H. . . . 6A 62
Kensington Cl. BS35: T'bry. . . . 2K 11
Kensington Ct. BA1: Bath . . . 2D 100
BS8: Clif. . . . 2G 61
Kensington Gdns. BA1: Bath. . . . 2D 100
KENSINGTON HILL . . . 7F 63
KENSINGTON PARK . . . 6E 62
Kensington Pk. BS5: E'tn . . . 7C 48
Kensington Pk. Rd. BS4: Brisl. . . . 7E 62
Kensington Pl. BA1: Bath . . . 3D 100
BS8: Clif. . . . 2G 61
Kensington Rd. BS5: St G . . . 1J 63
BS6: Redl . . . 7J 47
BS16: Stap H . . . 4B 50
BS23: W Mare . . . 7H 105
Kent Av. BS37: Yate. . . . 3F 31
Kent Cl. BS34: Stok G . . . 3F 37
Kent La. BA1: Up Swa. . . . 4D 82
Kent M. BS16: Stap . . . 1G 49
Kenton M. BS9: Henl. . . . 3J 47
Kent Rd. BS7: B'stn. . . . 5A 48
BS49: Cong . . . 6K 87
Kents Grn. BS15: K'wd . . . 6C 50
Kentshare La. BS40: Winf. . . . 5A 92
Kent St. BS3: Bedm. . . . 6J 61
BS27: Ched . . . 5D 150
Kent Way BS22: Wor. . . . 7F 85
Keppel Cl. BS31: Salt . . . 1H 97
Kerry Rd. BS4: Know . . . 1A 76
Kersteman Rd. BS6: Redl . . . 6J 47
Kestrel Cl. BS34: Pat . . . 6A 26
BS35: T'bry . . . 2B 12
BS37: Chip S . . . 6F 31
Kestrel Dr. BS16: Puck . . . 4C 52
BS22: W Mare . . . 3C 106
Kestrel Pl. BA3: Mid N. . . . 6F 153
Keswick Wlk. BS10: S'mead . . . 5J 35
Ketch Rd. BS3: Wind H . . . 6B 62
Kew Rd. BS23: W Mare. . . . 3G 105
Kewside BS22: Kew . . . 1K 105
KEWSTOKE. . . . 7A 84
Kewstoke Rd. BA2: C Down . . . 2C 122
BS9: Stok B . . . 4E 46
BS22: Kew, Wor . . . 1H 105
BS23: W Mare . . . 2E 104
Kew Wlk. BS4: Brisl . . . 2E 76
Keyes Path BS22: Wor . . . 7D 84
KEYNSHAM. . . . 4C 78
Keynsham By-Pass BS31: Key. . . . 2A 78
Keynsham Leisure Cen. . . . 5D 78
Keynsham Rd. BS30: Will . . . 4D 78
BS31: Key . . . 4D 78
Keynsham Station (Rail) . . . 4D 78
Key Point BS32: Brad S. . . . 2F 27
Keys Av. BS7: Hor. . . . 1B 48
Kidscove. . . . 6K 105
Kielder Dr. BS22: Wor . . . 1D 106
Kilbirnie Rd. BS14: Whit. . . . 7C 76
Kilburn St. BS5: E'tn. . . . 1D 62
Kildare Rd. BS4: Know . . . 1K 75
Kilkenny La. BA2: Eng, Ing . . . 5E 120
Kilkenny Pl. BS20: P'head. . . . 2E 42
Kilkenny St. BS2: Bris . . . 3B 62 (4K 5)
Killarney Av. TA8: Bur S . . . 2D 158
Kilmersdon Rd.
BA3: Hay, Kil, Rads . . . 6J 153
BS13: Hart. . . . 6H 75
Kilminster Cl. BS34: Lit S . . . 1F 37
Kilminster Rd. BS11: Shire . . . 1H 45
Kiln Cl. BS15: K'wd. . . . 6K 49
Kiln Dr. TA9: High . . . 5F 159
Kilnhurst Cl. BS30: L Grn . . . 7D 64
Kiln Pk. BS23: W Mare . . . 6J 105

184 A-Z Bristol & Bath Deluxe

Kilve—Lansdown Rd.

Kilve BS23: W Mare . . . 3H 127
(not continuous)
Kilvert Cl. BS4: Brisl . . . 4F 63
Kimber Cl. TA9: High . . . 5F 159
Kimberley Av. BS16: Fish . . . 3A 50
Kimberley Cl. BS16: Down . . . 1D 50
Kimberley Cres. BS16: Fish . . . 3A 50
Kimberley Rd. BS15: K'wd . . . 7B 50
BS16: Fish . . . 3A 50
(not continuous)
BS21: Clev . . . 7C 54
Kinber Cl. BA1: W'ton . . . 7G 81
King Alfred Way BA15: W'ley . . . 5B 124
Kingcott Mill Farm Caravans
BS48: Flax B . . . 2F 73
King Dick's La. BS5: St G . . . 1H 63
KINGDOWN . . . 6J 91
Kingdown La. BS40: Winf . . . 5G 91
King Edward Cl. BS14: H'gro . . . 4C 76
(not continuous)
King Edward Rd. BA2: Bath . . . 6K 99 (7B 6)
Kingfisher Cl. BS32: Brad S . . . 4G 27
BS35: T'bry . . . 2B 12
Kingfisher Ct. BA2: Lim S . . . 6A 124
Kingfisher Dr. BA3: Mid N . . . 6F 153
BS16: B'hll . . . 2G 49
Kingfisher Rd. BS22: Wor . . . 4D 106
BS37: Chip S . . . 6G 31
King George V Pl. BS1: Bris . . . 3K 61 (5E 4)
King Georges Rd. BA2: Bath . . . 6J 99
King George's Rd. BS13: B'wth . . . 5F 75
King John's Rd. BS15: K'wd . . . 6K 49
King La. BS39: Clut . . . 7H 117
King Rd. BS4: Know . . . 1E 76
BS25: C'hll . . . 6K 109
King Rd. Av. BS11: A'mth . . . 5E 32
Kingrove Cres. BS37: Chip S . . . 6J 31
Kingrove Rd. BS37: Chip S . . . 7J 31
Kings Av. BS7: B'stn . . . 4J 47
BS15: Han . . . 5K 63
Kings Bus. Pk. BS2: Bris . . . 3E 62
King's Chase Shop. Cen.
BS15: K'wd . . . 1B 64
Kingscote BS37: Yate . . . 1D 40
Kingscote Pk. BS5: St G . . . 3K 63
Kings Ct. BS34: Lit S . . . 1E 36
Kings Ct. Cl. BS14: Whit . . . 5C 76
KINGSDOWN
Bristol . . . 1J 61 (1D 4)
Corsham . . . 1D 102
Kingsdown Gro. SN13: Kings . . . 1D 102
Kingsdown Pde. BS6: Bris . . . 1K 61 (1E 4)
Kingsdown Sports Cen. . . . 1J 61
Kingsdown Vw. BA1: Bath . . . 2C 100
King's Dr. BS7: B'stn . . . 3J 47
Kings Dr. BS15: Han . . . 5K 63
BS34: Stok G . . . 3J 37
Kingsfield BA2: Bath . . . 1J 121
BA15: Brad A . . . 5H 125
Kingsfield Cl. BA15: Brad A . . . 5H 125
Kingsfield Grange Rd.
BA15: Brad A . . . 5J 125
Kingsfield La. BS15: Han . . . 4C 64
(not continuous)
BS30: L Grn . . . 5C 64
Kings Head La. BS13: B'wth . . . 3E 74
Kingshill BS48: Nail . . . 7E 56
Kingshill Gdns. BS48: Nail . . . 7E 56
Kingshill La. BS40: Chew S . . . 7B 114
Kingshill Rd. BS4: Know . . . 1D 76
Kingsholme Ct. BS23: W Mare . . . 3G 105
Kingsholme Rd. BS15: K'wd . . . 7B 50
Kingsholm Rd. BS10: S'mead . . . 7K 35
Kingsland Cl. BS2: Bris . . . 3C 62 (4K 5)
Kingsland Rd. BS2: Bris . . . 3C 62 (4K 5)
Kingsland Rd. Bri. BS2: Bris . . . 3C 62 (4K 5)
Kingsland Trad. Est.
BS2: Bris . . . 2B 62 (3K 5)
Kings La. BS16: Puck . . . 3K 51
King's La. BS23: W Mare . . . 4G 105
Kingsleigh Cl. BS15: K'wd . . . 2D 64
Kingsleigh Gdns. BS15: K'wd . . . 2D 64
Kingsleigh Pk. BS15: K'wd . . . 2D 64
Kingsley Ho. BS2: Bris . . . 3B 62 (4K 5)
Kingsley Rd. BA3: Rads . . . 5G 153
BS5: E'tn . . . 7E 48
BS6: Cot . . . 6K 47
BS21: Clev . . . 7D 54
BS23: W Mare . . . 2H 127
Kingsmarsh Ho. BS5: E'tn . . . 2D 62
Kingsmead BS48: Nail . . . 7E 56
Kingsmead Ct. BA1: Bath . . . 5E 6
Kingsmead E. BA1: Bath . . . 5B 100 (5E 6)
Kingsmead Ho. BA1: Bath . . . 4E 6
Kingsmead Nth. BA1: Bath . . . 5B 100 (5E 6)
Kingsmead Rd. BS5: S'wll . . . 7J 49
Kingsmead Sq. BA1: Bath . . . 5B 100 (5F 7)
Kingsmead St. BA1: Bath . . . 5B 100 (4F 7)
Kingsmead Ter. BA1: Bath . . . 5F 7
Kingsmead Wlk. BS5: S'wll . . . 7J 49
Kingsmead W. BA1: Bath . . . 5B 100 (5E 6)
Kings M. BS6: Bris . . . 1K 61
Kingsmill BS9: Stok B . . . 3D 46
Kings Oak Mdw. BS39: Clut . . . 3G 139
Kings of Wessex Leisure Cen. . . . 7D 150
Kings Pde. Av. BS8: Clif . . . 7H 47
Kings Pde. M. BS8: Clif . . . 7G 47
Kings Pk. Av. BS2: Bris . . . 3E 62
King Sq. BS2: Bris . . . 1K 61 (1F 5)
(not continuous)
King Sq. Av. BS2: Bris . . . 1K 61 (1F 5)
King's Rd. BS4: Brisl . . . 6E 62
BS8: Clif . . . 2G 61
BS20: P'head . . . 4B 42
BS21: Clev . . . 4D 54
Kings Rd. BS40: Wrin . . . 3F 111
Kings Sq. BS30: Bit . . . 2H 79
Kingston Av. BA15: Brad A . . . 7J 125
BS21: Clev . . . 6E 54
BS31: Salt . . . 1G 97
Kingston Bldgs. BA1: Bath . . . 5G 7
(off York St.)
Kingston Cl. BS16: Mang . . . 1E 50
Kingston Dr. BS16: Mang . . . 1E 50
BS48: Nail . . . 2E 70
Kingston La. BS40: Winf . . . 4J 91
(not continuous)
Kingston Pde. BA1: Bath . . . 5G 7
(off York St.)
Kingston Rd. BA1: Bath . . . 5C 100 (5G 7)
BA15: Brad A . . . 6H 125
BS3: Bedm . . . 5J 61
BS48: Nail . . . 2E 70
KINGSTON SEYMOUR . . . 1C 86
Kingston Way BS48: Nail . . . 2E 70
Kingstree St. BS4: Wind H . . . 5C 62
King St. BS1: Bris . . . 3K 61 (5E 4)
BS5: E'tn . . . 7E 48
BS11: A'mth . . . 6E 32
BS15: K'wd . . . 1K 63
TA9: High . . . 5F 159
King's Wlk. BS13: B'wth . . . 3E 74
Kingsway BA2: Bath . . . 1J 121
BS5: St G . . . 2K 63
BS15: K'wd . . . 2K 63
BS20: P'head . . . 4B 42
BS34: Lit S . . . 1E 36
Kingsway Av. BS5: St G . . . 1K 63
BS15: K'wd . . . 1K 63
Kingsway Cvn. Pk. BS20: P'head . . . 2F 43
Kingsway Cres. BS15: K'wd . . . 1A 64
Kingsway Rd. TA8: Bur S . . . 1D 158
Kingsway Shop. Pct. BS5: St G . . . 3K 63
Kingsway Trailer Pk. BS30: Warm . . . 3F 65
Kingswear BS22: Wor . . . 2E 106
Kingswear Rd. BS3: Know . . . 1K 75
Kings Weston Av. BS11: Shire . . . 1H 45
Kings Weston Down Nature Reserve
. . . 6C 34
Kings Weston La.
BS11: A'mth, Law W . . . 3G 33
Kings Weston Rd. BS10: Hen . . . 6B 34
BS11: Law W . . . 1A 46
KINGSWOOD . . . 1B 64
Kingswood Fountain Est.
BS15: K'wd . . . 1A 64
Kingswood Heritage Mus. . . . 3F 65
Kingswood Leisure Cen. . . . 5B 50
Kingswood Theatre . . . 1A 100
Kingswood Trad. Est. BS15: K'wd . . . 7B 50
KINGTON . . . 3G 11
Kington La. BS35: King, T'bry . . . 3G 11
Kington Rd. BS35: King . . . 1G 11
Kingwell Vw. BS39: High L . . . 3B 140
King William Av. BS1: Bris . . . 3K 61 (5F 5)
King William St. BS3: Bedm . . . 5H 61
Kinsale Rd. BS14: H'gro . . . 3E 76
Kinsale Wlk. BS4: Know . . . 1A 76
Kinvara Rd. BS4: Know . . . 2A 76
Kinver Ter. TA8: Bur S . . . 1C 158
Kipling Av. BA2: Bath . . . 7B 100
Kipling Rd. BA3: Rads . . . 5G 153
BS7: Hor . . . 6D 36
BS23: W Mare . . . 2J 127
Kirkby Rd. BS11: Law W . . . 6A 34
Kirkstone Gdns. BS10: S'mead . . . 5J 35
Kirtlington Rd. BS5: Eastv . . . 5D 48
Kite Hay Cl. BS16: Stap . . . 3G 49
Kites Cl. BS32: Brad S . . . 4E 26
Kite Wlk. BS22: Wor . . . 4C 106
Kitland La. BS40: L'frd . . . 5D 110
Kitley Hill BA3: Mid N . . . 2G 153
Knapp La. GL12: Crom . . . 1B 14
Knapp Rd. BS35: T'bry . . . 4A 12
Knapp Rd. E. BS35: T'bry . . . 2C 12
Knapps Cl. BS25: Wins . . . 5F 131
Knapps Dr. BS25: Wins . . . 5F 131
Knapps La. BS5: S'wll . . . 6G 49
Knapp, The BS37: Yate . . . 1F 31
Kneller Cl. BS11: Law W . . . 7A 34
Knight Cl. BS22: Wor . . . 6E 84
KNIGHTCOTT . . . 2K 129
Knightcott Gdns. BS29: Ban . . . 2K 129
Knightcott Ind. Est. BS29: Ban . . . 2J 129
Knightcott Pk. BS29: Ban . . . 2A 130
Knightcott Rd. BS8: Abb L . . . 1K 59
BS29: Ban . . . 2J 129
Knighton Rd. BS10: S'mead . . . 6A 36
Knights Acres BS29: Ban . . . 2K 129
Knightsbridge Pk. BS13: Hart . . . 6A 76
Knights Cl. BS9: Henl . . . 2H 47
Knightstone C'way. BS23: W Mare . . . 4E 104
Knightstone Cl. BA2: Pea J . . . 5B 142
BS26: Axb . . . 5J 149
Knightstone Ct. BS21: Clev . . . 1D 68
BS23: W Mare . . . 3F 105
TA8: Bur S . . . 3D 158
Knightstone Gdns. BS23: W Mare . . . 7F 105
Knightstone Ho. BS2: Bris . . . 1D 4
BS23: W Mare . . . 4F 105
(off Bristol Rd. Lwr.)
Knightstone Mt. BS5: St G . . . 3J 63
(off Nicholas La.)
Knightstone Pl. BA1: W'ton . . . 2H 99
BS15: Han . . . 6K 63
BS22: Wor . . . 2D 106
Knightstone Rd. BS23: W Mare . . . 3E 104
Knightstone Sq. BS14: H'gro . . . 4E 76
Knightswood BS48: Nail . . . 6F 57
Knightwood Rd. BS34: Stok G . . . 2H 37
Knobsbury Hill BA3: Rads . . . 7D 154
Knobsbury La. BA3: Writ . . . 5C 154
Knole Cl. BS32: Alm . . . 2B 26
Knole La. BS10: Bren . . . 4G 35
Knole Pk. BS32: Alm . . . 3B 26
Knoll Ct. BS9: Stok B . . . 5D 46
Knoll Hill BS9: Stok B . . . 5D 46
Knoll Pk. TA8: Brean . . . 4B 144
Knoll, The BS20: P'head . . . 1F 43
Knoll Vw. TA8: Bur S . . . 7E 156
Knovill Cl. BS11: Law W . . . 5B 34
KNOWLE . . . 7D 62
KNOWLE HILL . . . 5J 115
KNOWLE PARK . . . 1D 76
Knowle Rd. BS4: Wind H . . . 6B 62
Knowles Rd. BS21: Clev . . . 7C 54
Knowsley Rd. BS16: Fish . . . 5G 49
Kyght Cl. BS15: Warm . . . 1E 64
Kylross Av. BS14: H'gro . . . 5D 76
Kynges Mill Cl. BS16: B'hll . . . 1J 49
Kyrle Gdns. BA1: Bathe . . . 7H 83

L

Labbott, The BS31: Key . . . 5C 78
Laburnam Ter. BA1: Bathe . . . 7H 83
Laburnum Cl. BA3: Mid N . . . 6D 152
Laburnum Ct. BS23: W Mare . . . 5K 105
Laburnum Gro. BA3: Mid N . . . 6D 152
BS16: Fish . . . 4K 49
Laburnum Rd. BS15: Han . . . 4A 64
BS23: W Mare . . . 5J 105
Laburnum Wlk. BS31: Key . . . 7A 78
Lacey Rd. BS14: Stoc . . . 4G 77
Lacock Dr. BS30: Bar C . . . 4D 64
Ladd Cl. BS15: K'wd . . . 2D 64
TA9: High . . . 5F 159
Ladden Ct. BS35: T'bry . . . 4A 12
Ladies Mile BS9: Stok B . . . 7F 47
Ladman Gro. BS14: Stoc . . . 4G 77
Ladman Rd. BS14: Stoc . . . 4G 77
Ladycroft BS21: Clev . . . 2A 68
Ladye Bay BS21: Clev . . . 2D 54
Ladye Wake BS22: Wor . . . 7D 84
Ladymead BS20: P'head . . . 3H 43
Ladymeade BS48: Back . . . 3J 71
Ladymead La. BS25: C'hll . . . 1B 132
BS40: L'frd . . . 7B 110
Ladysmith Rd. BS6: Henl . . . 4H 47
Ladywell BS40: Wrin . . . 2F 111
Laggan Gdns. BA1: Bath . . . 2A 100
Lake La. GL12: Crom . . . 3C 14
Lake Mead Gdns. BS13: Withy . . . 6F 75
Lakemead Gro. BS13: B'wth . . . 4F 75
Lake Rd. BS10: W Trym . . . 1J 47
BS20: P'head . . . 2E 42
Lakeside BS16: Fish . . . 5G 49
TA9: High . . . 4G 159
Lakeside Cl. BS40: Nem T . . . 7G 113
Lakeside Ct. BS24: Wor . . . 3F 107
Lake Vw. BS16: Fish . . . 5H 49
Lake Vw. Cres. TA9: High . . . 5G 159
Lake Vw. Rd. BS5: St G . . . 1F 63
Lakewood Cres. BS10: W Trym . . . 7H 35
Lakewood Rd. BS10: W Trym . . . 7H 35
Lambert Pl. BS4: Know . . . 4K 75
Lamb Hill BS5: St G . . . 2H 63
Lambley Rd. BS5: St G . . . 1G 63
Lambourn Cl. BS3: Wind H . . . 6K 61
Lambourne Way BS20: P'head . . . 4H 43
Lambourn Rd. BS31: Key . . . 6E 78
LAMBRIDGE . . . 2E 100
Lambridge Bldgs. BA1: Bath . . . 1D 100
Lambridge Grange BA1: Bath . . . 1E 100
Lambridge M. BA1: Bath . . . 2E 100
Lambridge Pl. BA1: Bath . . . 2E 100
Lambridge St. BA1: Bath . . . 2E 100
Lambrook Rd. BS16: Fish . . . 4J 49
Lamb St. BS2: Bris . . . 2B 62 (2K 5)
Lamington Cl. BS13: B'wth . . . 4F 75
Lamord Ga. BS34: Stok G . . . 2G 37
Lampards Bldgs.
BA1: Bath . . . 3B 100 (1F 7)
Lampeter Rd. BS9: W Trym . . . 1F 47
Lampley Rd. BS21: Kenn, King S . . . 1C 86
Lampton Av. BS13: Hart . . . 7A 76
Lampton Gro. BS13: Hart . . . 7A 76
Lampton Rd. BS4: L Ash . . . 1K 73
Lanaway Rd. BS16: Fish . . . 2K 49
Lancashire Rd. BS7: B'stn . . . 5A 48
Lancaster Cl. BS34: Stok G . . . 3F 37
Lancaster Rd. BS2: Bris . . . 6C 48
BS37: Yate . . . 3E 30
Lancaster St. BS5: Redf . . . 2E 62
Lancelot Rd. BS16: Stap . . . 7G 37
Landemann Cir. BS23: W Mare . . . 4G 105
Landemann Path BS23: W Mare . . . 4G 105
Land La. BS49: Yat . . . 4J 87
Landmark Ct. BS1: Bris . . . 7C 4
Landrail Wlk. BS16: B'hll . . . 2H 49
Landseer Av. BS7: L'Ize . . . 2D 48
Landseer Cl. BS22: Wor . . . 1D 106
Landseer Rd. BA2: Bath . . . 5H 99
Land, The BS36: Coal H . . . 7G 29
Lanercost Rd. BS10: S'mead . . . 5J 35
Lanesborough Ri. BS14: Stoc . . . 3F 77
Lanes End BS4: Brisl . . . 1E 76
Lane, The BS35: E Comp . . . 4F 25
Laneys Drove BS24: Lock . . . 7C 106
Langdale Ct. BS34: Pat . . . 6C 26
Langdale Rd. BS16: Fish . . . 4H 49
Langdon Rd. BA2: Bath . . . 7H 99
Langdown Ct. BS14: Stoc . . . 5G 77
Langfield Cl. BS10: Hen . . . 4E 34
LANGFORD GREEN . . . 2G 133
Langford La. BS40: Burr, L'frd . . . 7G 111
Langford Pl. Gdns. BS40: L'frd . . . 6F 111
Langford Rd. BS13: B'wth . . . 2F 75
BS23: W Mare . . . 6J 105
BS40: L'frd . . . 7D 110
Langford's La. BS39: High L . . . 5A 140
Langford Way BS15: K'wd . . . 2C 64
Langham Rd. BS4: Know . . . 7E 62
Langhill Av. BS4: Know . . . 3J 75
Langlands La. TA9: W Hunt . . . 7D 158
Langley Cres. BS3: Ash V . . . 1E 74
Langley Down La. BA3: Mid N . . . 4A 152
Langley Mow BS16: Emer G . . . 1F 51
Langley's La. BA3: C'tn, Mid N . . . 7A 152
BS39: Paul . . . 7A 152
Langport Gdns. BS48: Nail . . . 2G 71
Langport Rd. BS23: W Mare . . . 6G 105
LANGRIDGE . . . 2A 82
Langridge La. BA1: L'rdge, L'dwn . . . 3H 81
Langthorn Cl. BS36: Fram C . . . 7G 29
Langton Ct. BA2: New L . . . 6B 98
Langton Ct. Rd. BS4: St Ap . . . 4F 63
Langton Ho. BS2: Bris . . . 2J 5
Langton Pk. BS3: Bedm . . . 5J 61
Langton Rd. BS4: St Ap . . . 4F 63
Langton Way BS4: St Ap . . . 3H 63
LANSDOWN . . . 4H 81
Lansdown BS37: Yate . . . 6E 30
Lansdown Cl. BA1: Bath . . . 2A 100
BS15: K'wd . . . 6B 50
Lansdown Cres. BA1: Bath . . . 2B 100
BA2: Tim . . . 3G 141
Lansdowne BS16: Fren . . . 6A 38
(off Avon Ring Rd.)
Lansdowne Ct. BS5: E'tn . . . 1C 62
Lansdown Gdns. BS22: Wor . . . 6F 85
Lansdown Gro. BA1: Bath . . . 3B 100 (1F 7)
Lansdown Hgts. BA1: Bath . . . 1B 100
Lansdown Ho. BS16: Soun . . . 6B 50
Lansdown La. BA1: L'dwn, W'ton . . . 1H 99
BS30: Upton C . . . 1B 80
Lansdown M. BA1: Bath . . . 4B 100 (3F 7)
Lansdown Pk. BA1: L'dwn . . . 7A 82
Lansdown Pl. BS8: Clif . . . 2G 61
BS16: Emer G . . . 1F 51
BS39: High L . . . 4A 140
Lansdown Pl. E. BA1: Bath . . . 3B 100
Lansdown Pl. W. BA1: Bath . . . 2B 100
Lansdown Rd. BA1: Bath . . . 3B 100 (1F 7)
(Bath)

Moorlands—Norfolk Av.

MOORLANDS 7K 99
Moorlands Cl. BS48: Nail 7F 57
Moorlands Rd. BS16: Fish 5H 49
(not continuous)
Moorland St. BS26: Axb 5J 149
Moor La. BS20: Clap G 7G 43
BS21: Clev 7E 54
(not continuous)
BS21: Tic 5B 56
BS21: Walt G 2H 55
BS22: Wor 3D 106
BS24: Hut 1B 128
BS24: W Mare, Wor 5C 106
BS32: Toc 5A 18
BS48: Back 4H 71
MOORLEDGE 3K 115
Moorledge La. BS39: Stan D 4B 116
BS40: Chew M 3J 115
Moorledge Rd. BS40: Chew M 2H 115
Moor Pk. BS21: Clev 7E 54
Moorpark Av. BS37: Yate 5C 30
Moor Rd. BS29: Ban 4K 107
(not continuous)
BS49: Yat 7H 69
MOORSFIELD 2G 139
Moorside BS49: Yat 2H 87
Moravian Ct. BS15: K'wd 1B 64
Moravian Rd. BS15: K'wd 1B 64
Morden Wlk. BS14: Stoc 3F 77
Moreton Cl. BS14: Whit 6C 76
Moreton La. BS40: Comp M 3D 136
Morford St. BA1: Bath 3B 100 (2F 7)
Morgan Cl. BS22: W Wick 4F 107
BS31: Salt 1H 97
Morgans Hill Cl. BS48: Nail 2F 71
Morgan St. BS2: Bris 7B 48
Morgan Way BA2: Pea J 6D 142
Morland Rd. TA9: High 4F 159
Morlands Ind. Pk. TA9: High 4F 159
Morley Av. BS16: Mang 4E 50
Morley Cl. BS16: Soun 4B 50
BS34: Lit S 7E 26
Morley Rd. BS3: Bedm 5J 61
BS16: Soun 4B 50
Morley Sq. BS7: B'stn 4A 48
Morley St. BS2: Bris 7B 48
BS5: Bar H 2D 62
Morley Ter. BA2: Bath 4A 6
BA3: Rads 3A 154
BS15: K'wd 7B 50
Mornington Rd. BS8: Clif 6G 47
Morpeth Rd. BS4: Know 2K 75
Morris La. BA1: Bathf 7K 83
Morris Rd. BS7: L'lze 3C 48
Morse Rd. BS5: Redf 2E 62
Mortimer Cl. BA1: W'ton 1H 99
Mortimer Rd. BS8: Clif 2G 61
BS34: Fil 6D 36
MORTON 2B 12
Morton St. BS5: Bar H 2D 62
Morton Way BS35: T'bry 1B 12
Moseley Gro. BS23: Uph 3G 127
Motion Media Cen. BS35: Aust 4F 9
Motorway Distribution Cen.
BS11: A'mth 5G 33
Moulton Dr. BA15: Brad A 7G 125
Mountain Ash BA1: W'ton 2K 99
Mountain M. BS5: St G 2J 63
Mountain's La. BA2: F'boro 5B 118
Mountain Wood BA1: Bathf 1A 102
Mountbatten Cl. BS22: Kew 7C 84
BS37: Yate 3D 30
TA8: Bur S 6C 156
Mount Beacon BA1: Bath 2C 100
Mount Beacon Pl. BA1: Bath 2B 100
Mt. Beacon Row BA1: Bath 2C 100
Mount Cl. BS36: Fram C 6D 28
Mount Cres. BS36: Wint 2C 38
Mounteney's La. GL12: Wickw 6K 15
Mount Gdns. BS15: K'wd 3B 64
Mount Gro. BA2: Bath 1H 121
MOUNT HILL 3C 64
Mt. Hill Rd. BS15: Han, K'wd 3A 64
Mount Pleasant BA2: Mon C 3F 123
BA3: Rads 4B 154
BA15: Brad A 5H 125
BS10: H'len 3C 34
BS20: Pill 4H 45
Mt. Pleasant Ter. BS3: Bedm 5J 61
Mount Rd. BA1: Bath 3B 100
BA2: Bath 7G 99
Mount Vw. *BA1: Bath 2C 100*
(off Beacon Rd.)
BA2: Bath 1H 121
Mow Barton BS13: B'wth 4F 75
BS37: Yate 4D 30
Mowbray Rd. BS14: H'gro 3E 76
Mowcroft Rd. BS13: Hart 6J 75
Moxham Dr. BS13: Hart 6H 75
Muddy La. BS22: Wick L 2E 84
Mud La. BS49: Clav 1K 87
Muirfield BS30: Warm 3E 64
BS37: Yate 6E 30
Mulberry Av. BS20: P'head 3G 43
Mulberry Cl. BS15: K'wd 1C 64
BS20: P'head 3H 43
BS22: Wor 3D 106
BS48: Back 4J 71
Mulberry Dr. BS15: K'wd 7D 50
Mulberry La. BS24: B'don 7A 128
Mulberry Rd. BS49: Cong 1A 110
Mulberry Wlk. BS9: C Din 7C 34
Muller Av. BS7: B'stn 4B 48
Muller Rd. BS5: Eastv 5D 48
BS7: Hor 2B 48
Mulready Cl. BS7: L'lze 2E 48
Mumbleys La. BS35: T'bry 6G 11
Murford Av. BS13: Hart 5H 75
Murford Wlk. BS13: Hart 6H 75
MURHILL 6A 124
Murray St. BS3: Bedm 5J 61
Mus. of Bath at Work 3B 100 (1F 7)
Mus. of Costume 4B 100 (2F 7)
Mus. of East Asian Art 4B 100 (2E 6)
Musgrove Cl. BS11: Law W 5C 34
Myrtleberry Mead BS22: Wick L 6E 84
Myrtle Dr. BS11: Shire 3J 45
TA8: Bur S 1C 158
Myrtle Gdns. BS49: Yat 3J 87
Myrtle Hill BS20: Pill 4G 45
Myrtle Rd. BS2: Bris 1J 61 (1D 4)
Myrtles, The BS24: Hut 3B 128
Myrtle St. BS3: Bedm 5H 61
Mythern Mdw. BA15: Brad A 7J 125

N

Nags Head Hill BS5: St G 2J 63
NAILSEA 7G 57
Nailsea & Backwell Station (Rail) 3H 71
Nailsea Cl. BS13: B'wth 3G 75
Nailsea Moor La. BS48: Nail 3B 70
Nailsea Pk. BS48: Nail 7H 57
Nailsea Pk. Cl. BS48: Nail 6H 57
Nailsea Wall BS21: Clev 2G 69
BS48: Nail 2G 69
Nailsea Wall La. BS48: Nail 3A 70
Nailsworth Av. BS37: Yate 5E 30
NAILWELL 6D 120
Naishcombe Hill BS30: Wick 3C 66
Naishes Av. BA2: Pea J 5D 142
Naish Hill BS20: Clap G 7H 43
Naish Ho. BA2: Bath 5G 99
Naish La. BS48: Bar G 7G 73
Naish Rd. TA8: Bur S 4C 156
Nanny Hurn's La.
BS39: Came, Clut 3C 138
Napier Ct. BS1: Bris 4H 61 (7A 4)
Napier Miles Rd. BS11: Law W 7A 34
Napier Rd. BA1: W'ton 7G 81
BS5: Eastv 6D 48
BS6: Redl 6H 47
BS11: A'mth 6F 33
Napier Sq. BS11: A'mth 6E 32
Napier St. BS5: Bar H 3D 62
Narroways Rd. BS2: Bris 5C 48
Narrow La. BS16: Soun 5C 50
Narrow Lewins Mead BS1: Bris 3E 4
Narrow Plain BS2: Bris 3A 62 (4H 5)
Narrow Quay BS1: Bris 4K 61 (6E 4)
Narrow Quay Ho. BS1: Bris 5E 4
Naseby Wlk. BS5: S'wll 7H 49
Nash Cl. BS31: Key 5E 78
Nash Dr. BS7: L'lze 1E 48
Nates La. BS40: Wrin 3H 111
Naunton Way BS22: W Mare 2K 105
Neads Dr. BS30: Old C 4G 65
Neale La. BS11: A'mth 6G 33
Neate Ct. BS34: Pat 6E 26
Neath Rd. BS5: W'hall 1F 63
Nelson Bldgs. BA1: Bath 3C 100 (1H 7)
Nelson Ct. BS22: Wor 7C 84
Nelson Ho. BA1: Bath 4A 100 (3D 6)
BS16: Stap H 3B 50
Nelson Pde. BS3: Bedm 5K 61 (7F 5)
Nelson Pl. E. BA1: Bath 3C 100 (1G 7)
Nelson Pl. W. BA1: Bath 5A 100 (4D 6)
Nelson Rd. BS16: Stap H 3B 50
(not continuous)
Nelson St. BS1: Bris 2K 61 (3F 5)
BS3: Bedm 7G 61
Nelson Vs. BA1: Bath 5A 100 (4C 6)
Nempnett St. BS40: Nem T 6G 113
NEMPNETT THRUBWELL 7H 113
Neston Wlk. BS4: Know 2B 76
NETHAM 3F 63
Netham Ind. Pk. BS5: Redf 2F 63
Netham Pk. Ind. Est. BS5: Redf 3F 63
Netham Rd. BS5: Redf 2F 63
Netherton Wood La. BS48: Nail 4B 70
Netherways BS21: Clev 1B 68
Nettlefrith La. TA8: Berr 6D 144
Nettlestone Cl. BS10: Hen 3E 34
Nevalan Dr. BS5: St G 3J 63
Neva Rd. BS23: W Mare 6G 105
Nevill Ct. BA2: New L 6B 98
Neville Rd. BS15: K'wd 6C 50
Nevil Rd. BS7: B'stn 4A 48
Newark St. BA1: Bath 6C 100 (6G 7)
Newbolt Cl. BS23: W Mare 1J 127
New Bond St. BA1: Bath 5B 100 (4F 7)
New Bond St. Pl. BA1: Bath 4G 7
Newbourne Rd. BS22: W Mare 5A 106
Newbrick Rd. BS34: Stok G 2J 37
NEWBRIDGE 3G 99
Newbridge Cl. BS4: St Ap 3F 63
Newbridge Ct. BA1: Bath 4H 99
Newbridge Drove TA9: E Hunt 7H 159
Newbridge Gdns. BA1: Bath 3G 99
Newbridge Hill BA1: Bath 3G 99
Newbridge La. TA9: E Hunt 7H 159
(not continuous)
Newbridge Rd. BA2: Bath 3F 99
BS4: St Ap 3F 63
Newbridge Trad. Est. BS4: St Ap 4F 63
New Bristol Rd. BS22: Wor 3C 106
New Brunswick Av. BS5: St G 2K 63
NEW BUILDINGS 6A 142
New Bldgs. BS16: Fish 4H 49
Newbury Rd. BS7: Hor 1C 48
New Charlotte St. BS3: Bedm 5K 61 (7F 5)
NEW CHELTENHAM 7C 50
New Cheltenham Rd. BS15: K'wd 7B 50
New Church Rd. BS23: Uph 3F 127
Newclose La. BS40: Comp M 4D 136
Newcombe Dr. BS9: Stok B 4C 46
Newcombe La. BS25: Wins 6H 131
Newcombe Rd. BS9: W Trym 1F 47
New Cut Bow BS21: King S 5A 68
Newditch La. BS40: F'tn 2G 91
Newdown La. BS4: Dun 2H 93
New Ear La. BS24: Hew 7J 85
New Engine Rank BS36: H'fld 4H 39
Newent Av. BS15: K'wd 2K 63
Newfields BS40: Blag 4A 134
New Fosseway Rd. BS14: H'gro 4D 76
Newfoundland Rd. BS2: Bris 1B 62 (1J 5)
Newfoundland St. BS2: Bris 1A 62 (1H 5)
Newfoundland Way BS2: Bris 1B 62 (1J 5)
Newgate BS1: Bris 2A 62 (3G 5)
Newhaven Pl. BS20: P'head 4A 42
Newhaven Rd. BS20: P'head 5A 42
Newhouse Farm Ind. Est.
NP16: Bulw 1A 8
New John St. BS3: Bedm 6J 61
New Kingsley Rd. BS2: Bris 3B 62 (4J 5)
New King St. BA1: Bath 5B 100 (4D 6)
Newland Dr. BS13: Withy 6G 75
Newland Rd. BS13: Withy 6G 75
BS23: W Mare 6H 105
Newlands Av. BS36: Coal H 7G 29
Newlands Cl. BS20: P'head 3E 42
Newlands Grn. BS21: Clev 1E 68
Newlands Hill BS20: P'head 4E 42
Newlands Rd. BS31: Key 6B 78
Newlands, The BS16: Fren 1K 49
Newland Wlk. BS13: Withy 7G 75
New La. BS35: Alv 7A 12
BS40: Regil, Winf 6H 91
NEWLEAZE 5D 36
New Leaze BS32: Brad S 3E 26
Newleaze Ho. BS34: Fil 5D 36
Newlyn Av. BS9: Stok B 3D 46
Newlyn Wlk. BS4: Know 1D 76
Newlyn Way BS37: Yate 4F 31
Newman Cl. BS37: W'lgh 3B 40
Newmans La. BA2: Tim 3F 141
TA9: E Hunt 7K 159
Newmarket Av. BS1: Bris 2K 61 (3F 5)
New Mkt. Row *BA2: Bath 4G 7*
(off Grand Pde.)
Newnham Cl. BS14: Stoc 3F 77
Newnham Pl. BS34: Pat 5B 26
New Orchard St.
BA1: Bath 5C 100 (5G 7)
NEW PASSAGE 4A 16
New Pit BS39: Paul 7D 140
Newpit La. BS30: Bit 6J 65
Newport Cl. BS20: P'head 4B 42
BS21: Clev 7C 54
Newport Rd. BS20: Pill 3G 45
Newport St. BS3: Wind H 6A 62
Newquay Rd. BS4: Know 1B 76
New Queen St.
BS3: Bedm 5A 62
BS15: K'wd 7K 49
New Rd. BA1: Bathf 1B 102
BA2: F'frd 7K 123
BA2: Tim 3A 140
BA15: Brad A 5H 125
BS20: Pill 4G 45
BS25: C'hll 2B 132
BS25: Row, Ship 5A 132
BS29: Ban 1J 129
BS34: Fil 4B 36
(Fitton)
BS34: Fil, Stok G 5E 36
(Harry Stoke)
BS35: Olv 3C 18
BS37: Rang 5A 22
(not continuous)
BS39: High L 3A 140
BS39: Pens 1F 117
BS40: Redh 7D 90
GL12: Tyth 7F 13
TA9: E Hunt, W Hunt 7E 158
Newry Wlk. BS4: Know 1A 76
Newsome Av. BS20: Pill 4G 45
New Stadium Rd. BS5: Eastv 6D 48
New Station Rd. BS16: Fish 4J 49
New Station Way BS16: Fish 4J 49
New St. BA1: Bath 5B 100 (5F 7)
BS2: Bris 2B 62 (2J 5)
New St. Flats BS2: Bris 2B 62 (2J 5)
New Thomas St. BS2: Bris 3B 62 (3J 5)
NEWTON 4F 159
Newton Cl. BS15: K'wd 7E 50
BS40: W Har 7E 136
TA8: Bur S 5C 156
Newton Dr. BS30: C Hth 4E 64
Newton Grn. BS48: Nail 2E 70
Newton Mill Camping & Cvn. Pk.
BA2: New L 5F 99
Newton Rd. BA2: Bath 6F 99
BS23: W Mare 7G 105
BS30: C Hth 4E 64
NEWTON ST LOE 5C 98
Newtons Rd. BS22: Kew, Wor 7C 84
(not continuous)
Newton St. BS5: E'tn 1C 62 (1K 5)
NEWTOWN
Bristol 2C 62
Knowle Hill 5K 115
Newtown BA15: Brad A 6G 125
BS39: Paul 1B 152
Newtown Rd. TA9: High 5F 159
(not continuous)
New Tyning Ter. *BA1: Bath 2D 100*
(off Fairfield Rd.)
New Vs. BA2: Bath 7C 100
New Wlk. BS15: Han 4K 63
New Walls BS4: Wind H 5B 62
Niblett Cl. BS15: K'wd 3D 64
Niblett's Hill BS5: St G 3H 63
NIBLEY 5A 30
Nibley La. BS37: Iron A 3J 29
BS37: W'lgh, Yate 5A 30
Nibley Rd. BS11: Shire 3H 45
Nicholas La. BS5: St G 3J 63
Nicholas Rd. BS5: Eastv 7D 48
Nicholas St. BS3: Bedm 5A 62
Nicholettes BS30: Old C 4H 65
Nicholls Ct. BS36: Wint 1C 38
Nicholls La. BS36: Wint 7C 28
Nicholl's Pl. *BA1: Bath 1F 7*
(off Lansdown Rd.)
Nichol's Rd. BS20: P'head 2B 42
Nigel Pk. BS11: Shire 1J 45
Nightingale Cl. BS4: St Ap 3G 63
BS22: Wor 3C 106
BS35: T'bry 2B 12
BS36: Fram C 1E 38
TA8: Bur S 6D 156
Nightingale Ct. *BS22: Wor 3C 106*
(off Nightingale Cl.)
Nightingale Gdns. BS48: Nail 7E 56
Nightingale La. BS36: Wint 6E 28
Nightingale Ri. BS20: P'head 5B 42
Nightingale Valley BS4: St Ap 4G 63
Nightingale Way BA3: Mid N 6F 153
Nile St. BA1: Bath 5A 100 (4D 6)
NINE ELMS 4G 137
Nine Tree Hill BS1: Bris 7A 48
Ninth Av. BS7: Hor 6D 36
Nippors Way BS25: Wins 5F 131
Nithsdale Rd. BS23: W Mare 1G 127
Noble Av. BS30: Old C 5G 65
Noel Coward Cl. TA8: Bur S 2E 158
Nomis Pk. BS49: Cong 2A 110
Nore Gdns. BS20: P'head 2E 42
Nore Pk. Dr. BS20: P'head 2B 42
Nore Rd. BS20: P'head 4A 42
Norewood Gro. BS20: P'head 3B 42
Norfolk Av. BS2: Bris 1A 62 (1H 5)
BS6: Bris 6A 48

Norfolk Bldgs.—Old Park Hill

Norfolk Bldgs. BA1: Bath 5A 100 (4D 6)
Norfolk Cres. BA1: Bath 5A 100 (4D 6)
Norfolk Gro. BS31: Key 6A 78
Norfolk Pl. BS3: Bedm 6J 61
Norfolk Rd. BS20: P'head 4G 43
BS23: W Mare 7H 105
Norland Rd. BS8: Clif 1F 61
Norley Rd. BS7: Hor 1B 48
Normanby Rd. BS5: E'tn 7D 48
Norman Gro. BS15: K'wd 6B 50
Norman Rd. BS2: Bris 6C 48
BS30: Warm 7F 51
BS31: Salt 7H 79
Normans, The BA2: B'ptn 2H 101
Normanton Rd. BS8: Clif 6G 47
Norrisville Rd. BS6: Bris 7A 48
Northam Farm Cvn. & Touring Pk.
TA8: Brean 3C 144
Northampton Bldgs.
BA1: Bath 3B 100 (1E 6)
Northampton St. BA1: Bath 3B 100 (1E 6)
Northanger Ct. *BA2: Bath 3H 7*
(off Grove St.)
North Av. TA9: High 4E 158
Northavon Bus. Cen. BS37: Yate 3C 30
Nth. Chew Ter. BS40: Chew M 1H 115
NORTH COMMON 3H 65
NORTH CORNER 5D 28
Northcote Rd. BS5: St G 1G 63
BS8: Clif 7F 47
BS16: Down, Mang 2D 50
Northcote St. BS5: E'tn 7D 48
North Ct. BS32: Brad S 3F 27
North Cft. BS30: Old C 5H 65
Nth. Devon Rd. BS16: Fish 3J 49
Nth. Down Cl. BS25: Ship 5B 132
Nth. Down La. BS25: Ship 5A 132
Northdown Rd. BA3: Clan 1J 153
North Drove BS48: Nail 1K 69
Nth. E. Rd. BS35: T'bry 2A 12
NORTH END
Batheaston 5H 83
Clutton 7G 117
Wingston Seymour 7F 69
Northend BA3: Mid N 4F 153
North End BS49: Yat 7F 69
Northend Av. BS15: K'wd 6B 50
Northend Cotts. BA1: Bathe 5H 83
Northend Gdns. BS15: K'wd 6B 50
Northend Rd. BS15: K'wd 6C 50
Nth. End Rd. BS49: Yat 7F 69
Northern Path BS21: Clev 6F 55
Northern Way BS21: Clev 7E 54
NORTHFIELD 4B 154
Northfield BA2: Tim 2G 141
BA3: Rads 3A 154
BA15: W'ley 5D 124
BS37: Yate 6D 30
Northfield Av. BS15: Han 4B 64
Northfield Ho. BS3: Bedm 5J 61
Northfield Rd. BS5: St G 2K 63
BS20: P'head 5A 42
Northfields BA1: Bath 2B 100
Northfields Cl. BA1: Bath 2B 100
Northgate St. BA1: Bath 5C 100 (4G 7)
North Grn. St. BS8: Clif 3F 61
North Gro. BS20: Pill 4G 45
Nth. Hills Cl. BS24: W Mare 3K 127
North La. BA2: Clav D 6F 101
BS23: W Mare 5G 105
(off Meadow St.)
BS48: Nail 1D 70
TA8: Berr 5B 144
Northleach Wlk. BS11: Shire 3K 45
North Leaze BS41: L Ash 7B 60
Northleigh BA15: Brad A 3J 125
Northleigh Av. BS22: W Mare 3A 106
Northmead Av. BA3: Mid N 4D 152
Northmead Cl. BA3: Mid N 4D 152
Northmead La. BS37: Iron A 1H 29
North Mdws. BA2: Pea J 5E 142
Northmead Rd. BA3: Mid N 4D 152
Northover Cl. BS9: W Trym 6F 35
Northover Ct. BS35: Piln 7E 16
Northover Rd. BS9: W Trym 6F 35
North Pde. BA1: Bath 5C 100 (5H 7)
BS37: Yate 4E 30
North Pde. Bldgs. *BA1: Bath 5G 7*
(off New Orchard St.)
North Pde. Pas. BA1: Bath 5C 100 (5G 7)
North Pde. Rd. BA2: Bath 5C 100 (5H 7)
North Pk. BS15: K'wd 7C 50
North Quay BS1: Bris 4H 5
North Rd. BA2: Bath, B'ptn 4E 100 (2K 7)
BA2: C Down 3D 122
BA2: Tim 3F 141
BA3: Mid N 5D 152
BS3: Ash G 5G 61
BS6: Bris 6K 47
North Rd. BS8: L Wds 2C 60
BS24: Lym 4B 146
BS29: Ban 2A 130
BS34: Stok G 3G 37
BS35: T'bry 2A 12
BS36: Wint 7D 28
BS37: Yate 7B 22
Nth. Side Rd. BS48: Back 3C 90
NORTH STOKE 3C 80
Nth. Stoke La. BS30: Upton C 2A 80
North St. BS1: Bris 1A 62 (1G 5)
BS3: Ash G, Bedm 5G 61
BS16: Down 3B 50
BS23: W Mare 4F 105
BS30: Old C 5G 65
BS48: Nail 1D 70
GL12: Wickw 6G 15
Northumberland Bldgs. BA1: Bath 4F 7
Northumberland Pl.
BA1: Bath 5C 100 (4G 7)
Northumberland Rd. BS6: Redl 6J 47
Northumbria Dr. BS9: Henl 3H 47
North Vw. BA2: Pea J 5C 142
BA3: Rads 4B 154
BS6: Henl 4G 47
BS16: Stap H 4B 50
(Hayward Rd.)
BS16: Stap H 3C 50
(South Vw.)
North Vw. Cl. BA2: Bath 6H 99
North Vw. Dr. BS29: Ban 3K 129
NORTHVILLE 6C 36
Northville Rd. BS7: Fil 6B 36
North Wlk. BS37: Yate 4E 30
North Way BA2: Bath 6G 99
BA3: Mid N 5E 152
Northway BS34: Fil 3D 36
NORTH WESTON 5E 42
NORTHWICK
Pilning 3D 16
NORTH WICK
East Dundry 3J 93
Northwick Gdns. BS39: Bis S 1J 137
Northwick Rd. BS7: Hor 7B 36
BS35: N'wick, Piln 3D 16
BS39: Nor H 4K 93
BS41: N Wick 4K 93
NORTH WIDCOMBE 5H 137
Northwoods Wlk. BS10: Bren 4K 35
Nth. Worle Shop. Cen. BS22: Wor 2F 107
NORTON 7A 84
Norton Cl. BS15: K'wd 2D 64
BS40: Chew M 1H 115
NORTON HAWKFIELD 5A 94
NORTON HILL 6F 153
Norton Ho. BS1: Bris 7G 5
Norton La. BS14: Whit 2E 94
BS22: Kew 7A 84
BS39: Nor H, Nor M 5A 94
BS40: Chew M 1H 115
NORTON MALREWARD 4C 94
Norton Rd. BS4: Know 7C 62
NORTON'S WOOD 4J 55
Nortons Wood La. BS21: Clev 4F 55
Norville Cl. BS27: Ched 7D 150
Norville La. BS27: Ched 6D 150
Norwich Dr. BS4: St Ap 3G 63
Norwood Av. BA2: Clav D 7G 101
Notgrove Cl. BS22: W Mare 2K 105
Nottingham Rd. BS7: B'stn 5A 48
Nottingham St. BS3: Wind H 6A 62
Notting Hill Way
BS26: L Wre, Weare 6D 148
Nova Distribution Cen. BS11: A'mth . . . 6F 33
Nova Scotia Pl. BS1: Bris 4G 61
Nova Way BS11: A'mth 6F 33
Nover's Cres. BS4: Know 2J 75
Nover's Hill BS3: Bedm 1J 75
BS4: Know 1J 75
Nover's Hill Trad. Est. BS3: Bedm 1J 75
Nover's La. BS4: Know 2J 75
Nover's Pk. Cl. BS4: Know 1J 75
Nover's Pk. Dr. BS4: Know 2J 75
Nover's Pk. Rd. BS4: Know 2K 75
Nover's Rd. BS4: Know 2J 75
Nowhere La. BS48: Nail 1H 71
Nugent Hill BS6: Cot 7K 47
No. 1 Royal Crescent 4A 100 (2D 6)
Nunney Cl. BS31: Key 1E 96
TA8: Bur S 6E 156
Nupdale La. BS35: King 4F 11
Nurseries, The GL12: Tyth 7F 13
Nursery Gdns. BS10: Bren 4G 35
Nursery, The BS3: Bedm 6H 61
Nutfield Gro. BS34: Fil 4C 36
Nutfield Ho. BS34: Fil 6D 36
Nutgrove Av. BS3: Wind H 6A 62
Nutgrove La. BS40: Chew M 1G 115
Nuthatch Dr. BS16: B'hll 2H 49
Nuthatch Gdns. BS16: B'hll 2H 49
Nutwell Rd. BS22: Wor 2C 106
Nutwell Sq. BS22: Wor 2C 106
NYE 4E 108
Nye Cl. BS27: Ched 7E 150
Nye Drove BS24: Nye 6C 108
BS29: Ban 6C 108
Nye Rd. BS25: Sandf 7F 109
Nympsfield BS15: K'wd 6C 50

O

Oak Av. BA2: Bath 1J 121
Oak Cl. BS34: Lit S 7F 27
BS37: Yate 2D 30
Oak Ct. BS14: Whit 4C 76
Oakdale Av. BS16: Down 7B 38
Oakdale Cl. BS16: Down 7C 38
Oakdale Ct. BS16: Down 7B 38
Oakdale Gdns. BS22: Wor 2D 106
Oakdale Rd. BS14: H'gro 2C 76
BS16: Down 7C 38
Oakdene Av. BS5: Eastv 5F 49
Oak Dr. BS20: P'head 4D 42
Oakenhill Rd. BS4: Brisl 7G 63
Oakenhill Wlk. BS4: Brisl 7G 63
Oak Farm Touring Pk. BS49: Cong 7H 87
Oakfield Bus. Pk. BS15: K'wd 2B 64
Oakfield Cl. BA1: Bath 3K 99 (1A 6)
Oakfield Gro. BS8: Clif 1H 61 (1A 4)
Oakfield Pl. BS8: Clif 1H 61 (1A 4)
Oakfield Rd. BS8: Clif 1G 61 (1A 4)
BS15: K'wd 2B 64
BS31: Key 7D 78
Oakford Av. BS23: W Mare 4H 105
Oakford La. BA1: Bathe 4J 83
SN14: Ash 3J 83
Oak Gro. BS20: E'tn G 4G 45
Oakhanger Dr. BS11: Law W 6A 34
Oakhill BS24: W Mare 3J 127
Oakhill Av. BS30: Bit 7G 65
Oakhill Cl. BS48: Nail 1K 71
Oakhill La. BS10: H'len 3C 34
Oakhill Rd. BA2: C Down 2B 122
Oak Ho. BS13: Hart 6K 75
Oakhurst Rd. BS9: W Trym 3F 47
Oakland Bus. Pk. BS37: Yate 3A 30
Oakland Dr. BS24: Hut 2C 128
Oakland Rd. BS5: St G 1G 63
BS6: Redl 7H 47
Oaklands BS21: Clev 5C 54
BS27: Ched 6C 150
BS39: Paul 2C 152
Oaklands Cl. BS16: Mang 3F 51
Oaklands Dr. BS16: B'hll 1J 49
BS30: Old C 7G 65
BS32: Alm 2C 26
Oaklands Rd. BS16: Mang 3E 50
Oak La. BS5: S'wll 6H 49
Oakleaze BS36: Coal H 7H 29
Oakleaze Rd. BS35: T'bry 3A 12
Oakleigh Av. BS5: W'hall 1F 63
Oakleigh Cl. BS48: Back 5K 71
Oakleigh Gdns. BS30: Old C 7G 65
Oakley BA2: Clav D 6G 101
BS21: Clev 2B 68
Oakley Rd. BS7: Hor 1B 48
Oakmeade Pk. BS4: Know 7D 62
Oakridge Cl. BS15: K'wd 2E 64
BS25: Wins 6H 131
Oakridge La. BS25: Wins 6H 131
Oak Rd. BS7: Hor 3A 48
BS25: Wins 4G 131
Oaksey Gro. BS48: Nail 7J 57
Oaks, The BS7: B'stn 4A 48
BS40: Winf 4K 91
BS48: Nail 7J 57
Oak St. BA2: Bath 6B 100 (6E 6)
Oak Ter. BA3: Rads 5H 153
Oak Tree Av. BS16: Puck 3B 52
Oaktree Cl. BS15: Han 6A 64
Oaktree Ct. BS11: Shire 1J 45
Oaktree Cres. BS32: Brad S 4D 26
Oaktree Gdns. BS13: Withy 5E 74
Oaktree Pk. (Cvn. Site)
BS24: Lock 1C 128
Oak Tree Pl. TA8: Bur S 4C 156
Oak Tree Wlk. BS31: Key 6B 78
Oakwood Av. BS9: Henl 2H 47
Oakwood Gdns. BA2: Clav D 6F 101
BS36: Coal H 7J 29
Oakwood Pk. BS16: Fish 5J 49
Oakwood Rd. BS9: Henl 2H 47
Oatfield BS48: Back 2D 90
Oatlands Av. BS14: Whit 4C 76
Oberon Av. BS5: S'wll 6G 49
Octagon 4B 100 (3F 7)
ODD DOWN 3K 121
Odeon Cinema 2K 61 (3F 5)
(Bristol)
Odeon Cinema 5G 105
(Weston-super-Mare)
Odins Rd. BA2: Odd D 3K 121
Okebourne Cl. BS10: Bren 3H 35
Okebourne Rd. BS10: Bren 4H 35
Oldacre Rd. BS14: Whit 7C 76
Old Ashley Hill BS6: Bris 6B 48
Old Aust Rd. BS32: Alm 7E 18
Old Banwell Rd. BS24: Lock 1F 129
Oldbarn La. BS40: Comp M 4D 136
Old Barn La. BS40: Redh 6E 90
Old Barrow Hill BS11: Shire 1H 45
Old Batch, The BA15: Brad A 4F 125
Old Bond St. BA1: Bath 5B 100 (4F 7)
Old Bread St. BS2: Bris 3B 62 (4J 5)
Oldbridge Rd. BS14: Whit 7E 76
Old Bristol Rd. BS22: Wor 2E 106
BS31: Key 3A 78
Old Burnham Rd. TA9: High 4F 159
Oldbury Chase BS30: Will 7E 64
Oldbury Ct. Dr. BS16: Fish 2K 49
Oldbury Ct. Rd. BS16: Fish 3J 49
Oldbury La. BS30: Wick 4D 66
Old Chelsea La. BS8: Fail 5G 59
Old Church Rd. BS21: Clev 7A 54
BS23: Uph 3F 127
Old Church Rd. BS26: Axb 5H 149
Old Church Rd. BS48: Nail 2F 71
Old Cider Mill Est. GL12: Wickw 5H 15
Old Coach Cl. NP16: B'ly 2C 8
Old Coach Rd. BS26: Cross, L Wre . . . 6D 148
NP16: B'ly 1C 8
Old Cote Dr. TA8: Bur S 3C 156
Old Cottage Row BS48: Nail 6J 57
Old Ct. BA15: Brad A 6J 125
OLD DOWN 2E 18
Old Down Hill BS32: Old D, Toc 3D 18
Old England Way BA2: Pea J 5D 142
Old Farm La. BS5: St G 3K 63
Old Ferry Rd. BA2: Bath 5J 99
Oldfield BS21: Clev 2E 68
Oldfield La. BA2: Bath 7K 99 (7C 6)
OLDFIELD PARK 6A 100 (7C 6)
Oldfield Park Station (Rail) . . . 5K 99 (5A 6)
Oldfield Pl. BA2: Bath 6A 100 (6D 6)
BS8: Clif 4F 61
Oldfield Rd. BA2: Bath 6A 100 (7C 6)
BS8: Clif 4G 61
Oldfields La. BS32: Gau E 1K 27
BS35: E Grn 6A 20
Old Fire Sta. Ct. BS48: Nail 7E 56
Old Forge Way BA2: Pea J 5E 142
Old Fosse Rd. BA2: Odd D 2J 121
BA3: Clan 2J 153
Old Frome Rd. BA2: Odd D 4A 122
Old Gloucester Rd.
BS16: Fren, Ham 6K 37
BS16: Ham 2K 37
BS32: Brad S 2K 37
BS35: Alv 7K 11
BS35: E Grn 2A 28
BS36: Wint 5K 27
GL12: Buck, Fal 2F 13
Old Hill BS40: F'tn, Winf 4H 91
BS40: Wrin 1H 111
Old Junction Rd. BS23: W Mare 7K 105
Old King St. BA1: Bath 4B 100 (3F 7)
Old King St. Ct. BS1: Bris 2A 62 (2G 5)
OLDLAND 5G 65
OLDLAND COMMON 6G 65
Oldland Common Station Avon
Valley Railway 5H 65
Oldlands Av. BS36: Coal H 1G 39
Old La. BA2: F'boro 6E 118
BS16: Emer G 2G 51
BS21: Tic 5E 56
Old Mkt. St. BS1: Bris 2A 62 (3H 5)
BS2: Bris 2B 62 (3J 5)
Oldmead Wlk. BS13: B'wth 3E 74
Old Midford Rd. BA2: S'ske 5C 122
Old Millard's Hill BA3: Mid N 3F 153
Old Mill Cl. BS37: W'lgh 3B 40
Old Mill Rd. BS20: P'head 2F 43
OLD MILLS 3B 152
Old Mills Ind. Est. BS39: Paul 4C 152
Old Mills La. BS39: Paul 3B 152
Old Mill Way BS24: Wor 4D 106
OLDMIXON 4J 127
Oldmixon Cres. BS24: W Mare 2J 127
Oldmixon Rd. BS24: Hut, W Mare 4J 127
Old Newbridge Hill
BA1: Bath 3G 99
Old Orchard BA1: Bath 4C 100 (2G 7)
Old Orchard St. BA1: Bath 5C 100 (5G 7)
Oldown Country Pk. 7D 10
Old Park BS8: Bris 2J 61 (3D 4)
Old Park Hill BS2: Bris 2J 61 (3D 4)

Old Park Rd. BS11: Shire ... 1H 45
  BS21: Clev ... 4D 54
OLD PASSAGE ... 6F 9
Old Pit Rd. BA3: Mid N ... 6F 153
Old Pit Ter. BA3: Clan ... 2J 153
Old Post Office La. BS23: W Mare ... 4F 105
Old Priory Rd. BS20: E'tn G ... 4F 45
Old Quarry BA2: Odd D ... 2K 121
Old Quarry Ri. BS11: Shire ... 1J 45
Old Quarry Rd. BS11: Shire ... 1H 45
Old Rd. BA3: Writ ... 5C 154
Old School La. BS24: B'don ... 7A 128
Old Sneed Av. BS9: Stok B ... 4D 46
Old Sneed Cotts. BS9: Stok B ... 4D 46
Old Sneed Pk. BS9: Stok B ... 4D 46
Old Sneed Rd. BS9: Stok B ... 4D 46
Old Station Cl. BS27: Ched ... 7C 150
Old Sta. Cl. BS40: Wrin ... 3F 111
Old St. BS21: Clev ... 6D 54
Old Tarnwell BS31: Stan D ... 2C 116
Old, The BS40: Blag ... 3C 134
Old Track BA2: Lim S ... 5H 123
Old Vicarage Ct. BS16: Whit ... 6E 76
Old Vicarage Grn. BS31: Key ... 4C 78
Old Vicarage Pl. BS8: Clif ... 7G 47
Old Vicarage, The BS6: Bris ... 6A 48
Oldville Av. BS21: Clev ... 7D 54
Oldway Pl. TA9: High ... 3F 159
  (not continuous)
Old Wells Rd. BA2: Bath ... 1B 122
Old Weston Rd. BS48: Flax B ... 3F 73
  BS49: Cong ... 6G 87
Oldwood La. BS37: Rang, Yate ... 4B 22
Olive Gdns. BS35: Alv ... 1H 19
Olivier Cl. TA8: Bur S ... 2E 158
OLVESTON ... 2C 18
Olveston Rd. BS7: Hor ... 3A 48
Olympus Cl. BS34: Lit S ... 1F 37
Olympus Rd. BS34: Pat ... 6K 25
Onega Cen. BA1: Bath ... 3C 6
Onega Ter. BA1: Bath ... 4A 100 (3C 6)
Oolite Gro. BA2: Odd D ... 3K 121
Oolite Rd. BA2: Odd D ... 3K 121
Oram Ct. BS30: Bar C ... 5D 64
Orange Gro. BA1: Bath ... 5C 100 (4G 7)
Orange Imaginearium, The ... 3J 61 (5D 4)
Orange St. BS2: Bris ... 1B 62 (1J 5)
Orchard Av. BA3: Mid N ... 5D 152
  BS1: Bris ... 3J 61 (4D 4)
  BS21: Tic ... 4A 56
  BS35: T'bry ... 3A 12
Orchard Blvd. BS30: Old C ... 5F 65
Orchard Cvn. Site, The BS14: Whit ... 6F 77
Orchard Cl. BS9: W Trym ... 3F 47
  BS15: K'wd ... 1C 64
  BS20: P'head ... 3F 43
  BS22: Kew ... 1K 105
  BS22: Wor ... 2D 106
  BS26: Rook ... 7F 147
  BS27: Ched ... 6D 150
  BS29: Ban ... 2B 130
  BS31: Key ... 4A 78
  BS36: Wint ... 1C 38
  BS37: Yate ... 4F 31
  BS39: Bis S ... 2H 137
  BS40: F'tn ... 3G 91
  BS40: Wrin ... 1G 111
  BS48: Flax B ... 2E 72
  BS49: Cong ... 7K 87
  TA9: High ... 3F 159
Orchard Cl., The BS24: Lock ... 1D 128
Orchard Ct. BS5: Redf ... 2F 63
  BS9: Stok B ... 5C 46
  BS34: Fil ... 5C 36
  (off Gloucester Rd. N.)
  BS37: Yate ... 3B 30
  BS49: Clav ... 2B 88
  TA9: High ... 5G 159
Orchard Cres. BS11: Shire ... 1H 45
Orchard Dr. BS13: B'wth ... 5G 75
  BS25: Sandf ... 1G 131
  BS35: Aust ... 5G 9
Orchard End BS40: E Harp ... 7K 137
Orchard Gdns. BA15: Brad A ... 6H 125
  (off Up. Regents Pk.)
  BS15: K'wd ... 1D 64
  BS39: Paul ... 7C 140
Orchard Ga. BS32: Brad S ... 4E 26
Orchard Grange BS8: T'bry ... 2K 11
Orchard La. BS1: Bris ... 3J 61 (4D 4)
  BS9: Stok B ... 4D 46
Orchard Lea BS20: Pill ... 4H 45
  BS35: Alv ... 7J 11
Orchard Lodge BS30: Old C ... 3H 65
Orchard Pl. BS23: W Mare ... 5G 105
Orchard Ri. BS35: Olv ... 3C 18
Orchard Rd. BS4: L Ash ... 1K 73
  BS5: St G ... 1H 63
  BS7: B'stn ... 4A 48

Orchard Rd. BS15: K'wd ... 1C 64
  BS16: Puck ... 3B 52
  BS21: Clev ... 7D 54
  BS24: Hut ... 3B 128
  BS26: Axb ... 5J 149
  BS36: Coal H ... 7H 29
  BS39: Paul ... 7C 140
  BS48: Back ... 4J 71
  BS48: Nail ... 1E 70
Orchard Sq. BS5: Redf ... 2F 63
Orchards, The BS11: Shire ... 2J 45
  BS15: K'wd ... 2D 64
  BS20: Pill ... 4G 45
Orchard St. BS1: Bris ... 3J 61 (4D 4)
  BS23: W Mare ... 5G 105
Orchard Ter. BA2: Bath ... 5H 99
Orchard, The BA2: C Down ... 3D 122
  BA2: F'frd ... 7A 124
  BA15: L Wrax ... 6J 103
  BS9: W Trym ... 2G 47
  BS24: Lock ... 7D 106
  BS24: Wor ... 4E 106
  BS29: Ban ... 2A 130
  BS34: Stok G ... 2H 37
  BS36: Fram C ... 6G 29
  BS39: Pens ... 7G 95
  BS39: Stan D ... 2C 116
  GL12: Tyth ... 7F 13
Orchard Va. BA3: Mid N ... 5C 152
  BS15: K'wd ... 1D 64
Orchard Wlk. BS25: C'hll ... 1A 132
Orchard Way BA2: Pea J ... 6D 142
  BS27: Ched ... 6D 150
Orchids, The TA8: Bur S ... 5C 156
Oriel Gdns. BA1: Swain ... 1E 100
Oriel Gro. BA2: Bath ... 7H 99
Orion Dr. BS34: Lit S ... 1F 37
Orland Way BS30: L Grn ... 6E 64
Orlebar Gdns. BS11: Law W ... 5B 34
Orme Dr. BS21: Clev ... 4D 54
Ormerod Rd. BS9: Stok B ... 4E 46
Ormonds Cl. BS32: Brad S ... 4G 27
Ormsley Cl. BS34: Lit S ... 6E 26
Ormstone Ho. BS13: Withy ... 6G 75
Orpen Gdns. BS7: L'lze ... 3D 48
Orpen Pk. BS32: Brad S ... 3D 26
Orpheus Av. BS32: Brad S ... 1F 37
Orpheus Cinema ... 4H 47
Orwell Dr. BS31: Key ... 6D 78
Orwell St. BS3: Wind H ... 6A 62
Osborne Av. BS7: Bris ... 5H 48
  BS23: W Mare ... 5H 105
Osborne Cl. BS34: Stok G ... 3F 37
Osborne Rd. BA1: Bath ... 7H 99
  BS3: Bris ... 5J 61 (7C 4)
  BS8: Clif ... 7G 47
  BS23: W Mare ... 5H 105
  BS35: Sev B ... 6A 16
Osborne Ter. BS3: Bedm ... 7H 61
Osborne Vs. BS3: Bris ... 1J 61 (1C 4)
Osborne Wlk. TA8: Bur S ... 2E 158
Osprey Ct. BS14: Hart ... 5K 75
Osprey Gdns. BS22: Wor ... 3D 106
Osprey Pk. BS35: T'bry ... 1B 12
Osprey Rd. BS5: Redf ... 2E 62
Ostlings La. BA1: Bathf ... 1K 101
Ostrey Mead BS27: Ched ... 7D 150
Otago Ter. BA1: Bath ... 1E 100
Ottawa Rd. BS23: W Mare ... 2H 127
Otterford Cl. BS14: H'gro ... 5D 76
Otter Rd. BS21: Clev ... 1E 68
Ottery Cl. BS11: Law W ... 6A 34
Ottrells Mead BS32: Brad S ... 3E 26
OVAL, THE ... 7J 99
Oval, The BA2: Bath ... 7J 99
OVER ... 5K 25
Over Ct. M. BS32: Alm ... 5K 25
Overdale BA2: Tun ... 2K 141
  BA3: Clan ... 1J 153
OVERHILL ... 3F 61
Overhill BS20: Pill ... 5G 45
Over La. BS32: Alm ... 4A 26
  BS35: E Comp ... 3F 27
Overndale Rd. BS16: Down ... 3A 50
Overnhill Ct. BS16: Down ... 3B 50
Overnhill Rd. BS16: Down ... 3B 50
Overnhurst Ct. BS16: Down ... 3B 50
Overton Rd. BS6: Bris ... 6A 48
Owen Dr. BS32: Alm ... 4A 26
Owen Gro. BS9: Henl ... 3H 47
Owls Head Rd. BS15: K'wd ... 3C 64
Ox Barton BS34: Stok G ... 1H 37
Oxen Leaze BS32: Brad S ... 4G 27
Oxford Pl. BA2: C Down ... 2E 122
  BS5: E'tn ... 7D 48
  BS8: Clif ... 3F 61
  BS23: W Mare ... 5F 105
Oxford Row BA1: Bath ... 4B 100 (2F 7)
Oxford Sq. BS24: Lock ... 6F 107

Oxford St. BS2: Bris ... 3B 62 (5K 5)
  (Avon St.)
  BS2: Bris ... 1J 61
  (Cotham Rd.)
  BS3: Wind H ... 5B 62
  BS5: Redf ... 2E 62
  BS23: W Mare ... 5F 105
  TA8: Bur S ... 1D 158
Oxford Ter. BA2: C Down ... 2E 122
Oxhouse La. BS8: Fail ... 2F 59
  BS40: Winf ... 4H 91
Oxleaze BS13: Hart ... 6K 75
Oxleaze La. BS4: Dun ... 7D 74
Oxney Pl. BA2: Pea J ... 6C 142
Ozelworth BS15: K'wd ... 1E 64
Ozenhay BS39: Hin B ... 7A 138

P

Packgate Rdbt. BS11: A'mth ... 3K 33
Pack Horse La. BA2: S'ske ... 5B 122
Pacquet Ho's. BS20: Pill ... 3H 45
  (off Underbanks)
Paddock Cl. BS16: Emer G ... 2F 51
  BS32: Brad S ... 4F 27
Paddock Dr. TA9: High ... 4F 159
Paddock Gdn. BS14: Whit ... 6B 76
Paddock Gdns. BS35: Alv ... 7J 11
Paddock Pk. Cvn. Site BS22: Wor ... 2F 107
Paddocks, The BA2: C Down ... 3D 122
  BS23: Uph ... 3F 127
  BS25: Sandf ... 1J 131
  BS35: T'bry ... 3B 12
Paddock, The BA2: Cor ... 4B 98
  BS20: P'head ... 4F 43
  BS21: Clev ... 7D 54
  BS29: Ban ... 2A 130
Paddock Woods BA2: C Down ... 2F 123
Padfield Cl. BA2: Bath ... 6H 99
PADLEIGH ... 2G 121
Padleigh Hill BA2: Bath ... 2G 121
Padmore Cl. BS5: St G ... 2F 63
Padstow Rd. BS4: Know ... 2B 76
Pagans Hill BS40: Chew M ... 2D 114
  BS40: Chew S ... 2D 114
Page Cl. BS16: Stap H ... 4D 50
Page Ct. BS16: Stap H ... 4D 50
Page Rd. BS16: Stap H ... 4B 50
Pages Cl. BS16: Stap H ... 4D 50
Pages Mead BS11: A'mth ... 7G 33
Painswick Av. BS34: Pat ... 6D 26
Painswick Dr. BS37: Yate ... 5E 30
Palace Yd. M. BA1: Bath ... 5B 100 (4E 6)
Palairet Cl. BA15: Brad A ... 7H 125
Palmdale Cl. BS30: L Grn ... 6E 64
Palmer Dr. BA15: Brad A ... 4H 125
Palmer Row BS23: W Mare ... 4G 105
Palmers Cl. BS30: Bar C ... 3D 64
  TA8: Bur S ... 7E 156
PALMER'S ELM ... 7A 86
Palmers Leaze BS32: Brad S ... 7J 27
Palmerston Rd. BS6: Redl ... 4H 47
Palmerston St. BS3: Bedm ... 6J 61
Palmer St. BS23: W Mare ... 4G 105
Palmers Way BS24: Hut ... 3B 128
Palmyra Rd. BS3: Bedm ... 7H 61
PANBOTTOM ... 2B 134
Panbottom BS40: Blag ... 2B 134
Panorama Wlk. BS15: Han ... 5J 63
Panoramic, The BS1: Bris ... 2J 61 (3D 4)
Parade Ct. BS5: S'will ... 7H 49
Parade, The BA2: Clav D ... 5G 101
  BS11: Shire ... 2J 45
  BS14: H'gro ... 2C 76
  BS34: Pat ... 5B 26
  BS37: Chip S ... 5G 31
Paragon BA1: Bath ... 4C 100 (2G 7)
Paragon Rd. BS23: W Mare ... 3E 104
Paragon, The BS8: Clif ... 3F 61
Parbrook Ct. BS14: H'gro ... 5D 76
Parfitts Hill BS5: St G ... 3H 63
Parish Brook Rd. BS48: Nail ... 1D 70
Parish, The BS3: Bris ... 7B 4
Parish Wharf Est.
  BS20: P'head ... 2F 43
Parish Wharf Leisure Cen. ... 2G 43
Park & Ride
  Ashton Vale ... 7D 60
  Bath Rd. ... 2H 77
  Lansdown ... 5J 81
  Newbridge ... 3F 99
  Odd Down ... 4J 121
  Portway ... 1G 45
Park Av. BA2: Bath ... 6B 100 (7E 6)
  BS3: Wind H ... 6A 62
  BS5: Eastv ... 5F 49
  BS5: St G ... 1G 63
  BS32: Alm ... 4B 26

Park Av. BS36: Fram C ... 1F 39
  BS36: Wint ... 1C 38
  BS49: Yat ... 2H 87
Park Batch BS40: Blag ... 2D 134
Park Cl. BS15: K'wd ... 2C 64
  BS30: C Hth ... 4F 65
  BS31: Key ... 5B 78
  BS39: Paul ... 1B 152
  BS49: Cong ... 1K 109
PARK CORNER ... 7J 123
Park Cres. BS5: W'hall ... 1F 63
  BS16: Fren ... 6A 38
  BS30: C Hth ... 4F 65
Park End BS29: Ban ... 1J 129
Parkers Av. BS30: Wick ... 2C 66
Parkers Barton
  BS5: Bar H ... 3D 62
Parkers Cl. BS10: Bren ... 3K 35
Parker St. BS3: Bedm ... 6H 61
Park Farm Ct. BS30: L Grn ... 5D 64
PARKFIELD ... 2A 52
Parkfield BS26: Axb ... 5K 149
Parkfield Av. BS5: St G ... 2F 63
Parkfield Gdns. BS39: Bis S ... 2J 137
Parkfield Rank BS16: Puck ... 1A 52
Parkfield Rd. BS16: Puck ... 2A 52
Park Gdns. BA1: Bath ... 3K 99 (1A 6)
Park Gro. BS6: Henl ... 3H 47
  BS9: Henl ... 3J 47
Park Hill BS11: Shire ... 2J 45
Parkhouse La. BS31: Key ... 1A 96
  (not continuous)
Parkhurst Av. BS16: Fish ... 4K 49
Parkhurst Rd. BS23: W Mare ... 5J 105
Parklands BS15: K'wd ... 1C 64
  BS39: High L ... 3B 140
Parklands Av. BS22: Wor ... 7D 84
Parklands Rd. BS3: Bwr A ... 5E 60
Parkland Way BS35: T'bry ... 1K 11
Park La. BA1: Bath ... 3K 99 (1B 6)
  BA3: Hem ... 5H 155
  BS2: Bris ... 2J 61 (2D 4)
  BS36: Fram C, Wint ... 3E 38
  BS40: Blag ... 1C 134
Park Leaze BS34: Pat ... 5A 26
Park Mans. BA1: Bath ... 3A 100
Park Pl. BA1: Bath ... 3A 100 (1D 6)
  BA2: C Down ... 3D 122
  BS5: Eastv ... 5G 49
  BS8: Clif ... 2H 61 (2A 4)
  (Meridian Pl.)
  BS8: Clif ... 2J 61 (2D 4)
  (Park La.)
  BS23: W Mare ... 4F 105
Park Rd. BA1: Bath ... 4H 99
  BS3: Bris ... 4H 61 (7B 4)
  BS7: Fil ... 6C 36
  BS11: Shire ... 2J 45
  BS15: K'wd ... 7B 50
  BS16: Down ... 3C 50
  BS16: Stap ... 3F 49
  BS21: Clev ... 5D 54
  BS30: C Hth ... 4F 65
  BS31: Key ... 5C 78
  BS35: T'bry ... 2J 11
  BS39: Paul ... 1B 152
  BS49: Cong ... 1A 110
  GL12: Kil ... 1B 14
Park Row BS1: Bris ... 2J 61 (3C 4)
  BS36: Fram C ... 6E 28
Parkside Av. BS36: Wint ... 1B 38
Parkside Gdns. BS5: Eastv ... 4D 48
Parkstone Av. BS7: Hor ... 2B 48
Park St. BA1: Bath ... 3A 100 (1D 6)
  BS1: Bris ... 3J 61 (3C 4)
  BS4: Wind H ... 5C 62
  (not continuous)
  BS5: St G ... 1H 63
  BS37: Iron A ... 2A 22
Park St. Av. BS1: Bris ... 2J 61 (3C 4)
Park St. M. BA1: Bath ... 3A 100 (1D 6)
Park, The BS15: K'wd ... 1B 64
  BS16: Fren ... 6K 37
  BS20: P'head ... 3H 43
  BS30: Will ... 1F 79
  BS31: Key ... 4C 78
  BS32: Brad S ... 3E 26
  BS49: Yat ... 2H 87
Park Vw. BA2: Bath ... 5K 99 (4B 6)
  BS15: K'wd ... 2C 64
Park Vw. Av. BS35: T'bry ... 2A 12
Park Vw. Ter. BS5: St G ... 1G 63
Park Vs. BS23: W Mare ... 4F 105
Parkwall Cres. BS30: Bar C ... 5D 64
Parkwall Rd. BS30: C Hth ... 5D 64
PARKWAY ... 4G 37
Parkway BA2: Cam ... 3J 141
Park Way BA3: Mid N ... 6E 152

Plumptre Cl.—Queen Quay

Plumptre Cl. BS39: Paul . . . 1C 152
Plumptre Rd. BS39: Paul . . . 1B 152
Plum Tree Cl. BS25: Wins. . . . 4G 131
Plum Tree Rd. BS22: W Mare . . . 4C 106
Plunder St. BS49: C've . . . 4D 88
Podgers Dr. BA1: W'ton . . . 1H 99
Podium, The BA1: Bath . . . 4C 100 (3G 7)
Poet's Cl. BS5: W'hall . . . 1F 63
Poets Cnr. BA3: Rads . . . 6G 153
Poet's Wlk. BS21: Clev . . . 7A 54
Polden Cl. BS48: Nail . . . 1G 71
Polden Ho. BS3: Wind H. . . . 6K 61
Polden Rd. BS20: P'head . . . 3D 42
(not continuous)
BS23: W Mare . . . 4H 105
Polestar Way BS24: Wor . . . 4E 106
Pollard Rd. BS24: Wor . . . 4D 106
Polly Barnes Cl. BS15: Han. . . . 4K 63
Polly Barnes Hill BS15: Han . . . 4K 63
Polygon Rd. BS8: Clif . . . 3F 61
Polygon, The BS8: Clif. . . . 3F 61
BS11: A'mth . . . 6H 33
Pomfrett Gdns. BS14: Stoc . . . 5G 77
POMPHREY . . . 3F 51
Pomphrey Hill BS16: Emer G. . . . 3F 51
Ponsford Rd. BS4: Know. . . . 2D 76
Ponting Cl. BS5: S'wll . . . 7J 49
Poolbarton BS31: Key . . . 4C 78
Pool Corner BS32: Toc . . . 3D 18
Poole Ct. BS37: Yate . . . 4E 30
Poole Ct. Dr. BS37: Yate . . . 4E 30
Poole Ho. BA2: Bath . . . 6F 99
Poolemead Rd. BA2: Bath . . . 6F 99
Poole St. BS11: A'mth . . . 7F 33
Pooles Wharf BS8: Clif . . . 4G 61 (6A 4)
Pooles Wharf Ct. BS8: Clif . . . 4G 61
Pool Ho. BS34: Pat . . . 6C 26
Pool La. BS40: Regil . . . 2A 114
Pool Rd. BS15: Soun . . . 5C 50
Poor Hill BA2: F'boro . . . 6D 118
Pope Ct. BA2: New L. . . . 6B 98
Popes Wlk. BA2: Bath . . . 1D 122
Poplar Av. BS9: Stok B . . . 2D 46
Poplar Cl. BA2: Bath . . . 7K 99
BS30: Old C . . . 3G 65
Poplar Dr. BS16: Puck . . . 3B 52
Poplar Est. TA9: High . . . 5F 159
Poplar La. GL12: Wickw . . . 1H 23
Poplar Pl. BS16: Fish . . . 5J 49
BS23: W Mare . . . 4G 105
Poplar Rd. BA2: Odd D . . . 4K 121
BS5: S'wll . . . 7H 49
BS13: B'wth . . . 3F 75
BS15: St G . . . 4J 63
BS30: Old C . . . 4G 65
TA8: Bur S . . . 7C 156
Poplar Rdbt. BS11: A'mth . . . 2J 33
Poplars, The BS20: E'tn G. . . . 4F 45
BS22: Wor . . . 3D 106
Poplar Ter. BS15: K'wd . . . 1D 64
Poplar Wlk. BS24: Lock . . . 7C 106
Poplar Way E. BS11: A'mth . . . 2J 33
Poplar Way W. BS11: A'mth . . . 1H 33
Poples Bow TA9: High. . . . 3G 159
Poppy Cl. BS22: Wick L. . . . 6E 84
Poppy Mead BS32: Brad S . . . 7G 27
Porlock Cl. BS21: Clev . . . 1E 68
BS23: W Mare . . . 3H 127
Porlock Gdns. BS48: Nail . . . 1G 71
Porlock Rd. BA2: C Down . . . 3C 122
BS3: Wind H. . . . 6K 61
Portal Rd. BS24: Lock . . . 1H 129
PORTBURY . . . 5C 44
Portbury Comn. BS20: P'head. . . . 4G 43
Portbury Gro. BS11: Shire. . . . 2H 45
Portbury Hundred, The
BS20: P'bry . . . 4H 43
Portbury La. BS20: P'bry . . . 6C 44
Portbury Wlk. BS11: Shire . . . 2H 45
Portbury Way BS20: P'bry. . . . 3B 44
PORTBURY WHARF . . . 2J 43
PORTISHEAD. . . . 3F 43
Portishead Bus. Pk.
BS20: P'head . . . 3G 43
Portishead Rd. BS22: Wor. . . . 7F 85
Portishead Swimming Pool . . . 1E 42
Portishead Way BS3: Ash V, Bwr A . . . 6E 60
Portland Cl. BS48: Nail . . . 1F 71
Portland Ct. BS1: Bris . . . 4G 61 (6A 4)
Portland Dr. BS20: P'head. . . . 4G 43
Portland Pl. BA1: Bath . . . 3B 100 (1E 6)
BS16: Stap H . . . 5B 50
TA9: Bre K . . . 6K 157
Portland Rd. *BA1: Bath* . . . *1E 6*
(off St James's Pk.)
Portland Sq. BS2: Bris . . . 1A 62 (1H 5)
Portland St. BS2: Bris. . . . 1J 61 (1D 4)
BS8: Clif. . . . 2F 61
BS16: Stap H . . . 5B 50
Portland Ter. *BA1: Bath* . . . *1E 6*
(off Harley St.)
Portmeade Drove BS26: Axb . . . 5J 149
Portmeirion Cl. BS14: Whit. . . . 5D 76
Portside Cl. BS5: St G . . . 3H 63
Port Vw. BS20: Pill . . . 3G 45
Portview Rd. BS11: A'mth . . . 6F 33
Portwall La. BS1: Bris . . . 4A 62 (6G 5)
Portwall La. E. BS1: Bris . . . 4A 62 (6H 5)
Portway BS9: Sea M, Stok B . . . 3B 46
BS9: Stok B . . . 7E 46
BS11: Shire . . . 7G 33
Portway La. BS37: Chip S . . . 4J 31
Portway Rdbt. BS11: Shire . . . 7G 33
Postal Mus. . . . 3F 7
Post Office La. BS5: St G . . . 1G 63
BS40: Blag . . . 2B 134
BS48: Flax B. . . . 3C 72
Post Office Rd. BS23: W Mare. . . . 4F 105
BS24: Lock. . . . 7F 107
Poston Way BA15: W'ley . . . 5C 124
POTTERS HILL. . . . 2F 91
POTTERSWOOD. . . . 2A 64
Pottery Cl. BS23: W Mare . . . 6J 105
Potts Cl. BA1: Bathe . . . 6H 83
Poulton BA15: Brad A . . . 7H 125
Poulton La. BA15: Brad A . . . 7J 125
(not continuous)
Pound Dr. BS16: Fish . . . 3H 49
Pound La. BA15: Brad A . . . 6G 125
BS16: Fish . . . 4H 49
BS48: Nail . . . 7E 56
Pound Mead BS40: F'tn . . . 3G 91
Pound Rd. BS15: K'wd, Soun . . . 6D 50
Pound, The BS32: Alm . . . 1C 26
BS40: Redh . . . 1B 112
Pountney Dr. BS5: E'tn . . . 1D 62
Powis Cl. BS22: W Mare . . . 2A 106
Powlett Ct. BA2: Bath . . . 4D 100 (2J 7)
Powlett Rd. BA2: Bath . . . 3D 100 (1J 7)
Pow's Hill BA3: Clan . . . 2H 153
Pow's Orchard BA3: Mid N . . . 5E 152
Pow's Rd. BS15: K'wd. . . . 2B 64
Poyntz Ct. BS30: L Grn . . . 6D 64
Poyntz Rd. BS4: Know . . . 2B 76
Prattens La. BS16: Stap H . . . 4B 50
Preacher Cl. BS5: St G . . . 3K 63
Preanes Grn. BS22: Wor . . . 2E 106
Precinct, The BS20: P'head . . . 3F 43
Preddy's La. BS5: St G . . . 3J 63
Prescot Cl. BS22: W Mare. . . . 2K 105
Prescott BS37: Yate . . . 6D 30
Press Moor Dr. BS30: Bar C . . . 5D 64
Prestbury BS37: Yate . . . 6D 30
Preston Wlk. BS4: Know. . . . 1C 76
Prestwick Cl. BS4: Brisl. . . . 1F 77
Pretoria Rd. BS34: Pat . . . 6B 26
Prewett St. BS1: Bris . . . 4A 62 (7G 5)
Priddy Cl. BA2: Bath . . . 6H 99
(not continuous)
Priddy Ct. BS14: Whit. . . . 5D 76
Priddy Dr. BS14: Whit. . . . 5D 76
PRIEST DOWN. . . . 5H 95
Priestley Way TA8: Bur S . . . 3E 158
Priest Path BS31: Q Char. . . . 7J 77
Priests Way BS22: Wor. . . . 3B 106
Priestwood Cl. BS10: Hen. . . . 4G 35
Primrose Cl. BS15: K'wd. . . . 1A 64
BS32: Brad S . . . 4F 27
Primrose Dr. BS35: T'bry . . . 2B 12
PRIMROSE HILL . . . 2K 99
Primrose Hill BA1: W'ton . . . 2K 99
Primrose La. BA3: Mid N. . . . 5F 153
BS15: K'wd . . . 7A 50
Primrose Ter. BA3: Mid N . . . 5F 153
BS15: K'wd . . . 7A 50
Princes Bldgs. BA1: Bath . . . 3F 7
BA2: Bath. . . . 6D 100 (6J 7)
Princes' Bldgs. BS8: Clif . . . 3F 61
Princes Ct. BS30: L Grn . . . 5D 64
Princes' La. BS8: Clif . . . 3F 61
Prince's Pl. BS7: B'stn . . . 5A 48
Prince's Rd. BS21: Clev . . . 6D 54
Princess Cl. BS31: Key. . . . 6C 78
Princess Gdns. BS16: Stap . . . 2F 49
Princess Row BS2: Bris. . . . 1F 5
Princess Royal Gdns. BS5: Redf . . . 1E 62
Princess St. BS2: Bris. . . . 3C 62
BS3: Bedm . . . 5A 62
TA8: Bur S . . . 1D 158
Princes St. BA1: Bath . . . 5B 100 (4F 7)
Prince's St. BA3: Clan . . . 1J 153
BS2: Bris . . . 1B 62
Princess Victoria St. BS8: Clif. . . . 3F 61
Prince St. BS1: Bris . . . 4K 61 (6E 4)
Prince St. Rdbt. BS1: Bris. . . . 5E 4
Prinknash Ct. BS37: Yate . . . 7D 30
Prior Pk. Bldgs. BA2: Bath . . . 7J 7
Prior Pk. Cotts. BA2: Bath. . . . 6C 100 (7J 7)
Prior Pk. Gdns. BA2: Bath. . . . 6D 100 (7J 7)
Prior Pk. Landscape Garden . . . 1E 122
Prior Pk. Rd. BA2: Bath . . . 6D 100 (7J 7)
Priors Hill BA2: Tim . . . 4D 140
Prior's Hill Flats BS6: Bris . . . 7K 47
Priors Lea BS37: Yate. . . . 5D 30
Priory Acre BS22: Wor . . . 2B 106
Priory Av. BS9: W Trym . . . 1G 47
Priory Cl. BA2: C Down. . . . 2D 122
BA3: Mid N. . . . 5E 152
BA15: Brad A . . . 5G 125
Priory Ct. BS15: Han. . . . 6A 64
Priory Ct. Rd. BS9: W Trym . . . 1G 47
Priory Dene BS9: W Trym. . . . 1G 47
Priory Farm Trad. Est. BS20: P'bry . . . 5B 44
Priory Gdns. BS7: Hor. . . . 7B 36
BS11: Shire . . . 1H 45
BS20: E'tn G. . . . 4F 45
TA8: Bur S . . . 2D 158
Priory M. BS23: W Mare . . . 5K 105
Priory Pk. BA15: Brad A . . . 5H 125
Priory Rd. BS4: Know. . . . 7D 62
BS8: Clif . . . 1H 61 (1B 4)
BS11: Shire . . . 2H 45
BS20: E'tn G . . . 4F 45
BS20: P'bry . . . 5B 44
BS23: W Mare. . . . 5J 105
BS31: Key . . . 3C 78
Priory Wlk. BS20: P'bry . . . 5B 44
PRISTON . . . 7A 120
Priston Cl. BS22: Wor. . . . 6F 85
Priston La. BA2: Pris. . . . 1K 141
Priston Mill. . . . 4B 120
Priston Rd. BA2: Ing . . . 6C 120
Pritchard St. BS2: Bris . . . 1A 62 (1H 5)
Probyn Cl. BS16: B'hll . . . 1J 49
Pro-Cathedral La. BS8: Clif . . . 2H 61 (3B 4)
Proctor Cl. BS4: Brisl. . . . 1F 77
Proctor Ho. BS1: Bris. . . . 4A 62 (7H 5)
Promenade BS35: Sev B . . . 7A 16
Promenade, The BS7: B'stn . . . 6K 47
BS8: Clif. . . . 1F 61
Prospect Av. BS2: Bris . . . 1K 61 (1E 4)
BS15: K'wd . . . 7K 49
Prospect Bldgs. BA1: Bathe . . . 5H 83
Prospect Cl. BS35: E Comp . . . 4F 25
BS36: Fram C. . . . 6D 28
BS36: Wint D . . . 3C 38
Prospect Cres. BS15: Soun. . . . 6D 50
Prospect Gdns. BA1: Bathe . . . 5H 83
Prospect La. BS36: Fram C. . . . 6D 28
Prospect Pl. *BA1: Bath* . . . *2C 100*
(off Camden Rd.)
BA1: Bathf . . . 1B 102
BA1: W'ton . . . 1J 99
BA2: Bath. . . . 6B 100 (7E 6)
BA2: C Down . . . *3D 122*
(off Combe Rd.)
BS3: Bedm . . . 6J 61
BS5: W'hall. . . . 1E 62
BS6: Cot. . . . 6K 47
BS23: W Mare . . . 4G 105
Prospect Rd. BA2: Bath. . . . 7E 100
BS35: Sev B . . . 1A 24
PROUD CROSS. . . . 7J 137
PROVIDENCE. . . . 7K 59
Providence La. BS4: L Ash. . . . 6K 59
PROVIDENCE PLACE . . . 5D 152
Providence Pl. BS2: Bris. . . . 3B 62 (4J 5)
BS3: Bedm . . . 6K 61
BS5: Redf. . . . 2E 62
BS40: Chew S . . . 4D 114
Providence Vw. BS4: L Ash. . . . 1A 74
Prowse Cl. BS35: T'bry . . . 3A 12
Prowses La. BS26: Axb. . . . 6G 149
Prudham St. BS5: E'tn. . . . 7E 48
PUBLOW . . . 6G 95
Publow La. BS39: Pens, Pub. . . . 7F 95
PUCKLECHURCH . . . 3B 52
Pucklechurch Trad. Est.
BS16: Puck . . . 4B 52
Pudding Pie Cl. BS40: L'frd. . . . 6C 110
Pudding Pie La. BS40: L'frd . . . 6C 110
Puffin Cl. BS22: Wor. . . . 4D 106
Pullen's Grn. BS35: T'bry . . . 3K 11
Pullin Ct. BS30: Old C. . . . 5H 65
Pulteney Av. BA2: Bath . . . 5D 100 (5J 7)
Pulteney Bri. BA2: Bath . . . 5C 100 (4G 7)
Pulteney Ct. BA2: Bath . . . 6J 7
Pulteney Gdns. BA2: Bath. . . . 5D 100 (5J 7)
Pulteney Gro. BA2: Bath. . . . 6D 100 (6J 7)
Pulteney M. BA2: Bath . . . 4C 100 (4H 7)
Pulteney Rd. BA2: Bath . . . 6D 100 (6J 7)
Pulteney Ter. *BA2: Bath.* . . . *5J 7*
(off Pulteney Av.)
Pump La. BA1: Bathf. . . . 2K 101
BS1: Bris. . . . 4A 62 (6G 5)
BS32: Old D . . . 1F 19
BS40: Redh . . . 2B 112
Pump Room . . . 5C 100 (4F 7)
Pump Sq. BS20: Pill . . . 3H 45
Punnet Cl. BS27: Ched . . . 7D 150
Purcell Wlk. BS4: Know . . . 3K 75
Purdown Rd. BS7: Hor . . . 3B 48
Purdue Cl. BS22: Wor. . . . 1F 107
Purlewent Dr. BA1: W'ton . . . 1J 99
PURN . . . 6J 127
Purn Holiday Pk. BS24: B'don . . . 7J 127
Purn La. BS24: B'don, W Mare . . . 5J 127
(not continuous)
Purn Rd. BS24: W Mare . . . 5H 127
Purn Way BS24: B'don. . . . 6J 127
Pursey Dr. BS32: Brad S. . . . 1H 37
Purton Cl. BS15: K'wd. . . . 3C 64
Purton Rd. BS7: B'stn . . . 6K 47
Purving Row BS24: Lym . . . 5A 146
Purving Row La. BS24: Lym . . . 6A 146
Puttingthorpe Dr. BS22: W Mare . . . 5A 106
Puxley Cl. BS14: Stoc. . . . 4G 77
PUXTON. . . . 1D 108
Puxton La. BS24: E Rols, Hew, Pux. . . . 7D 86
Puxton Rd. BS24: E Rols, Pux . . . 4B 108
PYE CORNER. . . . 4B 38
Pye Cft. BS32: Brad S. . . . 3G 27
Pyecroft Av. BS9: Henl . . . 1H 47
Pylewell La. BS25: Star . . . 3K 131
Pylle Hill Cres. BS3: Wind H. . . . 5B 62
Pyne Point BS21: Clev. . . . 6C 54
Pynne Cl. BS14: Stoc . . . 4H 77
Pynne Rd. BS14: Stoc. . . . 5G 77
Pyracantha Wlk. BS14: H'gro . . . 4C 76

Q

QEH Theatre . . . 2H 61 (3B 4)
Quadrangle, The BS37: W'lgh. . . . 3C 40
Quadrant BS32: Brad S . . . 3D 26
Quadrant E. BS16: Fish. . . . 5A 50
Quadrant, The BS6: Redl . . . 5H 47
BS32: Alm . . . 3C 26
Quadrant W. BS16: Fish . . . 5A 50
Quaker Ct. BS35: T'bry . . . 3K 11
Quaker La. BS35: T'bry. . . . 3K 11
Quakers Cl. BS16: Down. . . . 7B 38
Quakers' Friars BS1: Bris. . . . 2A 62 (2G 5)
Quakers Rd. BS16: Down . . . 6B 38
Quantock Cl. BS30: Old C . . . 4G 65
TA8: Bur S . . . 1D 158
Quantock Ct. TA8: Bur S . . . 3C 158
Quantock Rd. BS3: Wind H . . . 6K 61
BS20: P'head . . . 3D 42
BS23: W Mare. . . . 1F 127
Quantocks BA2: C Down . . . 3C 122
Quarries, The BS32: Alm . . . 1D 26
Quarrington Rd. BS7: Hor. . . . 3A 48
Quarry Barton BS16: Ham. . . . 3A 38
Quarry Cl. BA2: C Down . . . 3B 122
BA2: Lim S. . . . 6B 124
Quarry Hay BS40: Chew S. . . . 4D 114
Quarry La. BS11: Law W. . . . 6C 34
BS36: Wint D . . . 3C 38
Quarrymans Ct. BA2: C Down . . . 3D 122
Quarry Mead BS35: Alv. . . . 7H 11
Quarry Rd. BA2: Clav D . . . 6F 101
BS8: Clif. . . . 6G 47
BS15: K'wd . . . 3B 64
BS16: Fren. . . . 1K 49
BS20: P'head . . . 4E 42
BS25: Sandf. . . . 3G 131
BS35: Alv. . . . 7H 11
BS37: Chip S . . . 5G 31
Quarry Rock Gdns. Cvn. Pk.
BA2: Clav D . . . 7G 101
Quarry Steps BS8: Clif . . . 6G 47
Quarry Va. BA2: C Down. . . . 3D 122
Quarry Way BS16: Emer G . . . 6E 38
BS16: Stap. . . . 3G 49
BS48: Nail. . . . 7F 57
Quarter Mile Alley BS15: K'wd . . . 7B 50
Quays Av. BS20: P'head . . . 3G 43
Quayside BS1: Bris . . . 3A 62 (4H 5)
BS5: St G. . . . 3H 63
BS8: Clif . . . 3H 61 (5A 4)
Quayside Wlk. *BS1: Bris* . . . *5F 5*
(off Redcliff Backs)
Quays, The BS1: Bris . . . 4J 61 (7D 4)
Quay St. BS1: Bris . . . 2K 61 (3E 4)
Quebec BA2: Bath. . . . 5G 99
Quedgeley BS37: Yate. . . . 6C 30
Queen Ann Rd. BS5: Bar H . . . 3D 62
Queen Charlotte St.
BS1: Bris . . . 3K 61 (4F 5)
QUEEN CHARLTON . . . 7J 77
Queen Charlton La.
BS14: Whit . . . 7F 77
BS31: Q Char . . . 1J 95
Queen Quay BS1: Bris. . . . 3K 61 (5F 5)

River Mead BS21: Clev. 2D **68**
BS37: Yate 3C **30**
River Path BS21: Clev 2B **68**
(not continuous)
River Pl. BA2: Bath. 5H **99**
River Rd. BS20: P'bry 6C **32**
BS37: Chip S 5G **31**
RIVERSIDE 7D **152**
Riverside BS29: Ban 6B **108**
Riverside Bus. Pk. BS4: St Ap. 3F **63**
Riverside Cl. BA3: Mid N 7D **152**
BS11: Shire 3K **45**
BS21: Clev 7B **54**
Riverside Cotts. BA3: Rads 4A **154**
Riverside Ct. BA2: Bath 5B **100** (6E **6**)
BS4: St Ap 3H **63**
Riverside Dr. BS16: Fish 1A **50**
Riverside Gdns. BA1: Bath 5E **6**
BA3: Mid N. 7C **152**
Riverside M. BS4: St Ap. 3H **63**
Riverside Pk. BS35: Sev B 7A **16**
Riverside Rd. BA2: Bath. 5A **100** (5D **6**)
BA3: Mid N. 7D **152**
Riverside Steps BS4: St Ap. 2G **63**
Riverside Wlk. BA3: Mid N 7D **152**
BS5: St G. 3H **63**
Riverside Way BS15: Han 6A **64**
Rivers Rd. BA1: Bath 2C **100**
(Camden Rd.)
BA1: Bath. 3B **100**
(St Stephen's Rd.)
Rivers St. BA1: Bath. 4B **100** (2E **6**)
Rivers St. M. BA1: Bath 4B **100** (2E **6**)
Rivers St. Pl. BA1: Bath 2F **7**
River St. BS2: Bris 2B **62** (2J **5**)
River Ter. BS31: Key. 5D **78**
River Vw. BS16: B'hll 3G **49**
Riverway BS48: Nail. 6H **57**
Riverwood Rd. BS16: Fren 6A **38**
Riviera Cres. BS16: Soun 4C **50**
Road Two BS10: H'len. 4A **24**
Roath Rd. BS20: P'head 3F **43**
Robbins Cl. BS32: Brad S 1H **37**
Robbins Ct. BS16: Emer G. 2F **51**
Robel Av. BS36: Fram C 6D **28**
Robert Ct. BS8: L Wds 3E **60**
BS16: Emer G 1F **51**
Robertson Dr. BS4: St Ap 3H **63**
Robertson Rd. BS5: E'tn. 6D **48**
Robert St. BS5: Bar H. 2D **62**
BS5: Eastv 6D **48**
Robin Cl. BA3: Mid N 6F **153**
BS10: Bren. 5H **35**
BS14: Stoc 4F **77**
BS22: W Mare 4C **106**
Robin Cousins Sports Cen. 7G **33**
Robin Dr. BS24: Hut 3C **128**
Robin Hood La. BS2: Bris. 2J **61** (2D **4**)
Robinia Wlk. BS14: H'gro 3B **76**
Robin La. BS21: Clev 4D **54**
Robins Cinema 4F **7**
Robinson Cl. BS48: Back. 5J **71**
Robinson Dr. BS5: E'tn 1C **62**
Robinson Way BS48: Back. 5J **71**
Robin Way BS37: Chip S 7F **31**
Rob-Lynne Ct. BS25: Wins. 5F **131**
Rochester Cl. BS24: W Mare 4J **127**
Rochester Rd. BS4: St Ap. 4G **63**
Rochfort Ct. BA2: Bath 3C **100** (1J **7**)
Rochfort Pl. BA2: Bath 3C **100** (1H **7**)
Rock Av. BS48: Nail. 7E **56**
Rock Cl. BS4: Brisl 7G **63**
Rock Cotts. BA2: C Down 3D **122**
Rockeries Dr. BS25: Wins 5F **131**
Rockfield Cotts. BS22: W Mare. 3K **105**
Rock Hall Cotts. BA2: C Down 3D **122**
Rock Hall La. BA2: C Down 3D **122**
Rockhill Est. BS31: Key 6D **78**
Rock Ho. BS10: Bren. 4J **35**
Rockingham Gdns. BS11: Law W 7A **34**
Rockingham Gro. BS23: W Mare. 3J **105**
Rockingham Rdbt. BS11: A'mth 1H **33**
Rockland Gro. BS16: Stap 2F **49**
Rockland Rd. BS16: Down 1A **50**
Rock La. BA2: C Down 3D **122**
BS34: Stok G 2H **37**
Rockleaze BS9: Stok B 6E **46**
Rockleaze Av. BS9: Stok B 5E **46**
Rockleaze Ct. BS9: Stok B 5E **46**
Rockleaze Rd. BS9: Stok B 5E **46**
Rockliffe Av. BA2: Bath. . . . 3D **100** (1K **7**)
Rockliffe Rd. BA2: Bath 3D **100** (1J **7**)
Rock of Ages 3H **133**
Rock Rd. BA3: Mid N. 4F **153**
BS30: Wick 2C **66**
BS31: Key 5C **78**
BS49: Yat 4J **87**
Rockside Av. BS16: Down. 7D **38**
Rockside Dr. BS9: Henl. 2H **47**
Rockside Gdns. BS16: Down 7D **38**
BS36: Fram C. 6G **29**
Rocks La. BS40: F'tn, Winf 2H **91**
ROCKS, THE 1F **31**
Rockstowes Way BS10: Bren. 4K **35**
Rock St. BS35: T'bry 4K **11**
Rock, The BS4: Brisl 6G **63**
Rockwell Av. BS11: Law W. 6B **34**
Rockwood Ho. BS37: Yate. 2G **31**
Rocky La. BS29: Ban. 3B **130**
Rodborough BS37: Yate 7C **30**
Rodborough Way BS15: K'wd 2E **64**
Rodbourne Rd. BS10: Hor. 1K **47**
RODFORD 7D **30**
Rodfords Mead BS14: H'gro 3C **76**
Rodford Way BS37: Yate 7C **30**
Rodmead Wlk. BS13: Withy 6G **75**
Rodmoor Rd. BS20: P'head 2F **43**
Rodney BS24: W Mare. 3J **127**
Rodney Av. BS15: K'wd. 1J **63**
Rodney Cres. BS34: Fil 3C **36**
Rodney Ho. BA2: Bath 5G **99**
Rodney Pl. BS8: Clif 2G **61**
Rodney Rd. BS15: K'wd 7J **49**
BS31: Salt. 1J **97**
BS48: Back 4J **71**
Rodney Wlk. BS15: K'wd. 7J **49**
RODWAY HILL 4E **50**
Rodway Hill BS16: Mang. 4E **50**
Rodway Hill Rd. BS16: Mang 3E **50**
Rodway Rd. BS16: Mang. 3E **50**
BS34: Pat. 7B **26**
Rodway Vw. BS15: Soun. 5D **50**
Roebuck Cl. BS22: Wor. 7E **84**
Roegate Dr. BS4: St Ap. 3G **63**
Roegate Ho. BS5: S'wll. 7H **49**
Rogers Cl. BS30: C Hth 4F **65**
BS39: Clut 2F **139**
Rogers Ct. BS37: Chip S 5J **31**
Rokeby Av. BS6: Cot 7J **47**
ROLSTONE 3K **107**
Roman Baths 5C **100** (5G **7**)
Roman Farm Ct. BS11: Law W 5C **34**
Roman Farm Rd. BS4: Know 3A **76**
Roman Rd. BA2: Eng, Odd D 4J **121**
BS5: E'tn 7D **48**
BS24: B'don, W Mare 5J **127**
BS25: Sandf 1F **131**
Roman Wlk. BS4: Brisl 6E **62**
BS34: Stok G 2G **37**
Roman Way BS9: Stok B. 4C **46**
BS39: Paul 7A **140**
Romney Av. BS7: L'lze 3D **48**
Romo Ct. BS16: Fish. 4A **50**
Ronald Rd. BS16: B'hll 2H **49**
Ronayne Wlk. BS16: Fish 2A **50**
Rondo Theatre, The 2E **100**
Rookery Cl. BS21: King S 1C **86**
BS22: Wor 1C **106**
BS26: Rook 7E **146**
Rookery La. BS30: Doy. 2F **53**
BS35: Piln 7G **17**
SN14: Hin. 2F **53**
Rookery Rd. BS4: Know 7B **62**
Rookery Way BS14: Whit 6B **76**
Rooksbridge Rd. BS26: Rook 7E **146**
Rooksbridge Wlk. BA2: Bath 5J **99**
Roper's La. BS40: Wrin. 1F **111**
Rope Wlk. BS48: Back. 5J **71**
Rope Wlk. Ho. BS2: Bris 2J **5**
Rope Wlk., The BA15: Brad A 6G **125**
Rosary Rdbt., The BS16: Emer G 1H **51**
Rose Acre BS10: Bren. 4G **35**
Rosebay Mead BS16: Stap 4G **49**
Roseberry Pk. BS5: Redf. 1F **63**
Roseberry Pl. BA2: Bath 5K **99**
Roseberry Rd. BA2: Bath 5J **99** (4A **6**)
BS5: Redf. 2E **62**
Rosebery Av. BS2: Bris 7C **48**
Rosebery Ter. BS8: Clif 3H **61** (4B **4**)
Rose Cl. BS36: Wint D 3C **38**
Rose Cotts. BA2: Odd D. 4J **121**
BA2: S'ske 5B **122**
Rosedale Av. BS23: W Mare 5J **105**
Rosedale Rd. BS16: Fish 5K **49**
Rose Gdns. BS22: Wor 7F **85**
ROSE GREEN 7G **49**
Rose Grn. BS5: Eastv 6F **49**
Rose Green Cen. 7F **49**
Rose Grn. Cl. BS5: S'wll. 6G **49**
Rose Grn. Rd. BS5: S'wll. 6F **49**
Rose Hill BA1: Bath 1D **100**
(not continuous)
Rose La. BS36: Coal H 1H **39**
Roselarge Gdns. BS10: Hen 5G **35**
Rosemary Cl. BS32: Brad S 1H **37**
Rosemary La. BS5: Eastv 6E **48**
Rosemary Wlk. *BA15: Brad A 6G 125*
(off Newtown)
Rose Mead BS7: Hor. 1C **48**
Rosemeare Gdns. BS13: B'wth 3E **74**
Rosemont Ter. BS8: Clif 3G **61**
Rosemount Ct. BS15: K'wd 1K **63**
Rosemount La. BA2: Bath. 7D **100**
Rosemount Rd. BS48: Flax B. 2F **73**
Rosenberg Ho's. *BA1: Bath 5F 7*
(off Westgate Bldgs.)
Roseneath Av. TA8: Berr 3B **156**
Rose Oak Dr. BS36: Coal H 7H **29**
Rose Oak La. BS36: Coal H. 7H **29**
Rose Rd. BS5: St G 2G **63**
Rosery Cl. BS9: W Trym 7G **35**
Rosery, The BS16: Fish. 5A **50**
Rose Ter. BA2: C Down 2E **122**
Rosetree Paddock
TA8: Berr 3B **156**
Rosevear BS2: Bris. 2C **62**
Roseville Av. BS30: L Grn. 7E **64**
Rose Wlk. BS16: Fish 5A **50**
Rosewarn Cl. BA2: Bath 7G **99**
Rosewell Ct. BA1: Bath. 5B **100** (4E **6**)
Rosewood Av. BS35: Alv. 4H **11**
TA8: Bur S 2E **158**
Rosewood Cl. TA8: Bur S 1D **158**
Rosewood Dr. TA8: Bur S 2E **158**
Rosling Rd. BS7: Hor 2A **48**
Roslyn Av. BS22: W Mare 3A **106**
Roslyn Rd. BS6: Redl 7J **47**
Rossall Av. BS34: Lit S 1E **36**
Rossall Rd. BS4: Brisl. 6F **63**
Ross Cl. BS37: Chip S 5H **31**
Rossendale Cl. BS22: Wor 1D **106**
Rossiter Rd. BA2: Bath. 6C **100** (6H **7**)
Rossiter's La. BS5: St G 3J **63**
Rossiter Wood Ct.
BS11: Law W 5B **34**
Rosslyn Rd. BA1: Bath 4H **99**
Rosslyn Way BS35: T'bry 1A **12**
ROTCOMBE 4B **140**
Rotcombe La. BS39: High L 4B **140**
Rotcombe Va. BS39: High L 3B **140**
Rougemont Gro. NP16: Bulw 1A **8**
Rounceval St. BS37: Chip S 5G **31**
ROUND HILL 2K **153**
Roundhill Gro. BA2: Bath 1H **121**
Roundhill Pk. BA2: Bath 7G **99**
Roundmoor Cl. BS31: Salt 7H **79**
Roundmoor Gdns. BS14: Stoc 4F **77**
Round Oak Gro. BS27: Ched 6C **150**
Round Oak Rd. BS27: Ched. 6C **150**
Roundways BS36: Coal H 1G **39**
Rousham Rd. BS5: Eastv 5C **48**
Rowacres BA2: Bath 1H **121**
BS14: H'gro 4B **76**
Rowan Cl. BS16: Fish 6J **49**
BS48: Nail. 7J **57**
Rowan Ct. BA3: Rads 5H **153**
BS5: Bar H. 2D **62**
BS37: Yate 3C **30**
Rowan Ho. BS13: Hart 6K **75**
Rowan Pl. BS24: W Wick 3F **107**
Rowans, The BS16: Fren. 6K **37**
BS20: P'head 4D **42**
Rowan Wlk. BS31: Key. 6A **78**
Rowan Way BS15: Han 6K **63**
BS40: L'frd. 7C **110**
TA8: Berr 1B **156**
ROWBERROW 4C **132**
Rowberrow BS14: H'gro 3B **76**
ROWBERROW BOTTOM. 5D **132**
Rowberrow La. BS25: Row, Ship. 3B **132**
Rowberrow Way BS48: Nail 1G **71**
Rowland Av. BS16: Stap 4F **49**
Rowlands Cl. BA1: Bathf. 1A **102**
Rowlandson Gdns. BS7: L'lze. 2D **48**
Rowley St. BS3: Bedm 6J **61**
Rownham Cl. BS3: Bwr A 5E **60**
Rownham Ct. BS8: Clif 4G **61**
Rownham Hill BS8: L Wds 3E **60**
Rownham Mead BS8: Clif. 4G **61**
Row of Ashes La. BS40: Redh. 7C **90**
Rows, The BS22: Wor. 2C **106**
Row, The BS35: Aust 5G **9**
Royal Albert Rd. BS6: Henl. 4G **47**
Royal Av. BA1: Bath 4A **100** (2D **6**)
Royal Cl. BS10: Hen 4D **34**
Royal Ct. BS23: W Mare 1F **127**
Royal Cres. BA1: Bath 4A **100** (2D **6**)
BS23: W Mare. 4F **105**
Royal Fort Rd. BS2: Bris. 2J **61** (2D **4**)
Royal Oak Av. BS1: Bris 3K **61** (6E **4**)
Royal Pde. BS23: W Mare 4F **105**
Royal Pk. BS8: Clif 2G **61**
Royal Pk. M. BS8: Clif 2G **61**
Royal Photographic Society 3F **7**
Royal Portbury Dock Rd.
BS20: P'bry 2C **44**
Royal Rd. BS16: Mang 2E **50**
Royal Sands BS23: W Mare. 1F **127**
(not continuous)
Royal Victoria Pk. BS10: Bren 5H **35**
Royal York Cres. BS8: Clif. 3F **61**
Royal York M. BS8: Clif. 3G **61**
Royal York Vs. BS8: Clif 3G **61**
Royate Hill BS5: Eastv. 6F **49**
Roycroft Rd. BS34: Fil. 5D **36**
Roy King Gdns. BS30: C Hth. 3G **65**
Roynon Way BS27: Ched. 7D **150**
Royston Wlk. BS10: S'mead 5K **35**
Rozel Rd. BS7: Hor. 3A **48**
Rubens Cl. BS31: Key. 5E **78**
Rubens Ct. BS22: Wor 1D **106**
Ruby St. BS3: Bedm 6H **61**
Ruddymead BS21: Clev. 7D **54**
Rudford Cl. BS34: Pat. 5D **26**
Rudge Cl. BS15: Soun 6D **50**
RUDGEWAY 4H **19**
Rudgeway Pk. BS35: Rudg. 4G **19**
Rudgeway Rd. BS39: Paul. 1C **152**
Rudgewood Cl. BS13: Hart 6K **75**
Rudgleigh Av. BS20: Pill. 4G **45**
Rudgleigh Rd. BS20: Pill 4G **45**
Rudhall Grn. BS22: Wor 1F **107**
Rudhall Gro. BS10: Hor 1A **48**
Rudmore Pk. BA1: Bath 4G **99**
Rudthorpe Rd. BS7: Hor 3A **48**
Ruett La. BS39: Far G 2A **152**
Ruffet Rd. BS36: Coal H 4E **38**
Rugby Rd. BS4: Brisl. 6F **63**
Rugosa Dr. TA8: Berr 3B **156**
Runnymead Av. BS4: Brisl 1F **77**
Runnymeade BS15: K'wd 7C **50**
Runswick Rd. BS4: Brisl 6E **62**
Rupert St. BS1: Bris 2K **61** (3E **4**)
BS5: Redf. 3E **62**
Rush Cl. BS32: Brad S. 4F **27**
Rushen La. BS35: L Sev 3K **9**
Rushey La. BA15: B Lgh, L Wrax. 7K **103**
Rushgrove Gdns. BS39: Bis S. 1H **137**
RUSH HILL 2J **121**
Rush Hill BA2: Bath 2H **121**
Rushmoor BS21: Clev 1A **68**
Rushmoor Gro. BS48: Back 5J **71**
Rushmoor La. BS48: Back. 5J **71**
Rushton Dr. BS36: Coal H. 7H **29**
Rushway BS40: Burr. 1H **133**
Rushy BS30: C Hth 5E **64**
Rushy Way BS16: Emer G 6E **38**
Ruskin Gro. BS7: Hor 7C **36**
Ruskin Rd. BA3: Rads. 5G **153**
Russell Av. BS15: K'wd. 2C **64**
Russell Cl. BS40: Winf 5A **92**
Russell Gro. BS6: Henl 3J **47**
Russell Rd. BS6: Henl 4H **47**
BS16: Fish 6K **49**
BS21: Clev 6C **54**
BS24: Lock. 6F **107**
Russell St. BA1: Bath 4B **100** (2F **7**)
RUSSELL TOWN 2D **62**
Russell Town Av. BS5: E'tn. 1D **62**
Russell Town Av. Ind. Cen.
BS5: Redf. 2E 62
(off Russell Town Av.)
Russet Cl. BS35: Olv. 2C **18**
Russets, The BS20: P'head. 4H **43**
Russett Cl. BS48: Back 4K **71**
Russett Gro. BS48: Nail. 2E **70**
Russet Way BA2: Pea J. 6D **142**
Russ La. BS21: Kenn. 5E **68**
Russ St. BS2: Bris 3B **62** (4K **5**)
Rustic Pk. Cvn. Site BS35: Sev B 7A **16**
Rutherford Cl. BS30: L Grn 6E **64**
Ruthven Rd. BS4: Know 2A **76**
Rutland Av. BS30: Will 7E **64**
Rutland Cl. BS22: W Mare 4A **106**
Rutland Rd. BS7: B'stn 5A **48**
Rydal Av. BS24: Lock 1D **128**
Rydal Rd. BS23: W Mare 1H **127**
Ryde Rd. BS4: Know. 7D **62**
Rye Cl. BS13: B'wth 4E **74**
Ryecroft Av. BS22: Wor. 2C **106**
Ryecroft Ri. BS4: L Ash 1B **74**
Ryecroft Rd. BS36: Fram C. 6G **29**
Ryedown La. BS30: Bit. 1G **79**
Ryland Pl. BS2: Bris 6C **48**
Rylestone Cl. BS36: Fram C 6D **28**
Rylestone Gro. BS9: W Trym. 3F **47**
Rysdale Rd. BS9: W Trym 2F **47**

S

Sabrina Way BS9: Stok B 4C **46**
Sadbury Cl. BS22: Wor 7F **85**
Sadlier Cl. BS11: Law W. 7K **33**
Saffron Cl. BS5: W'hall 1E **62**
Saffron Ct. BA1: Bath 3C **100**

Saffrons, The—Sandburrows Rd.

Saffrons, The BS22: Wor 7F 85
Saffron St. BS5: W'hall 1E 62
Sage Cl. BS20: P'head 4A 42
Sages Mead BS32: Brad S. 6F 27
St Agnes Av. BS4: Know 7B 62
St Agnes Cl. BS48: Nail 1J 71
St Agnes Gdns. BS4: Know 7B 62
St Agnes Wlk. BS4: Know 7B 62
St Aidans Cl. BS5: St G 3K 63
St Aidans Rd. BS5: St G 3J 63
St Albans Rd. BS6: Henl 4H 47
St Aldams Dr. BS16: Puck 3B 52
St Aldhelm Rd. BA15: Brad A 7J 125
St Aldwyn's Cl. BS7: Hor 7B 36
ST ANDREWS 5A 48
St Andrews BS30: Warm 3F 65
BS37: Yate 6E 30
St Andrews Cl. BS22: Wor 1D 106
St Andrew's Cl. BS48: Nail 1J 71
BS49: Cong 7J 87
St Andrews Dr. BS21: Clev 7A 54
St Andrews Ga. Rdbt. BS11: A'mth 5F 33
St Andrews Ho. BS11: A'mth 6E 32
St Andrew's Pde. BS23: W Mare 1H 127
St Andrew's Rd. BS6: Bris 7A 48
BS11: A'mth 5F 33
St Andrews Rd. BS27: Ched 7E 150
St Andrew's Rd. BS48: Back 5K 71
TA8: Bur S 1D 158
St Andrew's Road Station (Rail) 3F 33
St Andrews Ter. BA1: Bath 4B 100 (3F 7)
St Andrews Trad. Est.
BS11: A'mth 5G 33
St Andrew's Wlk. BS8: Clif 3G 61 (4A 4)
ST ANNE'S 4F 63
St Annes Av. BS31: Key 4B 78
St Annes Cl. BS5: St G 3H 63
BS30: C Hth 5F 65
St Anne's Ct. BS4: St Ap 4F 63
BS31: Key 4B 78
St Annes Dr. BS30: Old C 7G 65
St Anne's Dr. BS30: Wick 2B 66
BS36: Coal H 2G 39
ST ANNE'S PARK 4G 63
St Annes Pk. Rd. BS4: St Ap 4G 63
St Anne's Rd. BS4: St Ap 3F 63
BS5: St G 3K 63
St Anne's Ter. BS4: St Ap 4G 63
St Ann's Dr. TA8: Bur S 6C 156
St Ann's Pl. BA1: Bath 4E 6
St Ann's Way BA2: Bath 5D 100 (4K 7)
St Anthony's Cl. BA3: Mid N 4E 152
St Anthony's Dr. BS30: Wick 2B 66
St Aubin's Av. BS4: Brisl 6H 63
St Aubyn's Av. BS23: Uph 3F 127
St Augustine's Cl. BS20: P'head 4A 42
St Augustine's Pde.
BS1: Bris 3K 61 (4E 4)
St Augustine's Pl. BS1: Bris 4E 4
St Austell Cl. BS48: Nail 2J 71
St Austell Rd. BS22: W Mare 4K 105
St Barnabas Cl. BA3: Mid N 3F 153
BS4: Know 1B 76
BS30: Warm 2G 65
St Bartholomew's Rd. BS7: Bris 5B 48
St Bede's Rd. BS15: K'wd 6A 50
St Bernards Rd. BS11: Shire 2J 45
St Blaise's Chapel (site of) 6D 34
St Brelades Gro. BS4: St Ap 4G 63
St Brendans Rdbt. BS11: A'mth 6G 33
St Brendans Trad. Est.
BS11: A'mth 5F 33
St Brendans Way BS11: A'mth 6F 33
St Briavels Dr. BS37: Yate 6D 30
St Cadoc Ho. BS31: Key 5D 78
ST CATHERINE 1H 83
St Catherine's Cl. BA2: Bath 5E 100 (4K 7)
St Catherine's Ct. BS3: Bedm 6K 61
St Catherine's Ind. Est. BS3: Bedm 5K 61
(off Whitehouse La.)
St Catherine's Mead BS20: Pill 5H 45
St Catherine's Pl. BS3: Bedm 5K 61
St Catherine's Ter. BS3: Bedm 6K 61
(off Church La.)
St Chad's Av. BA3: Mid N 5E 152
St Chad's Grn. BA3: Mid N 5E 152
St Charles Cl. BA3: Mid N 4E 152
St Christopher's Cl. BA2: Bath 4E 100
St Christophers Ct. BS21: Clev 4C 54
St Christopher's Way TA8: Bur S 5C 156
St Clements Ct. BS16: Soun 5B 50
BS21: Clev 5C 54
BS22: Wor 2E 106
St Clement's Ct. BS31: Key 6C 78
St Clement's Rd. BS31: Key 5C 78
(not continuous)
St David's Av. BS30: C Hth 4E 64
St David's Cl. BS22: W Mare 2K 105
St David's Cres. BS4: St Ap 3H 63
St Davids M. BS1: Bris 5C 4
St David's Rd. BS35: T'bry 3A 12
St Dunstans Cl. BS31: Key 4C 78
St Dunstan's Rd. BS3: Bedm 7J 61
St Edward's Rd. BS8: Clif 3H 61 (5A 4)
St Edyth's Rd. BS9: Sea M 2B 46
St Fagans Ct. BS30: Will 7F 65
St Francis Dr. BS30: Wick 2B 66
BS36: Wint 1D 38
St Francis Rd. BS3: Ash G 5G 61
BS31: Key 4A 78
St Gabriel's Bus. Pk. BS5: E'tn 1D 62
St Gabriel's Rd. BS5: E'tn 1D 62
ST GEORGE 1J 63
ST GEORGES 2H 107
St Georges Av. BS5: St G 3H 63
St Georges Bldgs. BA1: Bath 3C 6
(off Up. Bristol Rd.)
St George's Hill BA2: B'ptn 3F 101
St Georges Hill BS20: E'tn G 5E 44
St Georges Ho. BS5: St G 1G 63
St George's Ho. BS8: Clif 5B 4
(off St George's Rd.)
St Georges Ind. Est. BS11: A'mth 4F 33
St Georges Pl. BA1: Bath 3C 6
(off Up. Bristol Rd.)
St George's Rd. BS1: Bris 3H 61 (5B 4)
BS20: P'bry 1C 44
St Georges Rd. BS31: Key 4B 78
St Gregory's Rd. BS7: Hor 7B 36
St Gregory's Wlk. BS7: Hor 7B 36
St Helena Rd. BS6: Henl 4H 47
St Helens Dr. BS30: Old C 7G 65
BS30: Wick 2C 66
St Helen's Wlk. BS5: St G 7J 49
St Helier Av. BS4: Brisl 5H 63
St Hilary Cl. BS9: Stok B 3D 46
St Ivel Way BS30: Warm 3G 65
St Ives Cl. BS48: Nail 1J 71
St Ives Rd. BS23: W Mare 1J 127
St James' Barton BS1: Bris 1A 62 (1G 5)
St James Cl. BS35: T'bry 1A 12
St James Ct. BS1: Bris 2F 5
BS32: Brad S 3E 26
St James' Pde. BS1: Bris 2K 61 (2F 5)
St James Pl. BS16: Mang 3E 50
St James's Pde. BA1: Bath 5B 100 (5F 7)
St James's Pk. BA1: Bath 3B 100 (1E 6)
St James's Pl. BA1: Bath 3B 100 (1E 6)
St James's Sq. BA1: Bath 3A 100 (1D 6)
St James's St. BA1: Bath 3B 100 (1E 6)
St James St. BS16: Mang 3E 50
BS23: W Mare 5F 105
St John's Av. BS21: Clev 6D 54
St John's Bldgs. BS3: Bedm 5K 61
St John's Cl. BA2: Pea J 6B 142
BS23: W Mare 3F 105
St Johns Ct. BA2: Bath 4C 100 (2G 7)
BS16: Fish 5J 49
BS26: Axb 4H 149
St John's Ct. BS31: Key 4C 78
St John's Cres. BA3: Mid N 4E 152
BS3: Wind H 7A 62
St John's La. BS3: Bedm, Wind H 6J 61
St John's Pl. BA1: Bath 5B 100 (4F 7)
St John's Rd. BA1: Bath 4J 99 (3A 6)
BA2: Bath 4C 100 (3G 7)
St Johns Rd. BA2: Tim 4F 141
St John's Rd. BS3: Bedm 5K 61 (7E 4)
(Lombard St.)
BS3: Bedm 6J 61
(St John's St.)
BS8: Clif 7G 47
BS21: Clev 6D 54
BS48: Back 5K 71
TA8: Bur S 1D 158
St John's Steep BS1: Bris 3F 5
(off All Saints St.)
St John's St. BS3: Bedm 6J 61
St John St. BS35: T'bry 3K 11
St John's Way BS37: Chip S 4H 31
St Joseph's Rd. BS10: Bren 4H 35
BS23: W Mare 3G 105
St Judes Ter. BS22: W Mare 3A 106
St Julian's Rd. BA2: Shos 2E 154
St Julien's Cl. BS39: Paul 2C 152
St Katherine's Quay
BA15: Brad A 7H 125
St Keyna Ct. BS31: Key 5D 78
St Keyna Rd. BS31: Key 5C 78
St Kilda's Rd. BA2: Bath 6K 99 (7A 6)
St Ladoc Rd. BS31: Key 4B 78
St Laud Cl. BS9: Stok B 3D 46
St Laurence Rd. BA15: Brad A 7J 125
St Leonard's Rd. BS5: E'tn 6E 48
BS7: Hor 2A 48
St Loe Cl. BS14: Whit 7B 76
St Lucia Cl. BS7: Hor 1A 48
St Lucia Cres. BS7: Hor 1A 48
St Lukes Cl. BS16: Emer G 1G 51
St Luke's Cl. TA8: Bur S 1D 158
St Lukes' Ct. BS3: Bedm 5A 62 (7H 5)
St Luke's Cres. BS3: Wind H 5B 62
St Luke's Gdns. BS4: Brisl 7G 63
St Luke's Rd. BA2: Bath 1B 122
St Lukes Rd. BA3: Mid N 4D 152
St Luke's Rd.
BS3: Bris, Wind H 5A 62 (7H 5)
St Luke's Steps BS3: Wind H 5A 62
St Luke St. BS5: Bar H 2D 62
St Margaret's Cl. BS31: Key 4B 78
BS48: Back 5J 71
St Margaret's Ct. BA15: Brad A 6H 125
St Margaret's Dr. BS9: Henl 3J 47
St Margaret's Hill BA15: Brad A 6H 125
St Margarets La. BS48: Back 5J 71
St Margaret's Pl. BA15: Brad A 6H 125
St Margaret's Steps BA15: Brad A 6H 125
(off St Margaret's Hill)
St Margaret's St. BA15: Brad A 6H 125
St Margaret's Ter. BS23: W Mare 4F 105
St Margaret's Vs. BA15: Brad A 6H 125
St Mark's Av. BS5: E'tn 6E 48
St Marks Cl. BS31: Key 4C 78
St Marks Gdns. BA2: Bath 6C 100 (7G 7)
St Mark's Grn. BA2: Tim 3F 141
St Mark's Gro. BS5: E'tn 7D 48
St Mark's Rd. BA2: Bath 6C 100 (7G 7)
BA3: Mid N 4E 152
BS5: E'tn 7D 48
BS22: Wor 7D 84
TA8: Bur S 1D 158
St Mark's Ter. BS5: E'tn 7D 48
St Martins BS4: L Ash 1A 74
St Martin's Cl. BS4: Know 7D 62
St Martin's Ct. BA2: Odd D 3A 122
St Martins Ct. BS22: Wor 1C 106
St Martin's Gdns. BS4: Know 1D 76
St Martin's Rd. BS4: Know 7D 62
St Martin's Wlk. BS4: Know 1D 76
St Mary's Bldgs. BA2: Bath 6B 100 (6E 6)
St Mary's Cl. BA2: Bath 5D 100 (4K 7)
BA2: Tim 3F 141
BS24: Hut 3B 128
St Mary's Ct. BS24: W Mare 3J 127
St Mary's Gro. BS48: Nail 3E 70
St Mary's Pk. BS48: Nail 2E 70
St Mary's Pk. Rd. BS20: P'head 4E 42
St Marys Redcliffe Church 6G 5
St Marys Ri. BA3: Writ 4C 154
St Mary's Rd. BS8: L Wds 3D 60
BS11: Shire 1G 45
BS20: P'head 4E 42
BS24: Hut 3B 128
TA8: Bur S 1D 158
St Mary's St. BS26: Axb 4J 149
St Mary St. BS35: T'bry 3K 11
St Mary's Wlk. BS11: Shire 2H 45
St Marys Way BS35: T'bry 3K 11
St Mary's Way BS37: Yate 4F 31
St Matthews Av. BS6: Bris 7K 47
St Matthew's Cl. BS23: W Mare 3F 105
St Matthews Pl. BA2: Bath 6D 100 (6J 7)
St Matthew's Rd. BS6: Bris 1K 61 (1E 4)
St Matthias Ho. BS2: Bris 2J 5
St Matthias Pk. BS2: Bris 2B 62 (2J 5)
St Michael's Av. BS21: Clev 1D 68
BS22: Wor 1E 106
St Michaels Cl. BS7: B'stn 4A 48
St Michael's Cl. BS36: Wint 7C 28
St Michaels Ct. BA2: Mon C 4G 123
St Michael's Ct. BS15: K'wd 1K 63
St Michael's Hill BS2: Bris 1J 61 (1C 4)
St Michael's Pk. BS2: Bris 1J 61 (1C 4)
St Michael's Pl. BA1: Bath 5B 100 (5F 7)
St Michael's Rd. BA1: Bath 4K 99 (2A 6)
BA2: Bath 6G 99
TA8: Bur S 1D 158
St Nicholas Cl. BA15: W'ley 5B 124
St Nicholas Ct. BA2: B'ptn 2H 101
St Nicholas Mkt. BS1: Bris 3K 61 (4F 5)
St Nicholas Pk. BS5: E'tn 7D 48
St Nicholas Rd. BS2: Bris 7B 48
BS14: Whit 6E 76
BS23: Uph 3F 127
St Nicholas St. BS1: Bris 3K 61 (4F 5)
St Nicholas Way BS48: B'ley 1F 89
St Oswald's Ct. BS6: Redl 5H 47
St Oswald's Rd. BS6: Redl 5H 47
St Patrick's Ct. BA2: Bath 5D 100 (4K 7)
BS31: Key 5C 78
ST PAUL'S 1C 62
St Pauls Pl. BA1: Bath 4E 6
St Paul's Pl. BA3: Mid N 4E 152
St Paul's Rd. BS3: Bedm 5K 61
BS8: Clif 2H 61 (2A 4)
BS23: W Mare 7G 105
TA8: Bur S 1D 158
St Paul St. BS2: Bris 1H 5
St Peter's Av. BS23: W Mare 3F 105
St Peter's Cres. BS36: Fram C 6F 29
St Peter's Ho. BS8: Clif 5B 4
St Peter's Ri. BS13: B'wth 3G 75
St Peter's Rd. BA3: Mid N 6G 153
BS20: P'head 4F 43
TA8: Bur S 1D 158
St Peter's Ter. BA2: Bath 5K 99 (4B 6)
St Peter's Wlk. BS9: Henl 2H 47
St Philips C'way. BS2: Bris 2C 62
BS5: Bar H 2C 62
St Philips Central Ind. Est.
BS2: Bris 4C 62
ST PHILIP'S MARSH 4D 62
St Philips Rd. BS2: Bris 2B 62 (3K 5)
St Pierre Dr. BS30: Warm 3F 65
St Ronan's Av. BS6: Cot 7J 47
St Saviours Ho. BS4: Know 7B 62
St Saviours Ri. BS36: Fram C 1F 39
St Saviours Rd. BA1: Bath, Swain 2D 100
St Saviour's Ter. BA1: Bath 2D 100
St Saviours Way BA1: Bath 2E 100
St Silas St. BS2: Bris 4C 62
St Stephen's Av. BS1: Bris 3K 61 (4E 4)
St Stephens Bus. Cen.
BS30: Old C 4G 65
(off Poplar Rd.)
St Stephen's Cl. BA1: Bath 2B 100
BS10: S'mead 5J 35
BS16: Soun 5C 50
St Stephen's Ct. BA1: Bath 3B 100
St Stephen's Pl. BA1: Bath 3B 100
(off St Stephen's Rd.)
St Stephen's Rd. BA1: Bath 3B 100 (1F 7)
BS16: Soun 6B 50
St Stephen's St. BS1: Bris 2K 61 (3E 4)
St Swithin's Pl. BA1: Bath 3C 100 (1G 7)
St Swithin's Yd. BA1: Bath 2G 7
St Thomas Pl. BS1: Bris 3A 62 (5G 5)
St Thomas Rd. BA3: Mid N 4F 153
St Thomas St. BS1: Bris 3A 62 (4G 5)
St Thomas St. E. BS1: Bris 3A 62 (5G 5)
St Vincent's Hill BS6: Redl 6G 47
St Vincents Rd. BS8: Clif 3G 61
St Vincents Trad. Est. BS2: Bris 3E 62
Saint Way BS34: Stok G 3J 37
St Werburghs City Farm 5B 48
St Werburgh's Pk. BS2: Bris 6C 48
St Werburgh's Rd. BS2: Bris 6B 48
St Whytes Rd. BS4: Know 2K 75
St Winifred's Dr. BA2: C Down 2F 123
Salcombe Gdns. BS22: Wor 1E 106
Salcombe Rd. BS4: Know 1B 76
Salem Rd. BS36: Wint 7D 28
SALISBURY 2D 152
Salisbury Av. BS15: K'wd 1K 63
Salisbury Dr. BS16: Down 2C 50
Salisbury Gdns. BS16: Down 3C 50
Salisbury Pk. BS16: Down 2C 50
Salisbury Rd. BA1: Bath 1D 100
BS4: St Ap 4F 63
BS6: Redl 6K 47
BS16: Down 2C 50
BS22: W Mare 3A 106
BS39: Paul 2D 152
TA8: Bur S 1E 158
Salisbury St. BS5: Bar H 3D 62
BS5: St G 2G 63
Salisbury Ter. BS23: W Mare 4F 105
Sally Barn Cl. BS30: L Grn 7C 64
Sally Hill BS20: P'head 1G 43
Sally Lunn's House 5C 100 (5G 7)
Sallysmead Cl. BS13: Hart 6H 75
Sallys Way BS36: Wint 7D 28
Salmons Way BS16: Emer G 7E 38
SALTERS BROOK 1F 117
SALTFORD 7J 79
Saltford Ct. BS31: Salt 7J 79
Salthouse Farm Cvn. Pk.
BS35: Sev B 5A 16
Salthouse Rd. BS21: Clev 7B 54
Salthrop Rd. BS7: B'stn 4A 48
Saltings Cl. BS21: Clev 7B 54
Saltmarsh Dr. BS11: Law W 6A 34
Saltwell Av. BS14: Whit 5E 76
Salway Cl. BS40: Chew S 3E 114
Sambourne La. BS20: Pill 3G 45
Samian Way BS34: Stok G 2G 37
Sampson Ho. Bus. Pk. BS10: H'len 7D 24
Sampsons Rd. BS13: Hart 6K 75
Samuel Cft. La. SN14: Hin 2H 53
Samuel St. BS5: Redf 1E 62
Samuel White Rd. BS15: Han 6K 63
Samuel Wright Cl. BS30: Old C 4H 65
Sanctuary Gdns. BS9: Stok B 5D 46
Sandbach Rd. BS4: Brisl 5F 63
Sandbed Rd. BS2: Bris 6C 48
Sandburrows Rd. BS13: B'wth 4E 74

Shrubbery Wlk. W.—Spring Cres.

Shrubbery Wlk. W. BS23: W Mare . . . 3F 105
Shuter Rd. BS13: Withy . . . 5F 75
Sibland BS35: T'bry . . . 4B 12
Sibland Cl. BS35: T'bry . . . 4B 12
Sibland Rd. BS35: T'bry . . . 3B 12
Sibland Way BS35: T'bry . . . 4A 12
SIDCOT . . . 6G 131
Sidcot BS4: Brisl . . . 7J 63
Sidcot Dr. BS25: Wins . . . 6G 131
Sidcot La. BS25: Wins . . . 6G 131
Sideland Cl. BS14: Stoc . . . 4G 77
Sidelands Rd. BS16: Fish . . . 2A 50
Sidelings, The BS40: Ubl . . . 5H 135
Sidings, The BS34: Fil . . . 5E 36
Sidmouth Cl. TA8: Bur S . . . 7E 156
Sidmouth Gdns. BS3: Wind H . . . 7K 61
Sidmouth Rd. BS3: Wind H . . . 7K 61
Signal Rd. BS16: Stap H . . . 4C 50
Silbury Ri. BS31: Key . . . 1E 96
Silbury Rd. BS3: Ash V . . . 7E 60
Silcox Rd. BS13: Hart . . . 6J 75
Silklands Gro. BS9: Sea M . . . 2C 46
Silverberry Rd. BS22: Wor . . . 3D 106
Silverbirch Cl. BS34: Lit S . . . 7F 27
Silver Ct. BS48: Nail . . . 7F 57
Silverhill Rd. BS10: Hen . . . 4E 34
Silverlow Rd. BS48: Nail . . . 7F 57
Silver Mead BS49: Cong . . . 2K 109
Silver Moor La. BS29: Ban . . . 6J 107
Silverstone Way BS49: Cong . . . 1K 109
Silver St. BA3: Mid N, Stratt F . . . 7E 152
BA15: Brad A . . . 6H 125
BS1: Bris . . . 2K 61 (2F 5)
BS20: W'ton G . . . 7A 42
BS27: Ched . . . 6D 150
BS35: T'bry . . . 3K 11
BS40: Chew M . . . 1H 115
BS40: Wrin . . . 2F 111
BS48: Nail . . . 7E 56
BS49: Cong . . . 2K 109
Silverthorne La. BS2: Bris . . . 4C 62 (6K 5)
Silverthorne Wharf BS2: Bris . . . 3C 62
Silverton Ct. BS4: Know . . . 1B 76
Simmonds Vw. BS34: Stok G . . . 2H 37
Simons Cl. BS22: Wor . . . 2E 106
BS39: Paul . . . 1D 152
Simplex Ind. Est. BS30: Old C . . . 5G 65
Sinclair Ho. BS8: Clif . . . 3H 61 (4A 4)
Singapore Rd. BS23: W Mare . . . 2G 127
SINGLE HILL . . . 1G 155
SION HILL . . . 2A 100
Sion Hill BA1: Bath . . . 2A 100
BS8: Clif . . . 2F 61
Sion Hill Pl. BA1: Bath . . . 2A 100
Sion La. BS8: Clif . . . 2F 61
Sion Pl. BA2: Bath . . . 5D 100 (4K 7)
BS8: Clif . . . 2F 61
Sion Rd. BA1: Bath . . . 2A 100
BS3: Bedm . . . 6J 61
Sir Bevil Grenville Monument . . . 1G 81
Sir John's La. BS5: Eastv . . . 4D 48
BS16: L'Ize . . . 4D 48
Sir Johns Wood BS48: Nail . . . 6F 57
Siskin Wlk. BS22: Wor . . . 4D 106
SISTON . . . 5K 51
Siston Cen., The BS15: Soun . . . 6E 50
Siston Cl. BS15: Soun . . . 6E 50
SISTON COMMON . . . 6E 50
Siston Comn. BS15: Sis . . . 6E 50
(not continuous)
Siston Hill BS30: Sis . . . 7E 50
(not continuous)
Siston La. BS16: Sis . . . 4K 51
BS30: W Hth . . . 1J 65
Siston Pk. BS15: Soun . . . 6E 50
Sixpence BS39: High L . . . 3B 140
Sixth Av. BS7: Hor . . . 6D 36
BS14: H'gro . . . 3C 76
Sixty Acres Cl. BS8: Fail . . . 6F 59
Six Ways BS21: Clev . . . 5C 54
Skinner's Hill BA2: Cam . . . 6J 141
Skinners La. BS25: C'hll . . . 1B 132
Skippon Ct. BS15: Han . . . 4C 64
Sladacre La. BS40: Blag . . . 3C 134
SLADEBROOK . . . 1J 121
Sladebrook Av. BA2: Bath . . . 1J 121
Sladebrook Ct. BA2: Bath . . . 1J 121
Sladebrook Rd. BA2: Bath . . . 7H 99
Slade Cotts. BA2: Mon C . . . 3G 123
Slade La. BS24: Lym . . . 5K 145
BS48: Bar G . . . 6F 73
Slade Rd. BS20: P'head . . . 3F 43
Sladesbrook BA15: Brad A . . . 5H 125
Sladesbrook Cl. BA15: Brad A . . . 4H 125
Slades Ct. BS48: Back . . . 4J 71
Slad, The BS35: Grov . . . 6C 12
Slate La. BS31: Q Char . . . 3J 95
BS39: Comp D . . . 3J 95
Slaughter La. BS30: Upton C . . . 7D 66
Sleep La. BS14: Whit . . . 7F 77
Sleight Vw. BA2: Tim . . . 2F 141
Slimbridge Cl. BS37: Yate . . . 7F 31
Slimeridge Farm Cvn. Pk.
BS23: Uph . . . 3E 126
Sloan St. BS5: St G . . . 1F 63
Sloe Cl. BS22: W Mare . . . 5B 106
Slymbridge Av. BS10: Bren . . . 4G 35
Smallbrook La. BS39: Comp D . . . 5J 95
Smallcombe Cl. BA3: Clan . . . 1J 153
Smallcombe Rd. BA3: Clan . . . 1J 153
Small Down End BS25: Wins . . . 3F 131
Small La. BS16: Stap . . . 3G 49
(not continuous)
Small St. BS1: Bris . . . 2K 61 (3E 4)
BS2: Bris . . . 4C 62
Smallway BS49: Cong . . . 5K 87
Smarts Grn. BS37: Chip S . . . 6J 31
Smeaton Rd. BS1: Bris . . . 4F 61
Smithcourt Dr. BS34: Lit S . . . 1E 36
Smithmead BS13: Hart . . . 5H 75
Smith's Forge Ind. Est. BS49: Yat . . . 7F 69
Smith Way TA9: High . . . 5F 159
Smoke La. BS11: A'mth, Chit . . . 1G 33
Smurl La. TA9: W Hunt . . . 7E 158
Smythe Cft. BS14: Whit . . . 7C 76
Smyth Rd. BS3: Bedm . . . 6G 61
Smyths Cl. BS11: A'mth . . . 6F 33
SNEYD PARK . . . 5D 46
Snowberry Cl. BS22: Wor . . . 3E 106
BS32: Brad S . . . 6G 27
Snowberry Wlk. BS5: St G . . . 1G 63
Snowdon Cl. BS16: Fish . . . 4H 49
Snowdon Rd. BS16: Fish . . . 3H 49
Snowdon Va. BS23: W Mare . . . 3J 105
Snowdrop Cl. BS22: Wick L . . . 6E 84
Snow Hill BA1: Bath . . . 3C 100
Snow Hill Ho. BA1: Bath . . . 3C 100
Soapers La. BS35: T'bry . . . 4K 11
Soaphouse Ind. Est. BS5: St G . . . 1G 63
Sodbury La. BS37: W'lgh . . . 2E 40
Sodbury Rd. GL12: Wickw . . . 2G 23
Solent Way BS35: T'bry . . . 5B 12
Solsbury Ct. BA1: Bathe . . . 6H 83
Solsbury La. BA1: Bathe . . . 6G 83
Solsbury Vw. BA2: B'ptn . . . 2H 101
Solsbury Way BA1: Bath . . . 1B 100
(not continuous)
Somer Av. BA3: Mid N . . . 4D 152
Somerby Cl. BS32: Brad S . . . 7F 27
SOMERDALE . . . 3D 78
Somerdale Av. BA2: Odd D . . . 2J 121
BS4: Know . . . 2B 76
BS22: W Mare . . . 4A 106
Somerdale Cl. BS22: W Mare . . . 4A 106
Somerdale Rd. BS31: Key . . . 4D 78
Somerdale Rd. Nth. BS31: Key . . . 3D 78
Somerdale Vw. BA2: Bath . . . 2J 121
Somermead BS3: Bedm . . . 1J 75
Somer Rd. BA3: Mid N . . . 4D 152
Somerset Av.
BS24: W Wick, W Mare, Wor . . . 5C 106
BS37: Yate . . . 3F 31
Somerset Cres. BS34: Stok G . . . 2H 37
Somerset Folly BA2: Tim . . . 3F 141
Somerset Ho. BA2: Bath . . . 1K 121
BS2: Bris . . . 2K 5
Somerset La. BA1: Bath . . . 2A 100
Somerset M. BS23: W Mare . . . 6H 105
Somerset Pl. BA1: Bath . . . 2A 100
Somerset Rd. BS4: Know . . . 6C 62
BS20: P'head . . . 3B 42
BS21: Clev . . . 6E 54
Somerset Sq. BS1: Bris . . . 4A 62 (7G 5)
BS48: Nail . . . 7G 57
Somerset St. BA1: Bath . . . 6C 100 (6G 7)
BS1: Bris . . . 4A 62 (7H 5)
BS2: Bris . . . 1K 61 (1E 4)
Somerset Ter. BS3: Wind H . . . 6K 61
Somerset Way BS39: Paul . . . 7C 140
Somerton Cl. BS15: K'wd . . . 2C 64
Somerton Rd. BS7: Hor . . . 2A 48
BS21: Clev . . . 1E 68
Somervale Rd. BA3: Rads . . . 4H 153
Somerville Cl. BS31: Salt . . . 1J 97
Somerville Rd. BS25: Sandf . . . 2G 131
Sommerville Rd. BS6: Bris . . . 5A 48
BS7: B'stn, Bris . . . 5A 48
Sommerville Rd. Sth.
BS7: Bris . . . 6B 48
Soper Gdns. BS4: Know . . . 3K 75
Sophia Gdns. BS22: Wor . . . 7F 85
Sorrel Cl. BS35: T'bry . . . 2B 12
SOUNDWELL . . . 5D 50
Soundwell Rd. BS15: K'wd . . . 7A 50
Southampton Gdns. BS7: B'stn . . . 3B 48
Southampton M. BS7: B'stn . . . 3B 48
South Av. BA2: Bath . . . 6K 99 (6A 6)
BS20: P'head . . . 2F 43
South Av. BS37: Yate . . . 5B 30
TA9: High . . . 4E 158
Southblow Ho. BS3: Ash G . . . 6G 61
Southbourne Gdns. BA1: Bath . . . 2D 100
Sth. Brent Cl. TA9: Bre K . . . 4H 157
Sth. Bristol Retail Pk. BS3: Ash G . . . 6F 61
Sth. Bristol Trade Pk. BS3: Ash V . . . 6F 61
South Cl. BS24: Lym . . . 5K 145
South Combe BS24: B'don . . . 7K 127
Southcot Pl. BA2: Bath . . . 6C 100 (7H 7)
South Ct. BS32: Brad S . . . 3F 27
South Cft. BS9: Henl . . . 1J 47
BS25: Wins . . . 3F 131
South Dene BS9: Stok B . . . 2E 46
SOUTH DOWN . . . 1H 121
Southdown BS22: Wor . . . 7D 84
Southdown Av. BA2: Bath . . . 1H 121
Southdown Rd. BA2: Bath . . . 7H 99
BS9: W Trym . . . 7F 35
Southdowns BS8: Clif . . . 7G 47
Southend Gdns. GL12: Wickw . . . 7G 15
TA9: High . . . 3G 159
Southend Ho. GL12: Wickw . . . 7H 15
Southend Rd. BS23: W Mare . . . 1G 127
Southernhay BS8: Clif . . . 3H 61 (5A 4)
BS16: Stap H . . . 4A 50
Southernhay Av. BS8: Clif . . . 3H 61 (5A 4)
Southernhay Cres. BS8: Clif . . . 3H 61 (5A 4)
Southern Lea Rd. TA8: Bur S . . . 7E 156
Southern Ring Path BS21: Clev . . . 1E 68
(Newlands Grn.)
BS21: Clev . . . 1C 68
(Strode Rd.)
Southern Way BS21: Clev . . . 7B 54
South Esplanade TA8: Bur S . . . 3C 158
Southey Av. BS15: K'wd . . . 7C 50
Southey Ct. BS15: K'wd . . . 7B 50
Southey Rd. BS21: Clev . . . 7D 54
Southey St. BS2: Bris . . . 6B 48
SOUTHFIELD . . . 4A 154
Southfield BS27: Ched . . . 6C 150
Southfield Av. BS15: K'wd . . . 7C 50
Southfield Cl. BS23: Uph . . . 3F 127
BS48: Nail . . . 6G 57
Southfield Ct. BS9: W Trym . . . 1G 47
Southfield Hill BA3: Hem . . . 7G 155
Southfield Rd. BS6: Cot . . . 7K 47
BS9: W Trym . . . 1G 47
BS48: Nail . . . 6G 57
(not continuous)
Southfield Rd. Trad. Est.
BS48: Nail . . . 6H 57
Southfields BA3: Rads . . . 4A 154
Southfield Way BS37: Yate . . . 2G 31
Southgate BA1: Bath . . . 6C 100 (5G 7)
South Grn. St. BS8: Clif . . . 3F 61
South Gro. BS6: Henl . . . 3J 47
BS20: Pill . . . 4G 45
South Hayes BS5: Eastv . . . 4D 48
South Hill BS25: Wins . . . 3F 131
Southlands BA1: W'ton . . . 1G 99
(not continuous)
BS4: Know . . . 1D 76
GL12: Tyth . . . 1F 21
Southlands Dr. BA2: Tim . . . 4F 141
Southlands Way BS49: Cong . . . 6K 87
South Lawn BS24: Lock . . . 1D 128
Sth. Lawn Cl. BS24: Lock . . . 1D 128
Sth. Lea Rd. BA1: Bath . . . 3G 99
Southleaze BS25: Wins . . . 7G 131
Southleigh BA15: Brad A . . . 7G 125
Southleigh Rd. BS8: Clif . . . 1H 61 (1A 4)
Sth. Liberty La.
BS3: Ash V, Bedm . . . 1E 74
South Lodge BS9: Stok B . . . 2D 46
SOUTH LYNCOMBE . . . 1B 122
SOUTHMEAD . . . 6J 35
Southmead BS25: Wins . . . 5G 131
South Mdws. BS40: Wrin . . . 2G 111
Southmead Rd.
BS10: S'mead, W Trym . . . 1J 47
BS22: W Mare . . . 5K 105
BS34: Fil . . . 7J 35
Southmead Way BS10: S'mead . . . 7K 35
Southover Cl. BS9: W Trym . . . 7G 35
Southover Rd. BS39: High L . . . 4B 140
South Pde. BA2: Bath . . . 5C 100 (5H 7)
BS8: Clif . . . 1H 61 (1A 4)
BS23: W Mare . . . 4F 105
BS37: Yate . . . 5E 30
BS40: Chew M . . . 1H 115
South Pde. Cotts. *BA2: C Down . . . 3E 122*
(off Tyning Rd.)
South Quay BS1: Bris . . . 3A 62 (4H 5)
Southridge Hgts. BS24: W Mare . . . 5J 127
South Rd. BA2: Tim . . . 4F 141
BA3: Mid N . . . 5E 152
BS3: Bedm . . . 6J 61
BS6: Redl . . . 6J 47
South Rd. BS15: K'wd . . . 1B 64
BS20: P'head . . . 2F 43
BS23: W Mare . . . 3E 104
BS24: Lym . . . 5K 145
BS32: Alm . . . 7F 19
TA8: Berr, Brean . . . 5A 144
Southsea Rd. BS34: Pat . . . 7C 26
Southside BS23: W Mare . . . 4G 105
South Side BS49: Cong . . . 6A 88
Southside Cl. BS9: C Din . . . 7B 34
SOUTH STOKE . . . 5B 122
Southstoke La. BA2: S'ske . . . 5B 122
Southstoke Rd. BA2: C Down . . . 3B 122
South St. BS3: Bedm . . . 6H 61
TA8: Bur S . . . 2C 158
South Ter. BS6: Redl . . . 6H 47
BS23: W Mare . . . 4F 105
TA8: Bur S . . . 2C 158
SOUTH TWERTON . . . 7K 99
South Vw. *BA1: Bath . . . 2C 100*
(off Camden Rd.)
BA2: Clav D . . . 2H 123
BA2: Mon C . . . 3G 123
BA2: Tim . . . 3F 141
BA3: Clan . . . 1J 153
BS2: Bris . . . 1E 4
BS16: Stap H . . . 3C 50
BS20: P'head . . . 1F 43
BS36: Fram C . . . 7F 29
BS39: Paul . . . 7C 140
Southview Cl. BS24: Hut . . . 3C 128
Sth. View Cres. BS36: Coal H . . . 1H 39
Sth. View Pl. BA2: Odd D . . . 4J 121
BA3: Mid N . . . 4F 153
Sth. View Ri. BS36: Coal H . . . 1G 39
Sth. View Rd. BA2: Bath . . . 5K 99 (5A 6)
Southview Ter. BS49: Yat . . . 2H 87
SOUTHVILLE . . . 5J 61
Southville Cl. BA15: Brad A . . . 7J 125
Southville Pl. BS3: Bedm . . . 5K 61
Southville Rd. BA15: Brad A . . . 7J 125
BS3: Bedm . . . 5J 61 (7D 4)
BS23: W Mare . . . 1G 127
Southville Ter. BA2: Bath . . . 7D 100
South Wlk. BS37: Yate . . . 5E 30
South Wansdyke Sports Cen. . . . 5F 153
Southway Dr. BS30: Old C . . . 4H 65
Southway Rd. BA15: Brad A . . . 7H 125
Southwell Cres. TA9: High . . . 5G 159
Southwell St. BS2: Bris . . . 1J 61 (1D 4)
SOUTH WIDCOMBE . . . 7H 137
Southwood Av. BS9: C Din . . . 7C 34
Southwood Dr. BS9: C Din . . . 1B 46
Southwood Dr. E. BS9: C Din . . . 7C 34
SOUTH WRAXALL . . . 5J 103
Sovereign Shop. Cen., The
BS23: W Mare . . . 4F 105
Spa La. BA1: Swain . . . 1E 100
Spalding Cl. BS7: Eastv . . . 5C 48
Spaniorum Vw. BS35: E Comp . . . 4F 25
Sparks Way TA9: High . . . 5F 159
Spar Rd. BS37: Yate . . . 4D 30
Sparrow Hill Way BS26: Weare . . . 7D 148
Spartley Dr. BS13: B'wth . . . 4F 75
Spartley Wlk. BS13: B'wth . . . 4F 75
Spa Vis. Cen. . . . 7H 5
(off Clarence Rd.)
Spaxton Cl. TA8: Bur S . . . 7E 156
Specklemead BS39: Paul . . . 1B 152
Spectrum Ho. BS2: Bris . . . 1A 62 (1H 5)
SPEEDWELL . . . 7J 49
Speedwell Av. BS5: St G . . . 2F 63
Speedwell Cl. BS35: T'bry . . . 2B 12
Speedwell Rd. BS5: S'wll . . . 7H 49
BS15: K'wd . . . 7H 49
Speedwell Swimming Pool . . . 7H 49
Spencer Dr. BA3: Mid N . . . 4E 152
BS22: Wor . . . 1F 107
Spencer Ho. BS1: Bris . . . 7G 5
Spencers Belle Vue
BA1: Bath . . . 3B 100 (1E 6)
Spencers Ct. BS35: Alv . . . 6K 11
Spencers Orchard
BA15: Brad A . . . 7H 125
Sperring Ct. BA3: Mid N . . . 6D 152
Spey Cl. BS35: T'bry . . . 4A 12
Spindleberry Gro. BS48: Nail . . . 7J 57
Spinners End BS22: Wor . . . 7F 85
Spinney Cft. BS13: Withy . . . 5F 75
Spinney Rd. BS24: Lock . . . 1H 129
Spinney, The BS20: P'head . . . 4E 42
BS24: W Mare . . . 4H 127
BS32: Brad S . . . 7G 27
BS36: Fram C . . . 7F 29
Spinnings Drove BS48: Back . . . 7B 72
Spires Vw. BS16: Stap . . . 3G 49
Spratts Bri. BS40: Chew M . . . 1G 115
Sprigg Dr. BS20: W'ton G . . . 7B 42
Spring Cres. BA2: Bath . . . 5C 100 (5H 7)

Springfield—Stoppard Rd.

Springfield BA2: Pea J 6C 142
BA15: Brad A 6J 125
(not continuous)
BS35: T'bry 4B 12
Springfield Av. BS7: Hor 3B 48
BS11: Shire 2H 45
BS16: Mang 2E 50
BS22: W Mare 3B 106
Springfield Bldgs. BA3: Rads 3A 154
Springfield Bungs. BS39: Paul 4B 152
Springfield Cl. BA2: Bath 6H 99
BS16: Mang 1E 50
BS26: Cross 4F 149
BS27: Ched 6C 150
Springfield Crest BA3: Rads 3A 154
Springfield Gdns. BS29: Ban 2A 130
Springfield Gro. BS6: Henl 3H 47
Springfield Hgts. BA3: Clan 2J 153
Springfield Ho. BS6: Cot 1J 61
Springfield Lawns BS11: Shire 2H 45
Springfield Pl. BA1: Bath 2B 100
BA3: Clan 2J 153
Springfield Rd. BS6: Bris 7K 47
BS16: Mang 1E 50
BS20: P'head 3D 42
BS20: Pill 4G 45
BS27: Ched 6C 150
TA9: High 4G 159
Springfields BS34: Fil 5C 36
Spring Gdns. BS4: Know 1C 76
Spring Gdns. Rd. BA2: Bath . . . 5C 100 (4H 7)
(Argyle St.)
BA2: Bath 6C 100 (6H 7)
(Ferry La.)
Spring Ground Rd. BS39: Paul 1C 152
Spring Hill BS2: Bris 1K 61
(not continuous)
BS15: K'wd 6C 50
BS22: W Mare, Wor 2A 106
Springhill Cl. BS39: Paul 7A 140
Spring Hill Dr. BS22: Wor 3B 106
Spring La. BA1: Bath 1D 100
BS4: Dun 2G 93
Springleaze BS4: Know 1C 76
BS16: Mang 1E 50
Springley Ct. BS15: K'wd 1E 64
Spring Ri. BS20: P'head 5E 42
Spring St. BS3: Bedm 5A 62
Spring St. Pl. BS3: Bedm 5A 62 (7H 5)
Spring Ter. BS22: W Mare 2A 106
Spring Va. BA1: Bath 1D 100
Spring Valley BS22: W Mare 2A 106
Springville Cl. BS30: L Grn 6E 64
Springwater Pk. Trad. Est.
BS5: St G 2G 63
Springwood Dr. BS10: Hen 4D 34
Springwood Gdns. BS24: Hut 2C 128
Spruce Way BA2: Odd D 4A 122
BS22: W Mare 4C 106
BS34: Pat 7A 26
Spryngham Ho. BS13: Withy 6G 75
Square, The BA2: Bath 6B 100 (6E 6)
BA2: Tim 3F 141
BA2: Wel 4K 143
BS1: Bris 5G 5
(Redcliff St.)
BS1: Bris 3B 62 (5J 5)
(Temple Backe)
BS4: Brisl 7F 63
BS4: Know 1C 76
BS16: Stap H 4C 50
BS25: Ship 6A 132
BS25: Wins 7E 130
BS26: Axb 4J 149
BS29: Ban 2B 130
BS35: Alv 7J 11
BS39: Tem C 4G 139
BS40: Burr 2H 133
Squire La. BS40: Ubl 4G 135
Squires Ct. BS30: L Grn 5D 64
Squires Leaze BS35: T'bry 2A 12
S.S. Great Britain 4H 61 (6B 4)
Stabbins Cl. BS22: Wor 6F 85
Stable Yd. BA2: Bath 5K 99 (3A 6)
Stackpool Rd. BS3: Bris 5H 61
Staddlestones BA3: Mid N 7D 152
Stadium Rd. BS6: Henl 3J 47
Stafford Cres. BS35: T'bry 3K 11
Stafford Pl. BS23: W Mare 4G 105
Stafford Rd. BS2: Bris 6C 48
BS20: P'head 4G 43
BS23: W Mare 4H 105
Staffords Ct. BS30: C Hth 3E 64
Stafford St. BS3: Bedm 5K 61
Stainer Cl. BS4: Know 4K 75
Stalcombe La. BA2: Mark 7F 97
Stall St. BA1: Bath 5C 100 (5G 7)
STAMBRIDGE 7H 83
Stambrook Pk. BA1: Bathe 5H 83
Stanbridge Cl. BS16: Down 2D 50
Stanbridge Rd. BS16: Down 2D 50
Stanbury Av. BS16: Fish 3A 50
Stanbury Rd. BS3: Wind H 6A 62
Stancombe La. BS48: Flax B 3C 72
Standfast Rd. BS10: Hen 4F 35
Standish Av. BS34: Pat 5D 26
Standish Cl. BS10: Hen 6F 35
Standon Way BS10: S'mead 5J 35
Stane Way BS11: A'mth 1G 45
Stanfield Cl. BS7: L'lze 2D 48
Stanford Cl. BS36: Fram C 6D 28
Stanford Pl. BS4: Know 3K 75
Stanhope Pl. BA1: Bath 5A 100 (4D 6)
Stanhope Rd. BS23: W Mare 2G 127
BS30: L Grn 7D 64
Stanhope St. BS2: Bris 4C 62
Stanier Rd. BA2: Bath 5A 100 (4D 6)
Stanley Av. BS7: B'stn 5A 48
BS34: Fil 5D 36
Stanley Chase BS5: S'wll 6F 49
Stanley Ct. BA3: Mid N 4F 153
Stanley Cres. BS34: Fil 5D 36
Stanley Gdns. BS30: Old C 5F 65
Stanley Gro. BS23: W Mare 5H 105
Stanley Hill BS4: Wind H 5C 62
Stanley Mead BS32: Brad S 4G 27
Stanley Pk. BS5: E'tn 7E 48
Stanley Pk. Rd.
BS16: Soun 5C 50
Stanley Rd. BS6: Redl 6J 47
BS15: Warm 1F 65
BS23: W Mare 5H 105
Stanley Rd. W. BA2: Bath 6K 99 (6B 6)
Stanley St. BS3: Bedm 6J 61
Stanley St. Nth. BS3: Bedm 6J 61
Stanley St. Sth. BS3: Bedm 6J 61
Stanley Ter. BA3: Rads 3A 154
BS3: Bedm 7J 61
Stanley Vs. *BA1: Bath 2C 100*
(off Camden Rd.)
Stanshalls Cl. BS40: F'tn 3G 91
Stanshalls Dr. BS40: F'tn 3G 91
Stanshalls La. BS40: F'tn 3G 91
Stanshaw Cl. BS16: B'hll 1J 49
STANSHAWE 6E 30
Stanshawe Cres. BS37: Yate 5E 30
Stanshawes Ct. Dr. BS37: Yate 6E 30
Stanshawes Dr. BS37: Yate 5D 30
Stanshaw Rd. BS16: B'hll 1J 49
Stanshaws Cl. BS32: Brad S 4D 26
Stanton Cl. BS15: K'wd 7D 50
STANTON DREW 2B 116
Stanton Drew Stone Circles 1B 116
Stanton La. BS39: Pens 7F 95
STANTON PRIOR 2H 119
Stanton Rd. BA2: Wel 4K 143
BS10: S'mead 6K 35
BS40: Chew M 1H 115
STANTON WICK 4E 116
Stanton Wick La.
BS39: Stan D, Stan W 2C 116
Stanway BS30: Bit 1G 79
Stanway Cl. BA2: Odd D 3K 121
Staple Gro. BS31: Key 5B 78
Staplegrove Cres. BS5: St G 2J 63
STAPLE HILL 4B 50
Staplehill Rd. BS16: Fish 4K 49
Staples Cl. BS21: Clev 1E 68
Staples Grn. BS22: Wor 1F 107
Staples Rd. BS37: Yate 4D 30
STAPLETON 3E 48
Stapleton Cl. BS16: Stap 3F 49
Stapleton Rd. BS5:
E'tn, Eastv 1C 62 (1K 5)
BS5: Eastv 6D 48
Stapleton Road Station (Rail) 7D 48
STAR 4K 131
Star Av. BS34: Stok G 3J 37
Star Barn Rd. BS36: Wint 7C 28
Starcross Rd. BS22: Wor 1E 106
Star La. BS16: Fish 5H 49
BS20: Pill 4G 45
Starling Cl. BS22: Wor 4C 106
Starrs Cl. BS26: Axb 4H 149
Statham Cl. BS27: Ched 7D 150
Station App. BA15: Brad A 6G 125
BS23: W Mare 5G 105
(not continuous)
BS39: Pens 7F 95
Station App. Rd. BS1: Bris 4B 62 (6J 5)
Station Av. BS16: Fish 4J 49
Station Av. Sth. BS16: Fish 4J 49
Station Cl. BS15: Warm 1G 65
BS37: Chip S 6K 31
BS48: Back 3H 71
BS49: Cong 7J 87
Station Ct. BA1: Bath 4J 99
Station La. BS7: Hor 4C 48
Station Rd. BA1: Bath 4J 99
BA2: B'ptn 1H 101
BA2: F'frd 7A 124
BS4: Brisl 7F 63
BS4: St Ap 4G 63
BS6: Bris 6K 47
BS7: B'stn 4B 48
BS10: Hen 5E 34
BS11: Shire 3H 45
BS15: Soun 4C 50
BS16: Fish 4J 49
BS20: P'bry 5B 44
BS20: P'head 2F 43
BS20: Pill 4G 45
BS21: Clev 6D 54
BS22: St Geo 2G 107
BS22: Wor 2D 106
BS23: W Mare 5G 105
(not continuous)
BS25: Sandf 1F 131
BS26: Axb 4J 149
BS27: Ched 7D 150
BS30: Warm 2G 65
BS31: Key 4C 78
BS34: Fil 5C 36
(not continuous)
BS34: Lit S, Pat 6D 26
BS35: Piln 1F 25
BS35: Sev B 7A 16
BS36: Coal H 2G 39
BS36: Wint D 3C 38
BS37: Iron A 3H 29
BS37: Yate 4C 30
BS39: Clut 2G 139
BS40: Blag 2C 134
BS40: Wrin 2F 111
BS48: Back 3J 71
BS48: Flax B 3E 72
BS48: Nail 7G 57
(not continuous)
BS49: Cong 7J 87
BS49: Yat 2G 87
GL12: Wickw 6G 15
TA9: Bre K 4G 157
Station Rd. Bus. Cen.
BS15: Soun 5E 50
Station Rd. Workshops
BS15: Soun 5E 50
Station Wlk. TA9: High 5G 159
Staunton Flds. BS14: Whit 7E 76
Staunton La. BS14: Whit 6E 76
Staunton Way BS14: Whit 7F 77
Staveley Cres. BS10: S'mead 5J 35
Staverton Cl. BS34: Pat 5D 26
Staverton Way BS15: K'wd 2E 64
Stavordale Gro. BS14: H'gro 4D 76
Staynes Cres. BS15: K'wd 1C 64
Steam Mills BA3: Mid N 6D 152
Stean Bri. Rd. BS32: Brad S 1F 37
Steart Av. TA8: Bur S 2C 158
Steart Cl. TA8: Bur S 2D 158
Steart Ct. TA8: Bur S 1C 158
Steart Dr. TA8: Bur S 2C 158
Steart Gdns. TA8: Bur S 2C 158
Steel Ct. BS30: L Grn 6D 64
Steel Mills BS31: Key 6D 78
Stella Gro. BS3: Bedm 7G 61
Stephen's Dr. BS30: Bar C 4D 64
Stephen St. BS5: Redf 1E 62
Stepney Rd. BS5: W'hall 7E 48
Stepney Wlk. BS5: W'hall 7E 48
Stepping Stones, The BS4: St Ap 3G 63
Steps, The BS4: Dun 1D 92
Sterncourt Rd. BS16: B'hll 1J 49
Steven's Cres. BS3: Wind H 5B 62
Stevens La. BS24: Lym 4A 146
Stevens Wlk. BS32: Brad S 6F 27
Steway La. BA1: Bathe 5J 83
Stibbs Ct. BS30: L Grn 5D 64
Stibbs Hill BS5: St G 2J 63
Stickland BS21: Clev 1C 68
Stidcote La. GL12: Bag, Tyth 6J 13
Stidcot La. GL12: Bag, Tyth 7G 13
STIDHAM 5G 79
Stidham La. BS31: Key 4F 79
Stile Acres BS11: Law W 6A 34
Stilemead La. BS40: Ubl 4H 135
Stiling Cl. TA9: High 4F 159
Stillhouse La. BS3: Bedm 5K 61
Stillingfleet Rd. BS13: Hart 5J 75
Stillman Cl. BS13: Withy 6E 74
Stinchcombe BS37: Yate 5E 30
Stirling Cl. BS37: Yate 2D 30
Stirling Rd. BS4: Brisl 5E 62
Stirling Way BS31: Key 6C 78
Stirtingale Av. BA2: Bath 1J 121
Stirtingale Rd. BA2: Bath 1J 121
Stitchings La. BA2: Ing 5C 120
Stitchings Shord La. BS39: Bis S 1H 137
STOCK 4D 110
Stock Hill BS35: King, L Sev 3C 10
Stock La. BS35: King 1D 10
BS40: Cong, L'frd 3A 110
BS49: Cong, L'frd 3A 110
Stockmead St. BS40: L'frd 6D 110
Stockton Cl. BS14: Whit 6B 76
BS30: L Grn 6F 65
Stock Way Nth. BS48: Nail 7G 57
Stock Way Sth. BS48: Nail 7G 57
Stockwell Av. BS16: Mang 2E 50
Stockwell Cl. BS16: Down 1D 50
Stockwell Dr. BS16: Mang 2E 50
Stockwell Glen BS16: Mang 1D 50
STOCKWOOD 5G 77
Stockwood Cres. BS4: Know 7B 62
Stockwood Hill BS31: Key 3A 78
Stockwood La. BS14: Key, Stoc 6G 77
BS14: Whit 6F 77
BS31: Key 4H 77
Stockwood M. BS4: St Ap 4H 63
Stockwood Open Space Nature Reserve
. . . . 3G 77
Stockwood Rd. BS4: Brisl 1H 77
BS14: Stoc 5F 77
STOCKWOOD VALE 4A 78
Stockwood Va. BS31: Whit 4K 77
Stodden's La. TA8: Bur S 7F 157
Stodden's Rd. TA8: Bur S 6C 156
Stodden's Wlk. TA8: Bur S 7D 156
Stodelegh Cl. BS22: Wor 1F 107
STOKE BISHOP 4E 46
Stoke Bri. Av. BS34: Lit S 1F 37
Stoke Cotts. BS9: Stok B 4E 46
Stokefield Cl. BS35: T'bry 3K 11
STOKE GIFFORD 3H 37
Stoke Gro. BS9: W Trym 2E 46
Stoke Hamlet BS9: W Trym 1F 47
Stoke Hill BS9: Stok B 4E 46
BS40: Chew S 6D 114
Stoke La. BS9: W Trym 3E 46
BS16: B'hll, Stap 1G 49
BS34: Pat 6D 26
Stokeleigh Wlk. BS9: Sea M 3C 46
Stoke Mead BA2: Lim S 5H 123
Stokemead BS34: Pat 6E 26
Stoke Mdws. BS32: Brad S 6F 27
Stoke Paddock Rd. BS9: Stok B 2D 46
Stoke Pk. Rd. BS9: Stok B 4E 46
Stoke Pk. Rd. Sth. BS9: Stok B 5E 46
Stoke Rd. BS9: Stok B 5F 47
BS20: P'head 3F 43
Stokes Ct. BS30: Bar C 5E 64
Stokes Cft. BS1: Bris 1A 62 (1G 5)
Stoke Vw. BS34: Fil 4C 36
Stoke Vw. Bus. Pk. BS16: Fish 5H 49
Stoke Vw. Rd. BS16: Fish 5H 49
Stoneable Rd. BA3: Rads 3A 154
Stoneage La. BA2: Pea J, Tun 2A 142
Stoneberry Rd. BS14: Whit 7D 76
STONEBRIDGE 1K 129
Stonebridge BS21: Clev 1D 68
Stonebridge Pk. BS5: Eastv 6F 49
Stonebridge Rd. BS23: W Mare 1H 127
Stonechat Gdns. BS16: B'hll 2G 49
STONE-EDGE BATCH 5E 56
Stonefield Cl. BA15: Brad A 7J 125
Stonehenge La. BS21: Tic 5G 57
STONE HILL 5C 64
Stonehill BS15: Han 5B 64
Stonehouse Cl. BA2: C Down 2D 122
Stonehouse La. BA2: C Down 2D 122
Stone La. BS36: Wint D 4D 38
Stone Leigh BS40: Chew M 1H 115
Stoneleigh Cl. TA8: Bur S 6E 156
Stoneleigh Ct. BA1: L'dwn 7A 82
Stoneleigh Cres. BS4: Know 7C 62
Stoneleigh Dr. BS30: Bar C 4D 64
Stoneleigh Ho. BS8: Clif 3A 4
Stoneleigh Rd. BS4: Know 7C 62
Stoneleigh Wlk. BS4: Know 7C 62
Stone Rd. TA8: Bur S 3F 159
Stones Cotts. BS10: H'len 3C 34
Stonewell Dr. BS49: Cong 1K 109
Stonewell Gro. BS49: Cong 1K 109
Stonewell La. BS49: Cong 1K 109
Stonewell Pk. Rd. BS49: Cong 1K 109
Stoneyfield Cl. BS20: E'tn G 4F 45
Stoneyfields BS20: E'tn G 4F 45
Stoney Hill BS1: Bris 2J 61 (3D 4)
Stoney La. BS7: B'stn 5B 48
STONEY LITTLETON 7H 143
Stoney Littleton Long Barrow 6K 143
Stoney Steep BS20: P'head 2E 42
BS48: Wrax 4J 57
Stoney Stile Rd. BS35: Alv 7J 11
Stony La. BA1: St C 2H 83
BA2: New L 5E 98
Stoppard Rd. TA8: Bur S 2E 158

Stormont Cl.—Thatcher Cl.

Stormont Cl. BS23: W Mare 2H 127
Stothard Rd. BS7: L'lze 1D 48
Stottbury Rd. BS7: Eastv. 5C 48
Stoulton Gro. BS10: Bren 4G 35
Stourden Cl. BS16: B'hll 1J 49
Stourton Dr. BS30: Bar C 5D 64
STOVER 4B 30
Stover Rd. BS37: Yate. 4B 30
Stover Trad. Est. BS37: Yate. 4B 30
Stowell Hill Rd. GL12: Tyth. 6F 13
STOWEY 1B 138
Stowey Bottom BS39: Stow. 7A 116
Stowey La. BS49: Yat 4K 87
Stowey Pk. BS49: Yat 3K 87
Stowey Rd. BS49: Yat. 2H 87
Stow Hill Rd. GL12: Tyth. 6E 12
Stow Ho. BS11: Shire 3J 45
Stowick Cres. BS11: Law W 6C 34
Stradbrook Av. BS5: St G 2K 63
Stradling Av. BS23: W Mare 7H 105
Stradling Rd. BS11: Law W. 5C 34
Straight St. BS2: Bris 3B 62 (4J 5)
Straits Pde. BS16: Fish. 3K 49
Stratford Cl. BS14: Whit 7B 76
Stratford La.
BS40: Comp M, W Har 5D 136
Stratford Mill. 6E 34
Strathearn Dr. BS10: Bren. 5H 35
Strathmore Rd. BS7: Hor 2A 48
Stratton Cl. BS34: Lit S 7E 26
Stratton Rd. BS31: Salt. 7H 79
Stratton St. BS2: Bris 1A 62 (1H 5)
Strawberry Cl. BS48: Nail 1F 71
Strawberry Cres. BS5: St G. 2G 63
Strawberry Fld. BS26: Axb 4K 149
Strawberry Gdns. BS48: Nail. 1F 71
Strawberry Hill BS21: Clev 5E 54
Strawberry La. BS4: Dun. 7E 74
BS5: St G. 2G 63
BS13: Withy 7E 74
Strawbridge Rd. BS5: Bar H 2D 62
Stream Cl. BS10: Bren 4K 35
Streamcross BS49: Clav 2K 87
Streamleaze BS35: T'bry. 4K 11
BS40: Chew M 1H 115
Streamside BS16: Mang. 2D 50
BS21: Clev 6F 55
BS40: Chew M 1H 115
Streamside Rd. BS37: Chip S 5G 31
Streamside Wlk. BS4: Brisl. 6G 63
BS35: T'bry 3A 12
(Gloucester Rd.)
BS35: T'bry 1K 11
(Kempton Cl.)
BS35: T'bry 2K 11
(Park Rd.)
Stream, The BS16: Ham 5K 37
STREET END 3B 134
Street End BS40: Blag. 3B 134
Street End La.
BS40: Blag 3B 134
Street, The BA2: F'boro. 6D 118
BA3: Rads 4K 153
BS35: Alv 7K 11
BS35: Olv. 2C 18
BS39: Bis S. 1J 137
BS39: Stow 7B 116
BS40: Comp M. 6A 136
BS40: Regil 2K 113
BS40: Ubl. 4H 135
Stretford Av. BS5: W'hall 1F 63
Stretford Rd. BS5: W'hall. 1F 63
Stride Cl. BS35: Sev B 7A 16
STRODE 4K 113
Strode Comn. BS35: Alv 1F 19
Strode Gdns. BS35: Alv 7H 11
Strode Leisure Cen. 1B 68
Strode Rd. BS21: Clev. 2B 68
Strode Way BS21: Clev 1B 68
Stroud Rd. BS11: Shire 3J 45
BS34: Pat. 6A 26
Strowlands BS24: E'wth 7D 146
Stuart Pl. BA2: Bath 5K 99 (5A 6)
Stuart Rd. BS23: W Mare 7J 105
Stuart St. BS5: Redf 2E 62
Stubbingham Drove
BS27: Ched 7H 149
Studland Ct. BS9: Henl 2H 47
Sturden La. BS16: Ham 4A 38
Sturdon Rd. BS3: Bedm 6G 61
Sturmer Cl. BS37: Yate 2E 30
Sturmey Way BS20: Pill. 5J 45
Sturminster Cl. BS14: Stoc 4F 77
Sturminster Rd. BS14: Stoc 2E 76
Sulis Mnr. Rd. BA2: Odd D 4J 121
Sulis Sports Club 2H 123
Sullivan Cl. BS4: Know. 4K 75
Sumerlin Dr. BS21: Clev 6F 55
Summerfield BS22: Wor 1F 107
Summerfield Cotts. *BA1: Bath 2D 100*
(off Tyning La.)
Summerfield Rd. BA1: Bath 2C 100
Summerfield Ter. BA1: Bath 2C 100
Summerhayes BS30: Old C. 4H 65
BS39: Paul. 2D 152
Summer Hill BS4: Wind H. 5C 62
Summerhill Rd. BA1: W'ton 2K 99
BS5: St G 1G 63
Summerhill Ter. BS5: St G 2H 63
Summerhouse BS21: Tic 5F 57
Summerhouse Way BS30: Warm. 2F 65
Summerlands BS48: Back. 5K 71
Summerlands Rd. BS23: W Mare 4J 105
(not continuous)
Summer La. BA2: C Down, Mon C . . . 3D 122
BS22: W Wick, Wor 3F 107
BS24: Ban, W Wick. 3F 107
(not continuous)
BS29: Ban. 7J 107
(Banwell)
BS29: Ban 4G 107
(Weston-super-Mare)
Summer La. Homes BS29: Ban 1J 129
Summer La. Nth. BS22: Wor. 2E 106
Summerlays Ct. BA2: Bath 5D 100 (5J 7)
Summerlays Pl. BA2: Bath 5J 7
Summerlea BA2: Pris 7A 120
Summerleaze BS16: Fish 5A 50
BS31: Key 3C 78
Summers Dr. BS30: Doy 7G 53
Summers Mead BS37: Yate. 1E 30
Summers Rd. BS2: Bris 7C 48
Summers Ter. BS2: Bris 7C 48
Summer St. BS3: Bedm. 5J 61
Summerville Ter. TA8: Bur S. 2D 158
Sundays Hill BS32: Alm 2C 26
Sunderland Pl. BS8: Clif. 2H 61 (2A 4)
Sunderland St. BA2: Bath. 4C 100 (3H 7)
Sundridge Pk. BS37: Yate 7E 30
Sunfield Rd. BS24: Hut. 2C 128
Sunningdale BS8: Clif. 1H 61
BS37: Yate 6E 30
Sunningdale Cl. BS48: Nail. 1J 71
Sunningdale Dr. BS30: Warm 3F 65
Sunningdale Rd. BS22: Wor 1D 106
Sunnybank BA2: Bath 7D 100
Sunny Bank BS15: K'wd 7K 49
Sunnybank BS16: Down 2C 50
Sunnybank Way BS24: W Wick 3F 107
Sunny Cl. TA9: W Hunt 7E 158
Sunnydene BS4: Brisl 5F 63
Sunny Hill BS9: Sea M 1B 46
Sunnyhill Dr. BS11: Shire 2J 45
Sunnyhill Ho. E. *BS11: Shire. 2J 45*
(off Sunnyhill Dr.)
Sunnyhill Ho. W. *BS11: Shire 2J 45*
(off Sunnyhill Dr.)
Sunny Lawn TA8: Bur S. 2C 158
Sunnymead BA3: Mid N 4D 152
BS31: Key 7D 78
Sunnymede Rd. BS48: Nail 6F 57
Sunnymount BA3: Mid N 4F 153
Sunnyside BA2: S'ske 5B 122
BS9: Stok B 3E 46
BS36: Fram C 7F 29
Sunnyside Cres. BS21: Clev 6D 54
Sunnyside La. BS16: Ham 5A 38
BS37: Yate 5C 30
Sunnyside Rd. BS21: Clev. 6C 54
BS23: W Mare 7G 105
Sunnyside Rd. Nth.
BS23: W Mare 6G 105
Sunnyside Vw. BA2: Pea J. 6C 142
Sunnyvale BA2: Cam 5J 141
BS21: Clev 1A 68
Sunnyvale Dr. BS30: L Grn 6F 65
Sunny Wlk. BS15: K'wd 7K 49
Sunridge BS16: Down. 2B 50
Sunridge Cl. BA3: Mid N. 6D 152
Sunridge Pk. BA3: Mid N. 6D 152
Sunrise Gro. BS4: Brisl 5F 63
Sunset Cl. BA2: Pea J 6C 142
Surrey Rd. BS7: B'stn 5A 48
Surrey St. BS2: Bris 1A 62 (1H 5)
Suspension Bri. Rd. BS8: Clif 2F 61
Sussex Pl. BA2: Bath 6C 100 (7H 7)
BS2: Bris 7B 48
Sussex St. BS2: Bris. 3C 62
Sutherland Av. BS16: Down 1C 50
BS37: Yate 2D 30
TA8: Bur S 2D 158
Sutherland Dr. BS24: Hut 3B 128
Sutherland Pl. BS8: Clif 6G 47
Sutton Av. BS4: Brisl 5F 63
(not continuous)
Sutton Cl. BS22: W Mare 5C 106
Sutton Hill Rd. BS39: Bis S. 1J 137
Sutton La. BS40: Redh 3C 112
Sutton Pk. BS39: Bis S 1J 137
Sutton St. BA2: Bath 4D 100 (2J 7)
SUTTON WICK 3G 137
SWAINSWICK 5E 82
Swainswick BS14: H'gro 4B 76
Swainswick Gdns. BA1: Swain 1E 100
Swainswick La. BA1: Swain 5E 82
Swaish Dr. BS30: Bar C 5D 64
Swallow Cl. BA3: Mid N 6F 153
Swallow Ct. BS14: Key 4J 77
Swallow Dr. BS34: Pat 6A 26
Swallow Gdns. BS22: W Mare. 4B 106
Swallow Pk. BS35: T'bry 1B 12
Swallows Ct. BS34: Stok G 3G 37
Swallows, The BS22: W Mare 5B 106
Swallow St. BA1: Bath 5C 100 (5G 7)
Swan Cl. BS22: Wor 4C 106
Swancombe BS20: Clap G. 1G 57
BS40: Blag 3C 134
Swane Rd. BS14: Stoc 4H 77
Swan Fld. BS37: Yate 4F 31
Swan La. BS36: Wint 5K 27
Swanmoor Cres. BS10: Bren. 3G 35
Sweetgrass Rd. BS24: Wor 4E 106
Sweets Cl. BS15: K'wd 6C 50
Sweets Rd. BS15: K'wd 6C 50
Swift Cl. BS22: Wor 3D 106
SWINEFORD 3A 80
Swiss Dr. BS3: Ash V 7F 61
Swiss Rd. BS3: Ash V 7F 61
BS23: W Mare 5H 105
Swiss Valley Sports Cen. 4F 55
Sycamore Cl. BS5: W'hall 7G 49
BS15: Han 6K 63
BS23: W Mare. 4J 105
BS25: Ship. 5A 132
BS48: Nail 7G 57
TA8: Bur S 2C 158
Sycamore Ct. BS7: B'stn. 5A 48
Sycamore Dr. BS34: Pat 7A 26
BS35: T'bry 3A 12
Sycamore Rd. BA3: Rads 4B 154
Sydenham Bldgs. BA2: Bath . . . 6A 100 (6C 6)
Sydenham Hill BS6: Cot 7K 47
Sydenham La. BS6: Bris 7K 47
Sydenham Pl. *BA2: C Down 3E 122*
(off Alexandra pl.)
Sydenham Rd. BA2: Bath 5A 100 (5D 6)
BS4: Know. 6C 62
BS6: Bris, Cot. 7K 47
Sydenham Ter. BA2: C Down. 3E 122
Sydenham Way BS15: Han 6A 64
Sydney Bldgs. BA2: Bath 5D 100 (4K 7)
Sydney Ct. BA2: New L. 6B 98
Sydney M. BA2: Bath 4D 100 (3J 7)
Sydney Pl. BA2: Bath 4D 100 (2J 7)
Sydney Rd. BA2: Bath 4D 100 (3K 7)
Sydney Row BS1: Bris 4H 61 (7A 4)
BS3: Bedm 6K 61
Sydney Wharf BA2: Bath. 5D 100 (4K 7)
Sylvan Way BS9: Sea M 2B 46
Sylvia Av. BS3: Wind H. 6B 62
Symes Av. BS13: Hart 6J 75
Symes Pk. BA1: W'ton 1G 99
Symington Rd. BS16: Fish 3K 49
Symons Way BS27: Ched 7E 150
Syston Way BS15: K'wd 7B 50

T

Tabernacle Rd. BS15: Han 3A 64
Tackley Rd. BS5: Eastv. 5D 48
TADWICK 1A 82
Tadwick La. BA1: Tad, Up Swa 1A 82
Tailor's Ct. BS1: Bris. 2K 61 (3F 5)
Talbot Av. BS15: K'wd. 7K 49
Talbot Cl. TA9: High. 5F 159
Talbot Rd. BS4: Brisl, Know 7D 62
TALBOT'S END. 2C 14
Talgarth Rd. BS7: B'stn. 4B 48
Tallis Gro. BS4: Know. 4K 75
Tamar Cl. BS35: T'bry. 5B 12
Tamar Dr. BS31: Key. 6E 78
Tamar Rd. BS2: Bris 3E 62
BS22: Wor 2D 106
Tamblyn Cl. BA3: Rads 3A 154
Tamsin Ct. BS31: Key. 5C 78
Tamworth Rd. BS31: Key 6C 78
Tanhouse La. BS37: Yate 6B 22
Tankard's Cl. BS2: Bris 2D 4
BS8: Clif. 2J 61 (2D 4)
Tanner Cl. BS30: Bar C 4D 64
Tanner Ct. BS30: Bar C 4D 64
Tanners Ct. BS16: Fren 6K 37
BS35: T'bry 4K 11
Tanners Wlk. BA2: Bath. 6F 99
Tanorth Cl. BS14: Whit 7C 76
Tanorth Rd. BS14: Whit. 7B 76
Tanyard, The BS30: Will 7F 65
Tapsters BS30: C Hth 5E 64
Tara Cl. BS36: Fram C 5D 28
Tarn Ho. BS34: Pat 6C 26
Tarnock Av. BS14: H'gro 3B 76
Tarnwell BS39: Stan D 2C 116
Tarragon Pl. BS32: Brad S 7H 27
Taunton Rd. BS22: Wor. 7F 85
Taunton Wlk. BS7: Hor 1C 48
Taveners Wlk. BS48: Nail 6H 57
Taverner Cl. BS4: Know 3K 75
Taverners Cl. BS23: W Mare 1H 127
Tavistock Rd. BS4: Know 1B 76
BS22: Wor 2E 106
Tavistock Wlk. BS4: Know. 1B 76
Tawny Way BS22: Wor 4D 106
Taylor Ct. BS22: Wor. 7F 85
Taylor Gdns. BS13: Withy 6F 75
Taylor's Row BA15: Brad A 6H 125
Tayman Cl. BS7: Hor. 2A 48
Tayman Ridge BS30: Bit 2H 79
Taynton Cl. BS30: Bit 7G 65
Teal Cl. BS22: Wor 3D 106
BS32: Brad S 4F 27
Teasel Mead BS32: Brad S 7G 27
Teasel Wlk. BS22: W Mare 5B 106
Technical St. TA8: Bur S 2C 158
Teddington Cl. BA2: Bath. 7J 99
Teesdale Cl. BS22: W Mare. 4B 106
Teewell Av. BS16: Stap H 4C 50
Teewell Cl. BS16: Stap H 4C 50
Teewell Ct. BS16: Stap H 4C 50
Teewell Hill BS16: Stap H. 4C 50
Teignmouth Rd. BS4: Know 1B 76
BS21: Clev 6E 54
Telephone Av. BS1: Bris 3K 61 (4E 4)
Telford Ho. BA2: Bath 1K 121
Telford Wlk. BS5: St G 7J 49
Templar Rd. BS37: Yate 3E 30
Templars Way BS25: Ship. 6A 132
Temple Back BS1: Bris. 3A 62 (4H 5)
Temple Back E. BS1: Bris 3B 62 (5J 5)
TEMPLE BRIDGE 6G 139
Temple Church 3A 62 (5H 5)
TEMPLE CLOUD 4G 139
Temple Ct. BA2: New L 6B 98
BS31: Key 5C 78
Temple Ga. BS1: Bris 4A 62 (6H 5)
Temple Ga. Ho. BS1: Bris 4A 62 (6H 5)
Temple Inn La. BS39: Tem C. 4G 139
Templeland Rd. BS13: Withy. 5F 75
Temple Meads Station (Rail)
. . . . 4B 62 (6K 5)
Temple Quay Ho. BS1: Bris. 3B 62 (5J 5)
Temple Rose St. BS1: Bris. 3A 62 (5H 5)
Temple St. BS1: Bris 3A 62 (4G 5)
(not continuous)
BS3: Bedm. 7H 61
BS31: Key 5C 78
Temple Trad. Est. BS2: Bris. 4E 62
Temple Way BS1: Bris 3A 62 (5H 5)
BS2: Bris 3B 62 (4J 5)
Templeway Ho. BS2: Bris. 3A 62 (4H 5)
Ten Acre Cotts. BA2: Ing 6F 121
Tenantsfield La. BA3: Fox. 2G 155
Tenby Rd. BS31: Key. 6B 78
Tenby St. BS5: Bar H 2D 62
Tennessee Gro. BS6: Henl. 3J 47
Tennis Ct. Av. BS39: Paul 1B 152
Tenniscourt Cotts. BS39: Paul. 1B 152
Tenniscourt Rd. BS15: K'wd 7E 50
Tennis Ct. Rd. BS39: Paul. 1B 152
Tennis Rd. BS4: Know 7C 62
Tennyson Av. BS21: Clev 7B 54
Tennyson Cl. BS31: Key 4D 78
Tennyson M. BS10: Bren. 5H 35
Tennyson Rd. BA1: Bath 4K 99 (2A 6)
BS7: Hor 3A 48
BS23: W Mare 2H 127
Tenterk Cl. BS24: B'don 7K 127
Tenth Av. BS7: Hor 6D 36
Tereslake Grn. BS10: Bren 3K 35
Terrace Wlk. BA1: Bath 5C 100 (5G 7)
Terrell Gdns. BS5: St G. 2F 63
Terrell St. BS2: Bris 1K 61 (2E 4)
Terry Ho. BS1: Bris. 3D 4
Tetbury Cl. BS34: Lit S 6E 26
Tetbury Gdns. BS48: Nail. 1J 71
Tetbury Rd. BS15: K'wd 1K 63
Teviot Rd. BS31: Key. 6E 78
Tewkesbury Rd. BS2: Bris. 6C 48
Tewther Rd. BS13: Hart 7J 75
Teyfant Rd. BS13: Hart 6A 76
Teyfant Wlk. BS13: Hart 6A 76
Thackeray Av. BS21: Clev 5D 54
Thackeray Rd. BS21: Clev. 5E 54
Thackeray Wlk. BS7: Hor 7C 36
Thanet Rd. BS3: Bedm 7H 61
Thatcher Cl. BS20: P'head 4F 43

Thatchers Cl.—Tyning Hill

Thatchers Cl. BS5: St G 2K 63
Theatre Royal 3K 61 (4E 4)
Theatre Royal (Ustinov Studio) 4F 7
There & Back Again La.
BS8: Clif 2J 61 (3C 4)
Theresa Av. BS7: B'stn 4A 48
The St. BS40: Chew S 4D 114
Theynes Cft. BS4: L Ash 1B 74
Thicket Av. BS16: Fish 6K 49
THICKET MEAD 4D 152
Thicket Mead BA3: Mid N 4D 152
Thicket Rd. BS16: Fish 4A 50
Thicket Wlk. BS35: T'bry 3A 12
Thiery Rd. BS4: Brisl 7E 62
Thingwall Pk. BS16: Fish 5G 49
Third Av. BA2: Bath 6K 99 (7B 6)
BA3: Mid N 7H 153
BS7: Hor 6C 36
BS14: H'gro 3D 76
Third Way BS11: A'mth 5F 33
Thirlmere Ct. BS30: Old C 3H 65
Thirlmere Rd. BS23: W Mare 1J 127
BS34: Pat 6C 26
Thistle St. BS3: Bedm 6H 61
Thomas Av. BS16: Emer G 7F 39
Thomas Cl. BS29: Ban 2A 130
Thomas La. BS1: Bris 3A 62 (5G 5)
Thomas Pring Wlk. BS5: St G 7J 49
Thomas St. BA1: Bath 3C 100 (1H 7)
BS1: Bris 1A 62
BS2: Bris 7B 48
BS5: Bar H 2D 62
Thomas St. Nth. BS2: Bris 7K 47
Thomas Way BS16: Stap 1G 49
Thompson Rd. BS14: Stoc 4G 77
Thomson Rd. BS5: E'tn 1D 62
Thornbank Gdns.
BA2: Bath 6B 100 (6E 6)
Thornbank Pl. BA2: Bath 6A 100 (6D 6)
THORNBURY 3K 11
Thornbury Dr. BS23: Uph 3E 126
Thornbury Hill BS35: Alv 6J 11
Thornbury Ind. Pk. BS35: T'bry 5A 12
Thornbury Leisure Cen. 5K 11
Thornbury Mus. 4K 11
THORNBURY PARK 2K 11
Thornbury Rd. BS23: Uph 3E 126
BS35: Alv 7J 11
BS35: T'bry 6J 11
Thorn Cl. BS22: Wor 3F 107
BS37: Yate 5D 30
Thorndale BS8: Clif 1G 61
Thorndale Cl. BS22: W Mare 4B 106
Thorndale Ct. BS8: Clif 7G 47
Thorndale M. BS8: Clif 1G 61
Thorne Pk. TA8: Bur S 3D 158
Thorneycroft Cl. BS7: L'lze 1D 48
Thornhayes Cl. BS36: Fram C 6E 28
Thornhills, The BS16: Fish 2K 49
Thornleigh Rd. BS7: Hor 3A 48
Thornmead Gro. BS10: Bren 4G 35
Thorns Farm BS37: Yate 5E 30
Three Brooks La. BS32: Brad S 6G 27
Three Oaks Cl. BS16: Fish 4A 50
Three Queens' La. BS1: Bris 3A 62 (5G 5)
Three Wells Rd. BS13: Withy 6F 75
Thrissell St. BS5: E'tn 1C 62
Throgmorton Rd. BS4: Know 2B 76
Thrubwell La. BS40: Redh 7F 91
Thrush Cl. BS22: Wor 4C 106
Thunderbolt Steps BS4: Wind H 5C 62
Thurlestone BS14: H'gro 4B 76
Thurlow Rd. BS5: E'tn 6E 48
Thurston's Barton BS5: W'hall 7G 49
Tibberton BS15: K'wd 1E 64
Tibbott Rd. BS14: Stoc 5F 77
Tibbott Wlk. BS14: Stoc 5F 77
Tichborne Rd. BS5: Redf 2E 62
BS23: W Mare 3G 105
TICKENHAM 5C 56
Tickenham Drove BS21: Tic 7K 55
Tickenham Hill BS21: Tic 5F 57
Tickenham Rd. BS21: Clev 6F 55
Tide Gro. BS11: Law W 7A 34
Tidenham Way BS34: Pat 5B 26
Tiffany Ct. BS1: Bris 4A 62 (6H 5)
Tiledown Cl. BS39: Tem C 4H 139
Tilley Cl. BA2: F'boro 6E 118
BS31: Key 1E 96
Tilley La. BA2: F'boro 7D 118
Tilling Rd. BS10: Hor 1A 48
Tilling Wlk. BS10: Hor 1A 48
Tilting Rd. BS35: T'bry 2K 11
Timber Dene BS16: Stap 4F 49
Timberscombe Wlk.
BS14: Whit 5D 76
Timbers, The BA3: Mid N 7F 153
Time Machine (Mus.) 4G 105
TIMSBURY 3F 141
TIMSBURY BOTTOM 4D 140
Timsbury Rd. BA2: F'boro 6E 118
BS3: Know 7A 62
BS39: High L 4B 140
Timsbury Village Workshops
BA2: Tim 2D 140
Timsbury Wlk. BS3: Know 7A 62
Timswell Batch BS40: Blag 3C 134
Tindell Ct. BS30: L Grn 5D 64
Tinker's La. BS40: Comp M 6B 136
BS48: Back 7D 72
Tintagel Cl. BS31: Key 6B 78
Tintern Av. BS5: St G 1F 63
Tintern Cl. BS30: Bar C 3D 64
Tippetts Rd. BS15: K'wd 3B 64
Tirley Way BS22: W Mare 2K 105
Titan Barrow BA1: Bathf 1A 102
Tithe Barn 7G 125
Tiverton Gdns. BS22: Wor 2E 106
Tiverton Rd. BS21: Clev 1E 68
Tiverton Wlk. BS16: Fish 6J 49
Tivoli Ho. BS23: W Mare 4G 105
Tivoli La. BS23: W Mare 4G 105
Tobacco Factory, The 5G 61
TOCKINGTON 4D 18
Tockington Grn. BS32: Toc 4D 18
Tockington La. BS32: Alm 1C 26
Tockington Pk. La. BS32: Alm 5G 19
Toddington Cl. BS37: Yate 6D 30
Toghill La. BS30: Doy 7G 53
Tolland BS24: W Mare 3J 127
Toll Bri. Rd. BA1: Bathe 7G 83
Tollgate Ho. BS2: Bris 1B 62 (1J 5)
Toll Ho. Ct. BS3: Ash G 5G 61
Toll Rd. BS23: B'don 5H 127
Tone Rd. BS21: Clev 1D 68
Top Rd. BS25: Ship 6B 132
Tor Cl. BS22: Wor 2E 106
Tormarton Cres. BS10: Hen 3F 35
Tormynton Rd. BS22: Wor 2C 106
Toronto Rd. BS7: Hor 7B 36
Torpoint Rd. BS3: Wind H 1K 75
Torrance Cl. BS30: Old C 3H 65
Torridge Rd. BS31: Key 6E 78
Torrington Av. BS4: Know 2B 76
Torrington Cres. BS22: Wor 1E 106
Tortworth Rd. BS7: Hor 3A 48
Tor Vw. BS27: Ched 7E 150
Tory BA15: Brad A 6G 125
Tory Pl. BA15: Brad A 6G 125
Totnes Cl. BS22: Wor 2E 106
Totshill Dr. BS13: Hart 7A 76
Totshill Gro. BS13: Hart 6A 76
Tottenham Pl. BS8: Clif 2H 61 (3A 4)
TOTTERDOWN 5B 62
Totterdown Bri. Trad. Est.
BS2: Bris 5C 62
Totterdown La. BS24: W Mare 5J 127
Totterdown Rd. BS23: W Mare 1G 127
Touchstone Av. BS34: Stok G 2H 37
Tourist Info. Cen.
Bath 5C 100 (4G 7)
Bradford-on-Avon 6H 125
Bristol 3J 61 (5D 4)
Bristol International Airport 4E 90
Weston-super-Mare 5F 105
Tovey Cl. BS22: Kew 7C 84
TOWERHEAD 1E 130
Towerhead Rd. BS25: Sandf 2C 130
BS29: Ban 2C 130
Tower Hill BS2: Bris 2A 62 (4H 5)
BS24: Lock 1H 129
Tower Ho. La. BS48: Wrax 4H 57
Tower La. BS1: Bris 2K 61 (3F 5)
(not continuous)
BS30: Warm 3E 64
Towerleaze BS9: Stok B 5D 46
Tower Rd. BS15: K'wd 7A 50
BS20: P'head 4C 42
Tower Rd. Nth. BS30: Warm 2F 65
Tower Rd. Sth. BS30: C Hth 3F 65
Tower St. BS1: Bris 3A 62 (5H 5)
Tower Wlk. BS23: W Mare 3F 105
TOWNS END
Paulton 1C 152
TOWNSEND
Chew Stoke 4E 114
East Harptree 6K 137
Townsend BS32: Alm 2B 26
Townsend Cl. BS14: Stoc 5H 77
Townsend La. BS32: Alm 2B 26
Townsend Rd. BS14: Stoc 5H 77
Townshend Rd. BS22: Wor 6E 84
TOWNWELL 2B 14
Tozer's Hill BS4: Know 7E 62
Tracy Cl. BS14: H'gro 3B 76
(not continuous)
Trafalgar Rd. BA1: W'ton 2H 99
Trafalgar Ter. BS3: Bedm 7H 61
Trafalgar Wlk. BS1: Bris 2K 61 (2F 5)
Tralee Wlk. BS4: Know 1K 75
Tramway Rd. BS4: Brisl 6E 62
Tranmere Av. BS10: Bren 3G 35
Tranmere Gro. BS10: Bren 4G 35
Tratman Wlk. BS10: Hen 4F 35
Travers Cl. BS4: Know 4K 75
Travers Wlk. BS34: Stok G 2H 37
Trawden Cl. BS23: W Mare 3J 105
Treasure Ct. TA8: Bur S 6C 156
Tredegar Rd. BS16: Fish 5K 49
Treefield Pl. BS2: Bris 6C 48
Treefield Rd. BS21: Clev 7D 54
Tree Leaze BS37: Yate 4F 31
Tregarth Rd. BS3: Ash V 1F 75
Tregelles Cl. TA9: High 4E 158
Trelawn Cl. BS22: St Geo 2H 107
Trelawney Av. BS5: St G 1F 63
Trelawney Pk. BS4: Brisl 6F 63
Trelawney Rd. BS6: Cot 7J 47
Trellick Wlk. BS16: Stap 7G 37
Tremlett M. BS22: Wor 7F 85
Trenchard Rd. BS24: Lock 1H 129
BS31: Salt 7H 79
Trenchard St. BS1: Bris 2J 61 (3E 4)
Trench La. BS32: Alm 4G 27
BS36: Wint 4G 27
Trendlewood Pk. BS16: Stap 4G 49
Trendlewood Way BS48: Nail 7J 57
Trenleigh Dr. BS22: Wor 1D 106
Trent Dr. BS35: T'bry 5B 12
Trent Gro. BS31: Key 6E 78
Trentham Cl. BS2: Bris 6C 48
Tresham Cl. BS32: Brad S 4F 27
Trevelyan Rd. BS23: W Mare 5H 105
Trevelyan Wlk. BS10: Hen 4F 35
BS34: Stok G 2J 37
Trevenna Rd. BS3: Ash V 1F 75
Treverdowe Wlk. BS10: Hen 4D 34
Trevisa Gro. BS10: Bren 3J 35
Trevithin Cl. BS15: K'wd 2A 64
Trewartha Cl. BS23: W Mare 4H 105
Trewartha Pk. BS23: W Mare 4H 105
Trewint Gdns. BS4: Know 2B 76
Triangle E. BA2: Bath 6K 99 (6A 6)
Triangle Nth. BA2: Bath 5K 99 (6A 6)
Triangle Sth. BS8: Clif 2H 61 (3B 4)
Triangle, The BS20: P'head 3D 42
BS21: Clev 6D 54
BS39: Paul 7B 140
BS40: Wrin 2F 111
Triangle Vs. BA2: Bath 6K 99 (6A 6)
Triangle W. BA2: Bath 6K 99 (6A 6)
BS8: Clif 2H 61 (3B 4)
Trident Cl. BS16: Down 6E 38
Trim Bri. BA1: Bath 5B 100 (4F 7)
Trim St. BA1: Bath 5B 100 (4F 7)
Trinder Rd. BS20: E'tn G 4F 45
Trinity Cl. BA1: Bath 5B 100 (5E 6)
TA8: Bur S 6C 156
Trinity Ct. BS48: Nail 1E 70
Trinity M. BS2: Bris 3J 5
Trinity Pl. BA1: Bath 5B 100 (4E 6)
BS23: W Mare 3E 104
(not continuous)
Trinity Quay BS2: Bris 3B 62 (4J 5)
Trinity Ri. TA8: Bur S 6C 156
Trinity Rd. BA2: C Down 2D 122
BS2: Bris 2C 62 (2K 5)
BS23: W Mare 3E 104
BS48: Nail 1E 70
Trinity St. BA1: Bath 5B 100 (5F 7)
BS1: Bris 3J 61 (5D 4)
BS2: Bris 2C 62 (2K 5)
Trinity Theological College 4E 46
Trinity Wlk. BS2: Bris 2B 62 (2K 5)
Trin Mills BS1: Bris 4K 61 (6F 5)
Tripps Cnr. BS49: Yat 4K 87
Troon BS37: Yate 6E 30
Troon Dr. BS30: Warm 3F 65
Trooper's Hill Rd. BS5: St G 3H 63
Tropical Bird Garden 3B 126
Tropicana Leisure Complex 6F 105
Trossachs Dr. BA2: Bath 3F 101
Trowbridge Cl. TA9: High 4F 159
Trowbridge Rd. BA15: Brad A 6H 125
BS10: S'mead 6J 35
Trowbridge Wlk. BS10: S'mead 6J 35
Truro Cl. TA8: Bur S 1E 158
Truro Rd. BS3: Ash G 6H 61
BS48: Nail 2J 71
Trym Cross Rd. BS9: Sea M 3C 46
Trym Leaze BS9: Sea M 3C 46
Trym Rd. BS9: W Trym 7G 35
Trym Side BS9: Sea M 3C 46
Trymwood Cl. BS10: Hen 5F 35
Trymwood Pde. BS9: Stok B 2D 46
Tucker's La. BS40: Ubl 4J 135
Tucker St. BS2: Bris 2B 62 (2J 5)
Tuckett Ho. BS16: Fren 1A 50
Tuckett La. BS16: Fren 1A 50
Tuckingmill La. BS39: Comp D 6C 96
Tuckmill BS21: Clev 1B 68
Tudor Cl. BS30: Old C 6G 65
Tudor Rd. BS2: Bris 7B 48
BS5: E'tn 7E 48
BS15: Han 4A 64
BS20: P'head 4G 43
BS22: Wor 7E 84
Tuffley Rd. BS10: W Trym 7J 35
Tufton Av. BS11: Law W 7A 34
Tugela Rd. BS13: B'wth 3F 75
Tunbridge BS40: Chew M 2H 115
Tunbridge Cl. BS40: Chew M 2H 115
Tunbridge Rd. BS40: Chew M 1H 115
Tunbridge Way BS16: Emer G 7E 38
TUNLEY 2A 142
Tunley Hill BA2: Cam 3J 141
Tunley Rd. BA2: Tun 1B 142
Tunstall Cl. BS9: Stok B 4E 46
TURLEIGH 6D 124
Turley Rd. BS5: E'tn 7F 49
Turnberry BS30: Warm 3F 65
BS37: Yate 6E 30
Turnberry Wlk. BS4: Brisl 1F 77
Turnbridge Cl. BS10: Bren 4J 35
Turnbridge Rd. BS10: Bren 3J 35
Turnbury Av. BS48: Nail 1J 71
Turnbury Cl. BS22: Wor 1D 106
Turner Cl. BS31: Key 5E 78
Turner Ct. BS22: Wor 1D 106
Turner Dr. BS37: Yate 5B 30
Turner Gdns. BS7: L'lze 2D 48
Turners Ct. BS30: L Grn 5D 64
Turner's Ter. BA3: Hem 5G 155
Turner Way BS21: Clev 1B 68
Turnpike Cl. BS37: Yate 4E 30
Turnpike Ga. GL12: Wickw 6G 15
Turnpike Rd. BS25: Ship 5A 132
BS26: L Wre 7C 148
Turtlegate Av. BS13: Withy 6E 74
Turtlegate Wlk. BS13: Withy 6E 74
Turville Dr. BS7: Hor 2C 48
Tuscany Ho. BS6: Redl 5G 47
Tutton Way BS21: Clev 2D 68
Tuttors Hill BS27: Ched 5E 150
Tweed Cl. BS35: T'bry 4A 12
Tweed Rd. BS21: Clev 1C 68
Tweed Rd. Ind. Est. BS21: Clev 1C 68
Tweentown BS27: Ched 6D 150
Tweeny La. BS30: Old C 3H 65
Twelve O'Clock La. BA2: New L 2B 120
Twenty Acres Rd. BS10: S'mead 5H 35
TWERTON 6J 99
Twerton Farm Cl. BA2: Bath 5H 99
TWERTON HILL 1G 121
Twickenham Rd. BS6: Henl 3J 47
Twinhoe La. BA2: Wel 3K 143
Twinnell Ho. BS5: E'tn 1C 62
Two Acres Rd. BS14: H'gro 2C 76
Two Mile Ct. BS15: K'wd 1K 63
TWO MILE HILL 1K 63
Two Mile Hill Rd. BS15: K'wd 1J 63
Two Stones La. BS37: Chip S 6J 31
Two Trees BS40: Blag 4B 134
Twynings, The BS15: K'wd 6C 50
Tybalt Way BS34: Stok G 2G 37
Tydeman Rd. BS20: P'head 3H 43
Tyler Cl. BS15: Han 4C 64
Tyler Grn. BS22: Wor 7F 85
Tylers End TA9: High 5H 159
Tylers Farm BS37: Yate 2F 31
Tylers La. BS16: Stap H 3B 50
Tyler St. BS2: Bris 3C 62 (5K 5)
Tylers Way BS37: Yate 1F 31
Tyler Way TA9: High 5F 159
Tyndale Av. BS16: Fish 4K 49
BS37: Yate 3D 30
Tyndale Rd. BS15: Soun 6C 50
Tyndale Vw. BS35: T'bry 4K 11
Tyndall Av. BS8: Clif 2J 61 (2C 4)
Tyndall Ho. BS2: Bris 2J 5
Tyndall Rd. BS5: E'tn 1D 62
TYNDALL'S PARK 2H 61 (2B 4)
Tyndalls Pk. M. BS2: Bris 1J 61 (1C 4)
Tyndall's Pk. Rd. BS8: Clif 1H 61 (1B 4)
Tyndalls Way BS10: S'mead 7A 36
Tyne Path BS7: B'stn 6K 47
Tyne Rd. BS7: B'stn 5K 47
Tyne St. BS2: Bris 6C 48
TYNING
Bloomfield 3E 140
Northfield 3A 154
Tyning Cl. BS14: H'gro 3C 76
BS37: Yate 4E 30
Tyning End BA2: Bath 6D 100 (6K 7)
Tyning Hill BA3: Hem 7J 155
BA3: Rads 3A 154

Tyning La.—Walford Av.

Tyning La. BA1: Bath 2D **100**
BS39: Stan D 2A **116**
Tyning Pl. BA2: C Down 2E **122**
Tyning Rd. BA2: B'ptn. 1H **101**
BA2: C Down 2E **122**
BA2: Pea J 6C **142**
BA15: W'ley 5C **124**
BS3: Wind H. 6B **62**
BS31: Salt. 1J **97**
Tynings BS39: Clut 2F **139**
Tyning's La. BS36: Wint 4A **28**
Tynings M. BS23: W Mare. 1G **127**
Tynings, The BS20: W'ton G 7B **42**
BS21: Clev 1A **68**
Tynings Way BS39: Clut 2G **139**
Tyning Ter. *BA1: Bath 2D **100***
(off Fairfield Rd.)
Tyning, The BA2: Bath 6D **100** (7K **7**)
BA2: F'frd. 7K **123**
Tynte Av. BS13: Hart. 7K **75**
Tyntesfield Rd. BS13: B'wth 3G **75**
Tyrone Wlk. BS4: Know 2A **76**
Tyrrel Way BS34: Stok G. 2G **37**
TYTHERINGTON 7F **13**
Tytherington Rd. BS35: Grov 5D **12**

U

UBLEY 4H **135**
Ubley Drove BS40: Blag 7E **134**
BS40: Ubl. 5G **135**
UBLEY SIDELING 5H **135**
UDLEY 1E **110**
Ullswater Cl. BS23: W Mare 1J **127**
BS30: Old C 3H **65**
BS37: Yate 3E **30**
Ullswater Dr. BA1: Bath 1C **100**
Ullswater Rd. BS10: S'mead. 6H **35**
Uncombe Cl. BS48: Back 3B **72**
Underbanks BS20: Pill 4H **45**
Underdown Ho. BS1: Bris 4K **61** (7F **5**)
Underhill Av. BA3: Mid N 4D **152**
Underhill Dr. BS23: Uph 3F **127**
Underhill La. BA3: Mid N 5B **152**
Under Knoll BA2: Pea J 4E **142**
Under La. BS40: Redh 3B **112**
Underleaf Way
BA2: Pea J 6D **142**
Undertown BS40: Comp M 6A **136**
Undertown La. BS40: Comp M 6A **136**
Underwood Av. BS22: W Mare 3K **105**
Underwood Cl. BS35: Alv 1J **19**
Underwood End BS25: Sandf 1G **131**
Underwood Rd. BS20: P'head 5E **42**
Unicorn Bus. Pk. BS4: Brisl 4F **63**
Unicorn Pk. Av. BS4: Brisl. 4E **62**
Union Pas. BA1: Bath. 5C **100** (4G **7**)
Union Pl. BS23: W Mare 5F **105**
Union Rd. BS2: Bris 3C **62** (4K **5**)
(not continuous)
Union St. BA1: Bath 5C **100** (4G **7**)
BS1: Bris 2K **61** (2F **5**)
BS23: W Mare. 5F **105**
BS27: Ched 7D **150**
BS48: Nail 7E **56**
Unite Ho. BS1: Bris. 2J **61** (4D **4**)
Unity Ct. BS31: Key. 5E **78**
Unity Rd. BS31: Key 5E **78**
(not continuous)
Unity St. BS1: Bris 3J **61** (4D **4**)
BS2: Bris 2B **62** (3J **5**)
BS15: K'wd 1A **64**
University Cl. BS9: Stok B. 4F **47**
University Hall BS9: Stok B. 4F **47**
University of Bath. 6G 101
University of Bath Sports Training Village
. . . . 6H 101
University of Bristol
Cantock's Cl. 2J 61 (2D 4)
Department of Clinical
Veterinary Science. . . 6D 110
Queen's Rd. 2J 61 (3C 4)
Sunderland Pl. 2H 61 (2A 4)
Woodland Rd. 1H 61 (1B 4)
University of Bristol Botanical Garden
. . . . 3D 60
University of Bristol Department of
Agricultural Sciences 2J 73
University of Bristol Library. 1D 4
University of Bristol Swimming Pool
. . . . 2H 61 (2A 4)
University of the West of England
Bower Ashton Campus 5D 60
Frenchay Campus 6G 37
Glenside Campus. 3G 49
Redland Campus 6H 47
St Matthias Campus 3J 49
University Rd. BS8: Clif 2J **61** (3C **4**)
University Wlk. BS8: Clif. 2J **61** (2C **4**)
UPHILL. 3F **127**
Uphill Cvn. Pk. BS23: Uph 4G **127**
Uphill Dr. BA1: Bath 1D **100**
Uphill Rd. BS7: Hor 3B **48**
Uphill Rd. Nth. BS23: W Mare. 1F **127**
Uphill Rd. Sth. BS23: Uph. 2F **127**
Uphill Way BS23: Uph. 3F **127**
Upjohn Cres. BS13: Hart. 7K **75**
Uplands Cl. BA2: F'frd 5H **123**
BA2: Lim S. 5H **123**
Uplands Dr. BS31: Salt 1K **97**
Uplands Rd. BS16: Fish 5A **50**
BS31: Salt. 1J **97**
Uplands, The BS48: Nail 3E **70**
Up. Bath Rd. BS35: T'bry 4K **11**
Up. Belgrave Rd. BS8: Clif 6G **47**
Up. Belmont Rd. BS7: B'stn 5A **48**
Up. Berkeley Pl. BS8: Clif 2H **61** (3B **4**)
Up. Bloomfield Rd.
BA2: Odd D. 4J **121**
Up. Borough Walls
BA1: Bath. 5B **100** (4F **7**)
Up. Bristol Rd. BA1: Bath 4J **99** (3A **6**)
BS23: W Mare. 3J **105**
BS39: Clut 3F **139**
Upper Bldgs. BA2: S'ske 5B **122**
Up. Byron Pl. BS8: Clif. 2H **61** (3B **4**)
Up. Camden Pl. BA1: Bath 3C **100**
UPPER CANADA 4E **128**
Up. Chapel La. BS36: Fram C 7G **29**
Up. Cheltenham Pl. BS6: Bris. 7A **48**
Up. Church La. BS2: Bris 2J **61** (3D **4**)
BS24: Hut. 4B **128**
Up. Church Rd. BS23: W Mare 4E **104**
Up. Church St. BA1: Bath 4B **100** (2E **6**)
Up. Cranbrook Rd.
BS6: Henl, Redl 4H **47**
Up. E. Hayes BA1: Bath 2D **100**
UPPER EASTON. 1D **62**
UPPER EASTVILLE 5G **49**
Upper Furlong BA2: Tim 2F **141**
Up. Green La. BS40: But. 4E **112**
Up. Hedgemead Rd.
BA1: Bath. 3C **100** (1F **7**)
Up. Kewstoke Rd. BS23: W Mare 3D **104**
Up. Kingsdown Rd. SN13: Kings. 1D **102**
UPPER KNOWLE 6D **62**
Up. Lambridge St. BA1: Bath 1E **100**
UPPER LANGFORD 1D **132**
Up. Lansdown M. BA1: Bath 2B **100**
UPPER LITTLETON 5C **92**
Up. Maudlin St. BS2: Bris. 2K **61** (2E **4**)
Upper Mill BA15: Brad A 6J **125**
UPPER MORTON 1B **12**
Up. Myrtle Hill *BS20: Pill 4G **45***
(off Myrtle Hill)
Up. New Rd. BS27: Ched 5B **150**
Up. North St. BS27: Ched 6D **150**
Up. Oldfield Pk. BA2: Bath 6A **100** (6C **6**)
Up. Perry Hill BS3: Bris 5J **61** (7C **4**)
UPPER RADFORD 5F **141**
Up. Regents Pk. BA15: Brad A 6H **125**
Upper Rd. BS39: Hin B 7A **138**
Up. Sandhurst Rd. BS4: Brisl 5F **63**
UPPER SOUNDWELL. 5B **50**
Up. Stanton BS39: Stan D 2B **116**
UPPER STANTON DREW 2C **116**
Up. Station Rd. BS16: Stap H 4A **50**
Up. Stone Cl. BS36: Fram C 7G **29**
Upper St. BS4: Wind H 5C **62**
SN14: Dyr 4K **53**
Upper Strode BS40: Up Str 6J **113**
UPPER SWAINSWICK 5D **82**
Up. Sydney St. BS3: Bedm 6H **61**
Up. Tockington Rd. BS32: Toc. 3C **18**
UPPER TOWN 3G **91**
Up. Town La. BS40: F'tn 3G **91**
Up. Wells St. BS1: Bris 3D **4**
UPPER WESTON 7H **81**
Up. York St. BS2: Bris 1A **62** (1G **5**)
Upton BS24: W Mare 3J **127**
UPTON CHEYNEY 2A **80**
Upton Rd. BS3: Bris 5H **61**
Urchinwood La. BS49: Cong 1B **110**
Urfords Dr. BS16: Fish 2A **50**
Usk Ct. BS35: T'bry. 4A **12**

V

Valda Rd. BS22: W Mare. 2A **106**
Vale Cres. BS22: St Geo 2G **107**
Vale End BS48: Nail. 1F **71**
Vale La. BS3: Bedm 2J **75**
Vale Mill Way BS24: Wor 4D **106**
Valentine Cl. BS14: H'gro 5D **76**
Valerian Cl. BS11: Shire 2K **45**
Vale St. BS4: Wind H 6C **62**
Valetta Cl. BS23: W Mare 2H **127**
Vale Vw. BA3: Rads 4A **154**
Vale Vw. Pl. BA1: Bath 2D **100**
Vale Vw. Ter. BA1: Bathe 7H **83**
Valley Cl. BS48: Nail. 7G **57**
Valley Gdns. BS16: Down. 7D **38**
BS48: Nail 7G **57**
Valley Line Ind. Est. BS27: Ched 7C **150**
Valley Rd. BS8: L Wds 2C **60**
BS13: B'wth 2G **75**
BS16: Mang 3E **50**
BS20: P'head, W'ton G 5A **42**
BS21: Clev 4F **55**
BS30: Old C 3H **65**
Valley Vw. BS39: Clut. 2G **139**
Valley Vw. Cl. BA1: Bath. 7D **82**
Valley Vw. Rd. BA1: Charl 7D **82**
BS39: Paul 7C **140**
Valley Wlk. BA3: Mid N. 4F **153**
Valley Way Rd. BS48: Nail 6G **57**
Valls, The BS32: Brad S 1H **37**
Valma Rocks BS5: St G 3J **63**
Van Diemen's La.
BA1: L'dwn. 1A **100**
Vandyck Av. BS31: Key. 4D **78**
Vane St. BA2: Bath 4D **100** (3J **7**)
Varsity Way BS24: Lock. 6F **107**
Vassall Ct. BS16: Fish. 3K **49**
Vassall Rd. BS16: Fish 3K **49**
Vattingstone La. BS35: Alv 7G **11**
Vaughan Cl. BS10: Hen 4F **35**
Vauxhall Av. BS3: Bris 5G **61**
Vauxhall Ter. BS3: Bris 5G **61**
Vayre Cl. BS37: Chip S 5J **31**
Veale, The BS24: B'don 7A **128**
Vee La. BS40: F'tn, Winf. 3H **91**
Vellore La. BA2: Bath. 4D **100** (3K **7**)
Venns Cl. BS27: Ched. 7D **150**
Venns Ga. BS27: Ched. 5C **150**
Ventnor Av. BS5: St G. 1H **63**
Ventnor Rd. BS5: S'wll, St G. 7H **49**
BS34: Fil 4D **36**
Venton Ct. *BS15: Han 4K **63***
(off Henbury Rd.)
Venue, The 1J 35
Venus La. BS39: Clut 3G **139**
Venus St. BS49: Cong. 2A **110**
Vera Rd. BS16: Fish 6H **49**
Verbena Way BS22: Wor. 3E **106**
Vereland Rd. BS24: Hut 2C **128**
Verlands BS49: Cong 6A **88**
Vernham Gro. BA2: Odd D. 3J **121**
Vernon Cl. BS31: Salt. 7H **79**
Vernon La. BS26: Comp B. 3B **148**
Vernon Pk. BA2: Bath 5J **99**
Vernon St. BS4: Wind H 5B **62**
Vernon Ter. BA2: Bath. 5J **99** (4A **6**)
Vernslade BA1: W'ton. 1G **99**
Verona Ho. BS16: Fish 4K **49**
Verrier Rd. BS5: Redf 2E **62**
Verwood Dr. BS30: Bit 1G **79**
Vian End BS22: Wor 7D **84**
Vicarage Cl. BS22: Wor 1E **106**
Vicarage Ct. BS15: Han 4K **63**
Vicarage Gdns. BA2: Pea J 5B **142**
Vicarage La. BS26: Comp B 3B **148**
BS35: Olv. 2C **18**
BS39: Comp D 5A **96**
BS48: Bar G. 4G **73**
Vicarage Rd. BS3: Bris 5H **61**
BS5: E'tn 1E **62**
BS8: L Wds 3D **60**
BS13: B'wth 4F **75**
BS15: Han 4K **63**
BS35: Piln. 6C **16**
BS36: Coal H 2G **39**
Vicarage St. TA8: Bur S 1C **158**
Vicars Cl. BS16: Fish 4K **49**
Victor Ho. BS34: Lit S. 7E **26**
Victoria Art Gallery 5C 100 (4G 7)
Victoria Av. BS5: Redf. 2E **62**
Victoria Bri. Ct. BA1: Bath 3C **6**
Victoria Bri. Rd. BA2: Bath. . . . 5A **100** (4C **6**)
Victoria Bldgs. BA2: Bath. 5K **99** (4B **6**)
Victoria Cl. BA2: Bath 6J **99**
BS20: P'head 3F **43**
BS35: T'bry 1K **11**
Victoria Ct. BS6: Redl. 6G **47**
BS20: P'head 3F **43**
Victoria Cres. BS35: Sev B 7A **16**
Victoria Gdns. BA1: Bathe. 7H **83**
BS6: Cot. 7K **47**
Victoria Gro. BS3: Bedm. 5A **62**
Victoria Ho. BA1: W'ton 3K **99** (1A **6**)
Victoria Pde. BS5: Redf 1E **62**
VICTORIA PARK 1H **61** (1A **4**)
Victoria Pk. BS15: K'wd 1B **64**
BS16: Fish 3J **49**
BS23: W Mare. 3F **105**
Victoria Pk. Bus. Cen.
BA1: Bath 4K **99** (3A **6**)
Victoria Pl. *BA1: Bath 2E **100***
(off St Saviours Rd.)
BA2: C Down 3E **122**
BA2: S'ske 5B **122**
BS3: Bedm 5J **61**
BS23: W Mare. 4F **105**
BS39: Paul 1B **152**
TA9: High 5F **159**
Victoria Quad. BS23: W Mare 4G **105**
Victoria Rd. BA2: Bath 5K **99** (5B **6**)
BS2: Bris 4C **62** (7K **5**)
(not continuous)
BS11: A'mth 7F **33**
BS15: Han 4A **64**
BS21: Clev 6C **54**
BS30: Old C 4G **65**
BS31: Salt 7H **79**
Victoria Sq. BS8: Clif 2G **61**
BS20: P'head 3F **43**
BS23: W Mare. 5F **105**
Victoria St. BS1: Bris 3A **62** (4G **5**)
BS16: Stap H 4B **50**
TA8: Bur S 1C **158**
Victoria Ter. BA2: Bath 5K **99** (5B **6**)
BS2: Bris 4D **62**
BS8: Clif 3F **61**
BS39: Paul 7C **140**
Victoria Wlk. BS6: Bris, Cot 7K **47**
Victor Rd. BS3: Bedm 6J **61**
Victor St. BS2: Bris 5C **62** (7K **5**)
BS5: Bar H. 3D **62**
Vigor Rd. BS13: Hart 5H **75**
VILLA FIELDS 3D **100**
Village Cl. BS37: Yate. 5D **30**
Villa Rosa *BS23: W Mare 3E **104***
(off Shrubbery Rd.)
Villice La. BS40: Comp M. 6A **136**
Villiers Rd. BS5: E'tn 7D **48**
Vilner La. BS35: T'bry. 5K **11**
Vimpany Cl. BS10: Hen. 4F **35**
Vimpennys La. BS35: E Comp 5D **24**
Vincent Cl. BS11: Law W 5C **34**
TA8: Bur S 1E **158**
Vincent Ct. BS16: Soun. 5B **50**
Vine Acres BS7: Hor 3C **48**
Vine Cott. BS31: Salt. 6K **79**
Vine Cotts. BA15: Brad A 6G **125**
Vine Gdns. BS22: Wor. 2E **106**
Vinery, The BS25: Wins 6G **131**
Vines Ind. Est. BS48: Nail 6J **57**
Vineyards BA1: Bath. 4C **100** (2G **7**)
Vining Wlk. BS5: E'tn. 1D **62**
Vinney La. BS37: Hort 4K **23**
Vinny Av. BS16: Down. 1E **50**
VINNY GREEN 1E **50**
Vintery Leys BS10: W Trym 1H **47**
Virginia Cl. BS37: Chip S 5G **31**
Vivian St. BS3: Wind H 6K **61**
Vivien Av. BA3: Mid N. 4E **152**
Vowell Cl. BS13: Withy. 6H **75**
Vowles Cl. BS48: Wrax 6J **57**
Vulcan Ho. BA2: Bath. 4C **100** (2H **7**)
Vynes Cl. BS48: Nail 1J **71**
Vynes Way BS48: Nail 1J **71**
Vyvyan Rd. BS8: Clif. 2G **61**
Vyvyan Ter. BS8: Clif. 2G **61**

W

Wadehurst Ind. Pk. BS2: Bris 2C **62**
Wade Rd. BS37: Iron A. 3A **30**
Wades Rd. BS34: Fil. 4D **36**
Wade St. BS2: Bris 1B **62** (1J **5**)
Wadham Dr. BS16: Fren 6K **37**
Wadham Gro. BS16: Emer G 3F **51**
Wadham St. BS23: W Mare 4F **105**
Wagtail Gdns. BS22: Wor. 4C **106**
Wainbridge Cres. BS35: Piln. 6C **16**
Wainbrook Dr. BS5: Eastv 6F **49**
Wains Cl. BS21: Clev 7C **54**
Wainwright Cl. BS22: Wor. 7F **85**
Waits Cl. BS29: Ban 2K **129**
Wakedean Gdns. BS49: Yat 2G **87**
Wakeford Rd. BS16: Down 1E **50**
Walcot Bldgs. BA1: Bath 3C **100** (1H **7**)
Walcot Ct. BA1: Bath 3C **100** (1G **7**)
Walcot Ga. BA1: Bath. 3C **100** (1G **7**)
Walcot Ho. BA1: Bath 3C **100**
Walcot Pde. BA1: Bath 1G **7**
Walcot St. BA1: Bath 4C **100** (3G **7**)
Walcot Ter. BA1: Bath. 3C **100** (1H **7**)
Waldegrave Rd. BA1: Bath 2A **100**
Waldegrave Ter. BA3: Rads. 3A **154**
Walden Rd. BS31: Key 6E **78**
Walford Av. BS22: St Geo 2F **107**
(Bristol Rd.)

Walford Av.—Westbury Ct. Rd.

Walford Av. BS22: St Geo, Wor. 7F **85**
(Wansbrough Rd.)
Walker Cl. BS5: E'tn 1D **62**
BS16: Down 1E **50**
Walker St. BS2: Bris. 1J **61** (1D **4**)
Walker Way BS35: T'bry 5K **11**
Walk, The GL9: Ing C 7K **15**
GL12: Wickw 7K **15**
Wallace Rd. BA1: Bath 2D **100**
Wallace Wells Rd. TA8: Bur S. 3F **159**
Wallcroft Ho. BS6: Redl 5G **47**
Wallenge Cl. BS39: Paul. 7D **140**
Wallenge Dr. BS39: Paul. 7C **140**
Walley La.
BS40: Chew M, Chew S. 4F **115**
Wall Grn. BS26: Axb 5J **149**
Wallingford Rd. BS4: Know 3K **75**
Walliscote Av. BS9: Henl. 2J **47**
Walliscote Gro. Rd.
BS23: W Mare 5G **105**
Walliscote Rd. BS9: Henl 2J **47**
BS23: W Mare 5G **105**
Walliscote Rd. Sth. BS23: W Mare . . . 1F **127**
WALL MEAD **1G 141**
Wallscourt Rd. BS34: Fil. 5D **36**
Wallscourt Rd. Sth. BS34: Fil 6D **36**
Wallycourt Rd. BS40: Chew S 4E **114**
Walmsley Ter. *BA1: Bath 2D **100***
(off Snow Hill)
Walnut Av. BS37: Yate 4G **31**
Walnut Bldgs. BA3: Rads 3A **154**
Walnut Cl. BS15: K'wd 7D **50**
BS20: E'tn G. 5E **44**
BS24: W Mare 3K **127**
BS26: Axb 5H **149**
BS27: Ched 7D **150**
BS31: Key 6A **78**
BS35: T'bry 3B **12**
BS36: Coal H 1G **39**
BS48: Nail 2G **71**
Walnut Cres. BS15: K'wd 1D **64**
Walnut Dr. BA2: Bath 7A **100** (7C **6**)
Walnut La. BS15: K'wd 1E **64**
Walnut Tree Cl. BS32: Alm 1C **26**
BS40: Ubl. 4H **135**
Walnut Tree Ct. BS49: Cong 7K **87**
Walnut Wlk. BS13: B'wth 4G **75**
BS31: Key 6A **78**
WALROW **5K 159**
Walrow TA9: High. 5G **159**
Walrow Ind. Est. TA9: High. 6H **159**
Walrow Ter. TA9: High 5G **159**
Walsh Av. BS14: H'gro 3C **76**
Walsh Cl. BS24: W Mare. 3K **127**
Walshe Av. BS37: Chip S. 5J **31**
Walsingham Rd. BS6: Bris 6A **48**
Walter St. BS3: Bris 5G **61**
Waltham End BS24: Wor. 4E **106**
Waltining La. BA2: New L. 5D **98**
Walton BS24: W Mare 3J **127**
Walton Av. BS4: St Ap. 4F **63**
Walton Cl. BS30: Bit. 1G **79**
BS31: Key 6B **78**
Walton Heath BS37: Yate. 5F **31**
WALTON IN GORDANO **2H 55**
Walton Ri. BS9: W Trym. 7G **35**
Walton Rd. BS11: Shire 2H **45**
BS21: Clev 5F **55**
WALTON ST MARY **3D 54**
Walton St. BS5: E'tn. 7D **48**
BS21: Walt G 1G **55**
Walwyn Cl. BA2: Bath. 5G **99**
Walwyn Gdns. BS13: Hart. 7K **75**
Wansbeck Rd. BS31: Key 6E **78**
Wansbrough Rd. BS22: Wor 7F **85**
Wanscow Wlk. BS9: Henl 2H **47**
Wansdyke Bus. Cen.
BA2: Bath 7K **99** (7B **6**)
Wansdyke Ct. BS14: Whit. 5D **76**
Wansdyke Rd. BA2: Odd D 3J **121**
Wansdyke Workshops BS31: Key 4E **78**
WAPLEY **3E 40**
Wapley Bushes Local Nature Reserve
. . . . 1E 40
Wapley Bushes Nature Trail 1D 40
Wapley Hill BS37: W'lgh 2E **40**
Wapley Rank BS37: W'lgh 2D **40**
Wapley Rd. BS37: Cod, W'lgh 4F **41**
Wapping Rd. BS1: Bris. 4K **61** (6E **4**)
Warden Rd. BS3: Bedm. 5J **61**
Wardour Rd. BS4: Know 2K **75**
Ware Ct. BS36: Wint. 2B **38**
Wareham Cl. BS48: Nail 1F **71**
Wareham Ct. BS48: Nail 1F **71**
Waring Ho. BS1: Bris 4K **61** (7F **5**)
WARLEIGH **6A 102**
Warleigh Dr. BA1: Bathe 7J **83**
Warleigh La. BA1: Warl. 2B **124**
(Conkwell)
Warleigh La. BA1: Warl. 3K **101**
(Bathford)
Warleys La. BS24: W Wick 3G **107**
Warman Cl. BS14: Stoc 4H **77**
Warman Rd. BS14: Stoc. 4H **77**
Warmington Rd. BS14: H'gro 2E **76**
Warminster Rd.
BA2: Bath, B'ptn. 3E **100** (2K **7**)
BA2: C'ton 4J **101**
BA2: F'frd. 7H **123**
BA2: Lim S, Mon C. 5H **123**
BS2: Bris 6C **48**
WARMLEY **1F 65**
WARMLEY HILL **1E 64**
Warne Pk. BS23: W Mare 6J **105**
Warner Cl. BS15: K'wd 3D **64**
BS49: C've 4C **88**
Warne Rd. BS23: W Mare 6J **105**
Warner Village Cinema 1J 35
Warns, The BS30: C Hth 5E **64**
Warren Cl. BS24: Hut 3B **128**
BS32: Brad S 3F **27**
Warren Farm Holiday Pk.
TA8: Brean 1B **144**
Warren Gdns. BS14: Stoc 5H **77**
Warren La. BS4: L Ash 1J **73**
Warren Rd. BS34: Fil 4D **36**
TA8: Brean 1B **144**
Warren's Cl. BS27: Ched. 5D **150**
Warrens Hill BS27: Ched 5D **150**
Warrens Hill Rd. BS27: Ched 3D **150**
BS40: C'hse 2E **150**
Warrens Holiday Village
BS21: Clev 2C **68**
Warren Way BS37: Yate 3E **30**
Warrilow Cl. BS22: Wor 6F **85**
Warrington Rd. BS4: Brisl 7F **63**
Warry Cl. BS48: Wrax. 7K **57**
Warth La. BS22: Wick L 3E **84**
BS35: N'wick 2C **16**
Warwick Av. BS5: E'tn 7D **48**
Warwick Cl. BS22: W Mare. 4A **106**
BS30: Will. 7F **65**
BS35: T'bry. 3J **11**
Warwick Gdn. BS39: Clut 2F **139**
Warwick Gdns. TA8: Bur S 6D **156**
Warwick Rd. BA1: Bath. 4H **99**
BS5: E'tn 7D **48**
BS6: Redl. 7H **47**
BS31: Key 6B **78**
Warwick Vs. BA2: Bath 6J **99**
Washingpool Hill BS35: Rudg. 4G **19**
Washingpool Hill Rd. BS32: Toc. 3D **18**
Washing Pound La. BS14: Whit 6D **76**
BS21: Tic 6D **56**
Washington Av. BS5: E'tn 7E **48**
Washpool La. BA2: Eng. 2F **121**
BA2: Stan P 1J **119**
SN14: Hin 1G **53**
Watch Elm Cl. BS32: Brad S. 1G **37**
Watch Ho. Rd. BS20: Pill 4H **45**
Watchill Av. BS13: B'wth 4F **75**
Watchill Cl. BS13: B'wth 4F **75**
Waterbridge Rd. BS13: Withy 5F **75**
Watercress Cl. BS48: Wrax. 7K **57**
Watercress Rd. BS2: Bris 5B **48**
Waterdale Cl. BS9: Henl 1J **47**
Waterdale Gdns. BS9: Henl. 1J **47**
Waterford Cl. BS35: T'bry. 4B **12**
Waterford Pk. BA3: Rads 6H **153**
Waterford Rd. BS9: Henl. 2H **47**
Water Gdns. BS40: Blag 3C **134**
Waterhouse La. BA2: Lim S 5G **123**
Water La. BA3: Mid N 2E **152**
BS1: Bris. 3A **62** (4H **5**)
BS3: Wind H. 6B **62**
BS4: Brisl 1F **77**
(not continuous)
BS20: Pill 4G **45**
Waterloo Bldgs. BA2: Bath 5H **99**
(not continuous)
Waterloo Ho's. *BS20: Pill 3G **45***
(off Underbanks)
Waterloo Pl. BS2: Bris 2C **62** (3K **5**)
Waterloo Rd. BA3: Rads 4K **153**
BS2: Bris. 2B **62** (3K **5**)
Waterloo St. BS2: Bris 2B **62** (2K **5**)
BS8: Clif 2F **61**
BS23: W Mare 4F **105**
Watermead Cl. *BA1: Bath 5E **6***
(off Kingsmead W.)
Watermore Cl. BS36: Fram C 7G **29**
Watershed Media Cen. 3K 61 (5E 4)
WATERSIDE **5J 153**
Waterside Cres. BA3: Rads 5H **153**
Waterside Dr. BS32: Alm 5C **26**
BS34: Pat. 5C **26**
Waterside La. BA3: Kil 7K **153**
Waterside Pk. BS20: P'head 4A **42**
Waterside Rd. BA3: Rads 5H **153**
Waterside Way BA3: Rads 5H **153**
Water's La. BS9: W Trym 1G **47**
Waters La. BS27: Ched 6E **150**
Waters Rd. BS15: K'wd. 1A **64**
Water St. BS40: E Harp. 7K **137**
Watery La. BA2: Bath 5G **99**
BS30: Doy 1G **67**
BS37: Yate 1C **30**
BS40: Winf. 7B **92**
BS48: Nail 7D **56**
Wathen Rd. BS6: Bris 5B **48**
Wathen St. BS16: Stap H 3B **50**
Watkins Yd. BS9: W Trym. 7G **35**
WATLEY'S END **7D 28**
Watley's End Rd. BS36: Wint 7C **28**
Watling Way BS11: Shire 1G **45**
Watson Av. BS4: Brisl 5F **63**
(not continuous)
Watson's Rd. BS30: L Grn 6D **64**
Watters Cl. BS36: Coal H 1H **39**
Wavell Cl. BS37: Yate. 3D **30**
Waveney Rd. BS31: Key 7E **78**
Wavering Down Ri. BS26: Cross. 3G **149**
Waverley Rd. BS6: Cot 7J **47**
BS11: Shire 2J **45**
BS23: W Mare 1H **127**
BS37: Yate 4B **30**
BS48: Back. 3J **71**
Waverley St. BS5: E'tn 7C **48**
Wayacre Drove BS23: B'don 7F **127**
Wayfield Gdns. BA1: Bathe. 6H **83**
Wayford Cl. BS31: Key 7E **78**
Wayland Rd. BS22: Wor 1C **106**
Wayleaze BS36: Coal H. 7H **29**
Wayside BS22: Wor 2B **106**
Wayside Cl. BS36: Fram C. 7F **29**
Wayside Dr. BS21: Clev. 4E **54**
WAY WICK **3J 107**
Weal, The BA1: W'ton 1H **99**
WEARE **7E 148**
Weare Ct. BS1: Bris 4G **61** (7A **4**)
Weatherley Dr. BS20: P'head 5B **42**
Weatherly Av. BA2: Odd D. 2K **121**
WEBBINGTON **2J 147**
Webbington Rd. BS26: Comp B. 4B **148**
BS26: Webb 3J **147**
WEBB'S HEATH **1H 65**
Webbs Heath BS30: W Hth 7H **51**
Webbs Mead BS40: Chew S 4D **114**
Webb St. BS5: E'tn. 1C **62** (1K **5**)
Webbs Wood Rd. BS32: Brad S 1H **37**
Wedgewood Rd. BS16: Down 6B **38**
Wedgwood Cl. BS14: Whit 5D **76**
Wedgwood Rd. BA2: Bath 6F **99**
Wedlock Way BS3: Ash G 6F **61**
Wedmore Cl. BS15: K'wd 2D **64**
BS23: W Mare 3H **127**
TA8: Bur S 7E **156**
Wedmore Pk. BA2: Bath 1G **121**
Wedmore Rd. BS21: Clev 1B **68**
BS27: Ched 7C **150**
BS31: Salt 6H **79**
BS48: Nail 2G **71**
Wedmore Va. BS3: Know, Wind H. 7A **62**
Weedon Cl. BS2: Bris 6C **48**
Weekesley La. BA2: Cam 5G **141**
Weetwood Rd. BS49: Cong. 6A **88**
Weight Rd. BS5: Redf. 2E **62**
Weind, The BS22: Wor 2B **106**
Weir La. BS8: Fail. 2H **59**
(not continuous)
Weir Rd. BS49: Cong 1A **110**
Weirside Mill BA15: Brad A. 6J **125**
Welland Rd. BS31: Key. 6D **78**
Wellard Cl. BS22: Wor 7F **85**
Well Cl. BS4: L Ash 1B **74**
BS24: W Mare 3K **127**
BS25: Wins 5G **131**
Wellgarth Ct. BS4: Know 7C **62**
Wellgarth Rd. BS4: Know. 7C **62**
Wellgarth Wlk. BS4: Know 7C **62**
Well Ho. Cl. BS9: Stok B. 6E **46**
Wellington Av. BS6: Bris. 7A **48**
Wellington Bldgs. BA1: W'ton. 1H **99**
Wellington Cres. BS7: Hor 2A **48**
Wellington Dr. BS9: Henl 2K **47**
BS37: Yate 4B **30**
Wellington Hill BS7: Hor. 2A **48**
Wellington Hill W. BS9: Henl. 1J **47**
Wellington La. BS6: Bris. 7A **48**
Wellington M. BS11: Shire 3H **45**
Wellington Pk. BS8: Clif 7G **47**
Wellington Pl. BS16: Fren. 6K **37**
BS23: W Mare. 5F **105**
BS27: Ched 7D **150**
Wellington Rd. BS2: Bris 2B **62** (2J **5**)
BS15: K'wd 6B **50**
BS37: Yate 2E **30**
Wellington Ter. BS8: Clif 3F **61**
BS21: Clev 4C **54**
Wellington Wlk. BS10: W Trym. 1J **47**
Well La. BS29: Ban 2J **129**
BS49: Yat 3J **87**
WELLOW **4K 143**
Wellow Brook Mdw. BA3: Mid N 4F **153**
Wellow La. BA2: Pea J 6B **142**
(not continuous)
Wellow Mead BA2: Pea J 6B **142**
Wellow Rd. BA2: Pea J, Wel 6F **143**
Wellow Tyning BA2: Pea J 6D **142**
Well Pk. BS49: Cong. 6K **87**
Well Path BA15: Brad A 6G **125**
Wells Cl. BS14: Whit. 5E **76**
BS48: Nail 1K **71**
TA8: Bur S 1E **158**
Wellsea Gro. BS23: W Mare 5K **105**
Wells Hill BA3: Rads. 4K **153**
Wells Rd. BA2: Bath. 6A **100** (7D **6**)
BA2: Cor, New L 5J **97**
BA3: Mid N. 5G **153**
BS4: Dun 2E **92**
BS4: Know, Wind H 5B **62**
BS14: H'gro, Whit 2D **76**
BS21: Clev. 1D **68**
BS39: Hall. 7J **139**
BS40: Chew M 2E **92**
Wells Sq. BA3: Rads. 4H **153**
Wells St. BS3: Ash G 5G **61**
Wellstead Av. BS37: Yate 5D **30**
Wellsway BA2: Bath, Odd D 4K **121**
BS31: Key 5D **78**
Wellsway Pk. BA2: Odd D. 4K **121**
Welsford Av. BS16: Stap 4F **49**
Welsford Rd. BS16: Stap. 4E **48**
Welsh Back BS1: Bris 3K **61** (5F **5**)
Welsh Back Squash and Health Club
. . . . 3K 61 (5F 5)
WELTON **4F 153**
Welton Gro. BA3: Mid N 3E **152**
WELTON HOLLOW **4H 153**
Welton Rd. BA3: Rads. 4J **153**
Welton Va. BA3: Mid N 4F **153**
Welton Wlk. BS15: K'wd. 6A **50**
Wemberham Cres. BS49: Yat 2G **87**
Wemberham La. BS49: Yat. 4D **86**
Wenmore Cl. BS16: Down. 6B **38**
Wentforth Dr. BS15: K'wd 6A **50**
Wentwood Dr. BS24: W Mare 4J **127**
Wentworth BS30: Warm 3E **64**
BS37: Yate 5E **30**
Wentworth Cl. BS22: Wor 1E **106**
Wentworth Rd. BS7: B'stn. 5K **47**
Wesley Av. BA3: Rads. 5G **153**
BS15: Han 4B **64**
Wesley Cl. BS5: W'hall 7F **49**
BS16: Soun 5B **50**
TA8: Brean 3B **144**
Wesley Dr. BS22: Wor. 1E **106**
Wesley Hill BS15: K'wd. 7B **50**
Wesley La. BS30: C Hth 4F **65**
Wesley M. BS27: Ched 7D **150**
Wesley Pl. BS8: Clif 6G **47**
Wesley Rd. BS7: B'stn 4A **48**
Wesley St. BS3: Bedm 6J **61**
Wessex Av. BS7: Hor 1B **48**
Wessex Bus. Cen. BS27: Ched 7C **150**
Wessex Ct. BS7: Hor. 1B **48**
Wessex Ho. BS2: Bris 2K **5**
(Lawfords Ga.)
BS2: Bris. 3A **62** (4H **5**)
(Passage St.)
Wessex Rd. BS24: W Mare 3K **127**
Westacre Cl. BS10: Hen 5G **35**
BS27: Ched 6D **150**
Westacre Rd. BS27: Ched. 6D **150**
West Av. BA2: Bath. 6J **99** (6A **6**)
TA9: High 4E **158**
Westaway Cl. BS49: Yat 4J **87**
Westaway Pk. BS49: Yat. 4K **87**
West Bath Riverside Path
BA1: Bath. 5H **99**
Westbourne Av. BS21: Clev. 7B **54**
BS31: Key 5C **78**
Westbourne Cres. BS21: Clev 7B **54**
Westbourne Gro. BS3: Bedm. 6J **61**
Westbourne Pl. BS8: Clif 2H **61** (2A **4**)
Westbourne Rd. BS5: E'tn. 1D **62**
BS16: Down. 7D **38**
Westbourne Ter. BS16: Fren 1K **49**
West B'way. BS9: Henl 2K **47**
Westbrooke Ct. BS1: Bris 4G **61**
Westbrook Pk. BA1: W'ton 1G **99**
Westbrook Rd. BS4: Brisl 2F **77**
BS22: W Mare 3A **106**
Westbury College Gatehouse 1G 47
Westbury Ct. BS9: W Trym 1G **47**
Westbury Ct. Rd. BS9: W Trym 1F **47**

HOSPITALS and HOSPICES
covered by this atlas
with their map square reference

N.B. Where Hospitals and Hospices are not named on the map, the reference given is
for the road in which they are situated.

BARROW HOSPITAL 4A **74**
Barrow Gurney
BRISTOL
BS48 3SG
Tel: 01275 392811

BATH BMI CLINIC, THE 2F **123**
Claverton Down Rd.
Combe Down
BATH
BA2 7BR
Tel: 01225 835555

BLACKBERRY HILL HOSPITAL 3H **49**
Manor Rd.
Fishponds
BRISTOL
BS16 2EW
Tel: 0117 9656061

BRADFORD-ON-AVON COMMUNITY
HOSPITAL 4H **125**
Berryfield Rd.
BRADFORD-ON-AVON
Wiltshire
BA15 1TA
Tel: 01225 862975

BRISTOL BUPA HOSPITAL 6G **47**
Redland Hill
Redland
BRISTOL
BS6 6UT
Tel: 0117 9732562

BRISTOL DENTAL HOSPITAL. . . . 2K **61** (2E **4**)
Lwr. Maudlin St.
BRISTOL
BS1 2LY
Tel: 0117 9230050

BRISTOL EYE HOSPITAL 2K **61** (2F **5**)
Lwr. Maudlin St.
BRISTOL
BS1 2LX
Tel: 0117 9230060

BRISTOL GENERAL HOSPITAL
. . . . 4K **61** (7F **5**)
Guinea St.
BRISTOL
BS1 6SY
Tel: 0117 9265001

BRISTOL HAEMATOLOGY &
ONCOLOGY CENTRE 2K **61** (2E **4**)
Horfield Rd.
BRISTOL
BS2 8ED
Tel: 0117 9230000

BRISTOL HOMOEOPATHIC HOSPITAL
(OUTPATIENTS) 1J **61**
Cotham Hill
BRISTOL
BS6 6JU
Tel: 0117 9731231

BRISTOL NUFFIELD HOSPITAL AT
ST MARY'S 2H **61** (3B **4**)
Up. Byron Pl.
BRISTOL
BS8 1JU
Tel: 0117 9872727

BRISTOL NUFFIELD HOSPITAL AT THE
CHESTERFIELD 3G **61**
3 Clifton Hill
BRISTOL
BS8 1BP
Tel: 0117 9730391

BRISTOL PRIORY HOSPITAL, THE. 4D **48**
Heath Ho. La.
Stapleton
BRISTOL
BS16 1EQ
Tel: 0117 9525255

BRISTOL ROYAL INFIRMARY
. . . . 1K **61** (1E **4**)
Marlborough St.
BRISTOL
BS2 8HW
Tel: 0117 9230000

CLEVEDON HOSPITAL 6E **54**
Old St.
CLEVEDON
Avon
BS21 6BS
Tel: 01275 872212

COSSHAM MEMORIAL HOSPITAL 6A **50**
Lodge Rd.
BRISTOL
BS15 1LF
Tel: 0117 9671661

DOROTHY HOUSE HOSPICE CARE. . . . 6B **124**
Winsley
BRADFORD-ON-AVON
Wiltshire
BA15 2LE
Tel: 01225 722988

FRENCHAY HOSPITAL 7K **37**
Frenchay Pk. Rd.
BRISTOL
BS16 1LE
Tel: 0117 9701212

GROVE ROAD DAY HOSPITAL 6G **47**
12 Grove Rd.
Redland
BRISTOL
BS6 6UJ
Tel: 0117 9730225

KEYNSHAM HOSPITAL 6D **78**
St Clement's Rd.
Keynsham
BRISTOL
BS31 1AG
Tel: 0117 9862356

PAULTON HOSPITAL 2D **152**
Salisbury Rd.
Paulton
BRISTOL
BS39 7SB
Tel: 01761 412315

ROBERT SMITH UNIT DAY HOSPITAL
. . . . 2G **61**
Mortimer Rd.
BRISTOL
BS8 4EX
Tel: 0117 9735004

ROYAL NATIONAL HOSPITAL FOR
RHEUMATIC DISEASES
. . . . 5B **100** (4F **7**)
Up. Borough Walls
BATH
BA1 1RL
Tel: 01225 465941

ROYAL UNITED HOSPITAL 3H **99**
Combe Pk.
BATH
BA1 3NG
Tel: 01225 428331

ST MARTIN'S HOSPITAL 3A **122**
Midford Rd.
BATH
BA2 5RP
Tel: 01225 832383

ST MICHAEL'S HOSPITAL
. . . . 1J **61** (1D **4**)
Southwell St.
BRISTOL
BS2 8EG
Tel: 0117 9215411

ST PETER'S HOSPICE 7B **62**
St Agnes Av.
BRISTOL
BS4 2DU
Tel: 0117 9774605

ST PETERS HOSPICE (BRENTRY)
. . . . 5H **35**
Charlton Rd.
Brentry
BRISTOL
BS10 6NL
Tel: 01179 159400

SOUTHMEAD HOSPITAL 7A **36**
Southmead Rd.
Westbury-on-Trym
BRISTOL
BS10 5NB
Tel: 0117 9505050

THORNBURY HOSPITAL 3A **12**
Eastland Rd.
Thornbury
BRISTOL
BS35 1DN
Tel: 01454 412636

WAR MEMORIAL HOSPITAL
(BURNHAM-ON-SEA) 1D **158**
Love La.
BURNHAM-ON-SEA
Somerset
TA8 1ED
Tel: 01278 773118

WESTON GENERAL HOSPITAL
. . . . 3G **127**
Grange Rd.
Uphill
WESTON-SUPER-MARE
Avon
BS23 4TQ
Tel: 01934 636363

WESTON HOSPICECARE 3F **127**
28 Thornbury Rd.
Uphill
WESTON-SUPER-MARE
Avon
BS23 4YQ
Tel: 01934 423900